PIO BAROJA EN SUS MEMORIAS

Teresa Guerra de Gloss

PIO BAROJA EN SUS MEMORIAS

Colección Nova Scholar

© TERESA GUERRA DE GLOSS, 1974

Depósito legal: M. 37.289 - 1974

ISBN: 84-359-0151-3

COLECCION NOVA SCHOLAR

PLAYOR, S. A.
Apartado 50.869, Madrid

Printed in Spain
Impreso en España

_____

PLAYOR, S. A.   -   Santa Polonia, 7   -   Madrid-14

A mi padre

TABLA DE MATERIAS

Págs.

PROLOGO   9

INTRODUCCION. LA AUTOBIOGRAFIA COMO GENERO LI-
    TERARIO   11

    Problemas de la Autobiografía   15
    Características ... ...·   20
    Recursos Estilísticos   23

  I. EL HOMBRE   25

    Infancia   29
    Pubertad, Mujeres y Romanticismo   31
    Carácter   39
    Simpatías y antipatías   47
    Otros rasgos de su carácter   57

 II. PREOCUPACIONES INTELECTUALES Y SOCIALES ...   65

    El Médico   65
    Baroja y la Ciencia   73
    Ante la Política   78
    Concepto de la Sociedad   85
    La Filosofía   91

III. EL ESCRITOR   99

Ambiente   111

IV. EL CRITICO LITERARIO   117
    Crítico de sí mismo   117
    El Estilo   122
    Sobre sus Críticos   126
    Subjetivismo Literario   135
    La Generación del 98   148
    Teoría de la Novela   150

V. TECNICA Y ESTILO EN LAS *MEMORIAS*   161
    Recursos Propios del Autor   170

CONCLUSION   187

BIBLIOGRAFIA   193

PROLOGO

Aun cuando la mayoría de los críticos de Baroja aluden a las Memorias, hasta ahora éstas no han sido estudiadas de una manera sistemática. Hemos tropezado con varios artículos dedicados a ellas, pero no con un trabajo de la suficiente amplitud, capaz de abarcar todo lo que éstas significan. De ahí, que en nuestro deseo de estudiar a Baroja, y no acabándose de perfilar el aspecto suyo que más nos interesara, al advertirnos el Profesor Pasquariello, que a las Memorias no se les había dado el estudio que merecían, nos pareciera que éste era un buen tema para la presente tesis.

Primeramente, hemos creído necesario antes de hablar de la obra en sí, dedicar un capítulo a exponer las teorías más importantes que se ocupan del género. Aún cuando en la literatura española hay autobiografías de cierta calidad, los datos suministrados por éstas han sido aprovechados para las estudios biográficos; pero no sabemos de ningún libro español que estudie lo que constituye tal género. Es sólo un bosquejo muy breve —el tema sería una tesis en sí—, pero lo suficiente para permitirnos mejor calificar la obra de Baroja.

Del género pasaremos al estudio del hombre. No hemos pretendido en ningún momento presentar una biografía de Baroja. Ya existen varias, y no pretendemos mejorarlas. Nuestro objeto es entresacar los momentos que nos parecen que mejor definen el carácter de Baroja. Por eso, hemos escogido unos

*cuantos puntos que nos parecen más definitivos. Empezaremos
por decir algo de los antepasados y su ambiente, dando una ligera pasada a la infancia de nuestro protagonista, para de ahí
pasar a dos problemas que nos' parecen de capital importancia
en la psicología de Baroja: sus relaciones con las mujeres y
la gran cantidad de antipatías y las pocas simpatías que sintió
por sus contemporáneos. Para concluir este primer capítulo
expondremos los gustos de Baroja y lo que dicen algunos de
sus defensores de su carácter.*

*En el segundo, estudiaremos al intelectual. Empezando por
el estudiante de Medicina, pasaremos al admirador de la ciencia. Y de ahí, a analizar sus opiniones sobre política, sociedad
y filosofía.*

*El tercer capítulo es un resumen de la vida profesional de
nuestro escritor tal como éste la describe en la obra que nos
ocupa.*

*Una vez vista su producción, pasamos a analizar la opi-
nión que ésta y sus críticos le merecen, así como la que tiene
de ciertos géneros y movimientos literarios. Este punto ha sido
muy estudiado por la crítica. Por tanto, si añadimos algo, será
poca cosa. Pero hay que dedicarle su espacio por la enorme
extensión que ocupa en las Memorias.*

*En el último capítulo se trata de analizar la obra en sí,
técnica y estilísticamente y cómo se desenvuelve Baroja en
este género.*

INTRODUCCION

LA AUTOBIOGRAFIA COMO GENERO LITERARIO

Antes de pasar a estudiar la obra que nos ocupa, creemos que deberíamos empezar por decir algo del género literario al que pertenece. Las *Memorias* de Baroja [1] forman parte del género autobiográfico. En un principio, la autobiografía, la historia de un hombre escrita por sí mismo [2] formaba parte de la Biografía en general y se la conocía por distintos nombres tales como *memorias, diario,* etc. Aun cuando con el Renacimiento surgió el interés por la vida de los antiguos, no será hasta la Ilustrhación que empiecen a interesarse por la autobiografía en sí [3]. En el XIX, la moderna preocupación por la psicología, contribuyó a su separación de la Biografía. Al parecer la

---

[1]   Pío Baroja, *Desde la última vuelta del camino. Memorias,* VII (Madrid, 1944-1949) (Todas las citas que aparecen entre paréntesis se refieren a esta obra).

[2]   Aun cuando Ernest S. Bates en su definición de la autobiografía, dice: "... the idea that it must written by the person concerned must be abandoned at the outset. Many are the work of editors and amanuenses working uncontrolled, even in a language unknown to the original person, or on behalf of illiterates, while others consist of posthumous patchwork by loyal friends". Ernest Stuart Bates, *Inside Out, an Introduction to Autobiography* (New York, 1937), p. 2, como en el presente ensayo la falsedad o verdad de esta opinión no añade nada al estudio de la obra de Baroja, seguiremos considerando que autobiografía es la historia de un hombre escrita por sí mismo.

[3]   Georg Misch, *A History of Autobiography in Antiquity* (London, 1950), II, pp. 1-2.

palabra «autobiografía» fue usada por primera vez en 1809
por Robert Southey [4]. Georg Misch, sin embargo, considera que
antes que en la literatura inglesa fue usada en la alemana, a
fines del XVIII, desconociéndose el inventor del término [5].

Algunos autores establecen diferencias entre la Autobiografía y las Memorias [6]. Benedetto Croce, por ejemplo, cree
que las Memorias se aproximan a la Historia. El hecho de estar escritas en primera persona no las convierte en Autobiografía. Para ello necesitarían de la introspección [7]. Otros prefieren
no usar dos palabras distintas. Consideran que hay dos tipos
de Autobiografía, una en la que el autor dedica más atención
a su propio interior y otra en la que el énfasis está en los sucesos de la época. Para Richard D. Mallery, una buena autobiografía tiene que tener algo de las dos [8]. Ésta última concep-

---

[4] Richard D. Mallery, ed., *Masterworks of Autobiography; Digests
of 10 Great Classics* (New York, 1946), p. 4.

[5] "The term is of recent date. It made its appearance only about
the end of the eighteenth century, firts apparently, in German literature, then in English —a word formed artificially, like the technical
terms of science, with the aid of the ancient Greek language: who
coined it is not known." Misch, p. 5.

[6] "... autobiography is distinguished ... from memoirs ... by being
concerned with the writer, whereas in memoirs other people and other
subjects are introduced for their own sake". Ernest Stuart Bates, p. 2.

[7] "... Benedetto wrote in his Autobiography: "Memoirs are the
chronicle of one's life and the lives of the men with whom one has
worked or whom one has seen or known, and events in which one has
taken part; and people write them in the hope of preserving for posterity important facts which otherwise would be forgotten. Clearly memoirs approximate to history, not to introspection; while the vast
majority of 'lives' must be classed as private or family history. It has
already been suggested that most of what passes for autobiography
could better be described as biography written in the first person".
P. Mansell Jones, *French Introspectives. From Montaigne to Andre
Gide* (London, 1937), p. 4.

[8] "When the autobiography emerges as a distinct form ... two major kinds of autobiography develop. There is, first, the narrative principally of the outwars events of the narrator's life. He regards himself as important chiefly because he lived during memorable days.
The second and more highly regarded form is the record of inner
events, in which the narrator directs attention to himself as an individual and in which he is principally concerned with describing his
own thoughts and feelings. Seldom do we find a great autobiography
that does not to some extent combine these two types." Mallery, p. 5.

ción de la Autobiografía es la que nosotros debemos tener en
cuenta en el análisis de la obra de Baroja, pues aunque él
la llama *Memorias,* no lo hace porque tengan por objeto principalmente a otra gente. Memorias para Baroja parece tener
su sentido original de recuerdos, lo que él hizo como escritor
y persona, lo que hicieron otros a su alrededor. Por otro lado,
no habría introspección si por introspección se entendiera solamente el hablar con detalle de la vida sexual o religiosa;
pero sí la hay si es la revelación de los sentimientos que otras
personas le provocan, su tratar de explicárselos.

Aunque hay ejemplos en contra, es propio de la autobiografía el hablar en primera persona. Este uso ya existía en la
literatura egipcia unos 2.000 años a. J. C. Como ejemplos tenemos *El poema de Sinuhe* y un tipo de literatura llamada
«Instrucciones» que consistía en unos consejos de padre a hijo [9]. También fue corriente en toda la literatura oriental desde muy antiguo. Con ello se intentaba dar sensación de veraci-
dad a las historias fantásticas [10]. Pero estos ejemplos no pertenecen a la autobiografía. Esta, en embrión por supuesto, no
aparecerá hasta el período ático de la literatura griega, donde
era muy corriente que el autor de un poema, especialmente
cuando éste era su primero, contase al final de él algo de su
vida [11]. Esta autobiografía embrionaria seguía las direcciones
de la biografía algo ya más avanzada, pues en las ediciones
de los clásicos, los filólogos comenzaban con unas notas de las
vidas de los poetas. Junto a esto, existieron unas como defensas políticas. El acusado en un juicio se defendía explicando su vida y la de sus antepasados. A este tipo pertenece
la *Antídosis* de Isócrates, aun cuando éste no fue nunca llamado a juicio, sino que la escribió para defender su forma de edu-
car en contra de la preponderancia de la Academia de Platón [12].

Las primeras autobiografías carecían de interioridad. En
ese sentido se pueden comparar con la escultura de la época.
El contacto con el mundo oriental con motivo de la guerra con

---

[9]   Misch, pp. 47-48.
[10]   *Ibid.,* p. 51.
[11]   *Ibid.,* p. 296.
[12]   *Ibid.,* pp. 154-59.

los persas, ayudó al descubrimiento y tratamiento de la personalidad de una manera convincente. En el surgir de la interioridad socrática, está la línea de su futuro desarrollo. Su máximo exponente lo tenemos en la *Antídosis* de Isócrates, que ya tiene un valor literario [13]. En el período helenístico, debieron de existir más ejemplos que los conservados, por lo avanzada que llega la autobiografía a Roma, donde ya se la consideró perteneciente a la literatura [14]. Para Misch la aportación más importante de Roma al género se encuentra en las cartas de Cicerón, donde se nos muestra éste en toda la complejidad del ser humano. Vemos sus sentimientos y reacciones no sólo ante el éxito, sino en la duda y la desesperanza [15]. Sin embargo, la autobiografía de esta época, aun cuando tenía valores positivos, como el tratamiento de la personalidad a imitación de las *Biografías* de Polibio, unido al surgir de la introspección por influencia del «conócete a ti mismo» de Sócrates, la gran abundancia de elementos retóricos, le dan un tono dudoso. A pesar de ello, tenía una característica común con el género tal como lo concebimos hoy, trataba de representar la vida diaria con sus trivialidades, como era corriente en la literatura helenística [16]. No será hasta la edad media cristiana que surgirá la autobiografía espiritual [17]. Por eso, algún crítico opina que la autobiografía es la contribución cristiana a la literatura [18]. Sin embargo, Misch considera que en el mundo

---

[13]   *Ibid.,* p. 96.
[14]   "Here autobiography was clearly regarded as a recognized type of literary work." *Ibid.,* p. 209. En cambio, refiriéndose al período helenístico, "... it was not recognized as a literary genre..." *Ibid.,* p. 186, y añade más adelante, "... the literary form in which the career of a historic individual was to be described suffered and lost influence and convincingness if the author was the person concerned." *Ibid.,* página 187.
[15]   *Ibid.,* pp. 363-64.
[16]   *Ibid.,* p. 185.
[17]   *Ibid.,* p. 175.
[18]   "Autobiography seems supremely the Christian contribution to the forms of literaturing. As the special charge and care of the Almighty, every anxious soul has doubtless had the impulse to record its aspirations and experiences; and many, we know, have done so, the weaker souls keeping to the narrative of their sins and sufferings, and the stronger souls involuntarily glancing, if only askance, at the

antiguo grecorromano, al lado de una mayoría de autobiografías retóricas y románticas, se encuentran los inicios de ésa
más espiritual basada en la autoexaminación con calidades
artísticas como en los *Soliloquios* de Marco Aurelio, alcanzan-
do su punto más alto en conexión con el misticismo helenístico
en los poemas de Gregorio de Nazancio y *Las confesiones* de
San Agustín [19]. De esta autobiografía de tipo religioso en el
Renacimiento se pasará a la secular. En el siglo XVI en Francia,
debido a la actividad política de sus hombres, florecen las
Memorias que alcanzan un verdadero valor artístico [20].

Problemas de la Autobiografía

La autobiografía, en varios de sus órdenes, ha tenido detrac-
tores y defensores. En cuanto a su exactitud, André Maurois
piensa que el primer problema con la autobiografía es lo que
olvidamos. Considera que en la mayoría de las autobiografías
la infancia es un blanco [21]. Sin embargo, Richard D. Mallery
nos dice que en una autobiografía el autor normalmente describe su infancia con detalle [22]. Maurois objeta también a los
olvidos estéticos. Si el autor es un artista, su memoria tenderá
a convertir su vida en una obra de arte, pero infiel. Por otro
lado, procuramos olvidar lo desagradable [23]. Arthur M. Clark
considera que la memoria selecciona, a veces retiene hechos
sin importancia y olvida los que la tienen. Su capacidad no es

---

manners and customs of the provisional world they were born into."
William Dean Howells, "Autobiography, a New Form of Literature",
Harper's Monthly, CXIX (Oct. 1909), p. 796.

[19] Misch, p. 66.

[20] "The spirit of the Memoirs writer, which is essentially the desire to tell posterity that "I was there when', is as ancient doubtless,
as the race of man, but the art of that recitation first flourished in
France... It was in sixteenth century France that men, long active in
public life, in composing personal recollections of their own times, be-
gan the artistic development of a literary form with certain definite
characteristics". John Campbell Major, *The Role of Personal Memoirs
in English Biography and Novel* (Philadelphia, 1935), p. 9.

[21] D. G. Naik, *Art of Autobiography* (India, 1952), pp. 18-19.

[22] "... the autobiographer usually describes with some minuteness
his childhood and youth." Mallery, p. 8.

[23] Naik, pp. 18-19.

siempre la misma, varía con los años. Está en sus mejores momentos cuando el individuo tiene de 15 a 30 años. Por otro lado, es creativa. Al poco tiempo de ocurrido un hecho ya empieza a añadir. Junto a este proceso de creación, existe otro similar que es el razonar los hechos, el crear los sentimientos o las ideas que produjeron estos hechos. Aunque son sólo creación posterior, en nuestra mente luego los llegamos a ver como causas[24]. Algo parecido es lo que debe ver Maurois cuando dice que en muchos de nuestros actos ejecutados inconscientemente, descubrimos luego motivos heroicos[25]. Wayne Shumaker también opina que la memoria es un instrumento falible y que nadie puede estar seguro de estar en completa posesión de toda la verdad de su pasado[26]. Y Baroja, a poco de iniciar sus *Memorias* comenta que no le «chocaría nada que muchos pequeños detalles estuvieran transformados por el recuerdo» (I, 6).

Para Maurois no es sólo la memoria la que impide que la autobiografía sea un género veraz. Debido al pudor, pocos son capaces de hablar completamente de su vida sexual[27]. Anna R. Burr, por el contrario, opina que la vida sexual es el tema más importante en una autobiografía. Inferior sólo al tema reli-

---

[24] "A process of the mind similar to this creativeness of the memory is its rationalizing tendency. It creates, after the event, the feelings or the ideas which might have been the cause of the event, but which in fact are invented by us after it has occurred." Arthur Melville Clark, *Autobiography: Its Genesis and Phases* (Edinburgh, 1935), página 20.

[25] Naik, pp. 18-19.

[26] "Unfortunately the memory is a fallible instrument. It has its own preferences and dislikes, drops veils over humiliations too racking to be tolerable, rearranges confused recollections in more probable forms, reinterprets embarrassments in ways which soothe and support the ego. If by sanity is meant a full acceptance of the world on its own terms, we are all partly insane; we adjust and reject constantly. Even if we assume the complete and objective accuracy of every fragmentary recollection in the mind, it remains obvious that no autobiographer is in possession of the full truth about his past." Wayne Shumaker, *English Autobiography, Its Emergence, Materials, and Form* (Berkeley, 1954), p. 36.

[27] Naik, pp. 18-19.

gioso [28]. Claro que habrá excepciones, pues en el caso de Baroja casi se podría decir que esos temas no existen.

El último problema que ve Maurois es el deseo de proteger a nuestros amigos. Por todas estas cosas considera que una auténtica autobiografía nunca podrá ser escrita [29]. Para Wayne Shumaker, aun cuando el autor reconoce sus amistades, la intimidad de éstas es sólo violada proporcionalmente a su distancia de ellas. Algo parecido ocurre con la vida doméstica. Pocas veces se menciona a la esposa e hijos. Sin embargo, los padres aparecen repetidamente debido a la influencia que tuvieron en la formación de la infancia y también debido a que, estando muertos en la mayoría de los casos, no tienen de qué avergonzarse [30]. George Eliot comparte la opinión de que por compasión hacia esos que han estado más cerca de nosotros y especialmente por la admiración hacia nuestras facultades más altas, tendemos a ocultar las más bajas [31]. Misch también piensa que hay siempre puntos delicados que un autor no quiere tocar [32]. Pero Arthur M. Clark llega más lejos al decir que en lo que interesa el autor no se nos muestra y que,

---

[28] "For if there be one subject upon which the autobiographer is likely to write fully, it is the sex relation. Second only to his religious feeling, the part this sentiment plays in his life becomes the most important of all its influences." Anna R. Burr, *The Autobiography, a Critical and Comparative Study* (Boston & New York, 1909), pp. 44-45.

[29] Naik, pp. 18-19.

[30] Shumaker, pp 42-43.

[31] "George Eliot, in *Theophrastus such,* says: 'In all autobiography there is, nay, ought to be an incompleteness which may have an effect of falsity. We are each of us bound to reticense by the pity we owe to those who have been nearest to us... and, most of all, by that reverence for the Higher efforts of our common nature, which commands us to bury its lowest faculties, its invincible remnants of the brute, its most agonizing struggle with temptation, in unbroken silence.' " R. Burr, *The Autobiography,* pp. 44-45.

[32] "... the most honest autobiographer who is writing a 'confession; and not an apologia, or who writes not for publication but for his own pleasure or for the entertainment and instruction of his descendants, will be silent on various characteristic details, because probably everybody has a sore spot in his self-awareness which he will not want to touch." Misch, pp. 10-11.

en cambio, se alarga en lo fútil o engañoso [33]. O Ernest S. Bates para quien mientras el autor omite generalmente todo lo que le avergüence, los aspectos sociales de su vida los amplía [34]. En nuestra opinión, aunque reconocemos que una autobiografía no nos puede dar «toda la verdad» de un individuo, estamos de acuerdo con Wayne Shumaker en que ningún biógrafo ha intentado refutar una autobiografía diciendo que lo sabe mejor [35]. Pero esta idea no se debía llevar al otro extremo de considerar a la autobiografía como fuente de una época [36]. Aun cuando algunas contienen información, opinamos con Misch que el buscar eso en una autobiografía es tener un falso concepto del género [37]. Pues como piensa Anna R. Burr si el autor está muy interesado en su interior, no nos queda más remedio que esperar cierta flojedad en cuanto a lo exterior [38].

Para Nicholson el problema con la autobiografía es uno de distancia. Ningún autor puede lograr la distancia necesaria para convencernos de verdad. A una buena autobiografía no le basta el diagnóstico. Necesita de la autopsia y ésta sólo se puede ejecutar después de muerto. A pesar de estas ideas, incomprensiblemente para nosotros, ve un gran futuro para la autobiografía inglesa. Por último, de acuerdo con Cowley opina que tiene que molestar al autor decir algo desagradable sobre sí mismo y al lector oír sólo sus elogios [39]. A esto podemos oponer lo que Baroja subscribe a poco de empezar,

> Yo pienso que puedo hablar de mí mismo sin sentir ningún entusiasmo egoísta físico e intelectual. Me figuro que puedo desdoblarme en un actor y en un espectador; en un actor a quien puedo juzgar, naturalmente, con cierta benevolencia, de padre a hijo. (I, 5).

La mayoría de los críticos creen, sin embargo, que la auto-

---

[33] "The expansive man remains as close as a clam on what really matters and expands only on the unimportant, the creditable, and the misleading." Clark, p. 8.

[34] Bates, p. 3.

[35] "No biographer has attempted the refutation of an autobiography on the grounds of fuller Knowledge." Shumaker, p. 49.

[36] Como hace Naik, p. 42.

[37] Misch, p. 11.

[38] Burr, *The Autobiography*, p. 46.

[39] Sir Harold Beorge Nicholson, *The Development of English Biography* (London, 1927), pp. 15-16.

biografía es el género que da más luz sobre una persona. Para Anna R. Burr el lector, por sentido común, percibe que la verdad acerca de una persona la aprende mejor de la persona misma [40]. Para Naik nadie puede conocer a otro como a sí mismo. La vida interior especialmente, no puede ser revelada sino por el propio individuo. Y en una autobiografía, aquí no hay conjeturas, sino información directa [41]. De ahí que Shumaker opine que la tarea del autobiógrafo es explicar lo que sin su ayuda sólo conoceríamos parcialmente o sin exactitud [42]. Y Naik añade que teniendo capacidad, el autor nos mostrará la verdad de sí mismo en particular y de la naturaleza humana en general [43]. Nuestra vida, como dice Misch, no es una continuidad de acciones, es una conciencia de nuestro ser y del mundo que nos rodea. Por ello, la historia de la autobiografía es la historia de la «autoconciencia» («self-awareness»). Junto a esta vida consciente se da la subconsciente. Una autobiografía que carezca de esto último le parece a Misch superficial [44].

Otra ventaja que ven los defensores de ésta sobre la biografía, es que mientras el autobiógrafo tiene en su mano todos los datos de su carrera, el biógrafo sólo puede adquirirlos por medio del estudio y nunca completamente. Por otro lado, incluido en sus recuerdos estarán los sentimientos que estos hechos despertaron, mientras que el biógrafo tendrá que estar capacitado de una gran simpatía y emoción para poderse representar esos sentimientos. Y finalmente, el autobiógrafo al sentarse a escribir su vida, la ve como un todo, con unidad, dirección y sentido [45]. Es como la ve Baroja cuando nos dice,

> Ahora me sucede como al viajero que ha creído marchar a la casualidad por el fondo de los barrancos y al llegar a una altura, al ver el camino recorrido, comprende que, a pesar de sus desviaciones y de sus curvas, llevaba instintivamente un plan.
> Ahora, en el río confuso de las cosas que pasan eternamente

---

[40] "A reasonable instinct causes the reader to feel that truth about people may best be learned from the people themselves." Burr, "Sincerity in Autobiography", *The Atlantic Monthly* (Oct. 1909), p. 528.
[41] Naik, pp. 15 y 12-13.
[42] Shumaker, p. 41.
[43] Naik, pp. 17-18.
[44] Misch, p. 8.
[45] *Ibid.*, p. 7.

siempre cambiando y buscando su fórmula definitiva (el *werden* hegeliano), veo mi existencia como una cosa que ha sido y que ha llegado a su devenir. (II, 86).

Características

En todas las autobiografías la nota predominante es el clamar la verdad. Todas pretenden ser veraces. Gandhi llegó incluso a titular su autobiografía: la historia de mis experimentos con la verdad [46]. Nos dice que no recuerda haber dicho nunca una mentira, ni siquiera en su época de estudiante a sus maestros o compañeros. Rousseau y Gibbon afirman lo mismo con respecto a su obra, aun cuando el primero narra ocasiones donde mintió [47]. Baroja confiesa que no tiene la costumbre de mentir y si alguna vez lo ha hecho, cosa que no recuerda, habrá sido por salir de un mal paso (I, 5). Anna R. Burr cree que las autobiografías están escritas en interés de la verdad. Al ser el resultado de una intención seria, las figuras que nos trazan son en sus líneas generales las que vivieron [48]. Ernest S. Bates no parece tan seguro. Opina que ante una autobiografía tropezamos con el problema de lo que debemos aceptar y lo que no. Primeramente porque estamos tratando con palabras que es algo elusivo. Con ellas, el autor cree dar a entender una cosa, y el lector entiende otra [49]. En segundo lugar, es imposible reproducir auténticamente una conversación. Por último, en toda autobiografía hay un porcentaje de ficción, como en toda ficción hay un porcentaje autobiográfico [50].

Otra característica de la autobiografía —y esto es de sentido común— es que es incompleta [51]. El autor puede empezar y

---

[46] "Gandhiji has called his 'Autobiography' *The Story of my Experiments with Truth.*" Naik, p. 174.

[47] Naik, pp. 113-15.

[48] Burr, *The Autobiography,* p. 55.

[49] ¿Quién puede tener la seguridad de comprender o ser comprendido de una manera absoluta? Nadie. Pero esto no pasa sólo con la autobiografía, sino con todos los géneros literarios. Y si aceptamos esa teoría a rajatabla, lo único que podemos hacer es cerrar todos los libros y marcharnos cada uno a su casa.

[50] Bates, pp. 7, 8 y 10.

[51] Mallery, p. 7.

acabar donde quiera [52]. Esta característica de la autobiografía, en opinión de W. D. Howells, hace que ésta sea un género optimista por excelencia. En primer lugar, porque mientras en la biografía hay un fin trágico por la muerte del protagonista, en aquélla, el autor no está muerto y por muchas penas y fracasos que nos cuente, los ha sobrevivido. Además es muy raro que el autor se siente a escribir sobre su pasado con un completo sentido de fracaso. Es como un melodrama, en el que a pesar de todos los desastres, el protagonista sobrevive. Por todo eso, considera que la autobiografía tiene que estar muy mal hecha para aburrirnos [53].

Otra característica que hay que tener en cuenta en la autobiografía es el doble plano temporal en que se desenvuelve [54]. El autor de hoy, con todos los datos en su mano, hablando del de ayer. Esto le da una perspectiva histórica que falta al diario [55].

La necesidad del hombre de revelarse es universal. De esa necesidad surgió el arte [56]. A pesar de ello, una nota bastante común en las autobiografías, es que el autor intenta justificarse ante el lector por ponerse a escribir sobre sí mismo [57]. Así Baroja nos dice que se ha metido a escribir sus *Memorias* porque se lo ha pedido un editor de Barcelona (I, 28). Arthur M. Clark imagina que todo autobiógrafo ha pasado por un tipo de crisis que provoca la obra. Establece cuatro clases de autobiografía. La primera es obra de un hombre que busca la compasión. Acepta el código de la sociedad que él ha ofendido. La segunda es la del que intenta justificarse. Aquí el autor está en antagonismo contra alguien o la sociedad. La tercera busca aprecio, que se den mejor cuenta de lo que hace. La

---

[52]   Bates, p. 3.
[53]   Howells, "Autobiography", p. 479.
[54]   Major, p. 10.
[55]   Shumaker, p. 114.
[56]   "The desire for self-expression has been universal and is to be found since the beginning of the human race. What the first artist did, was nothing but an effort to satisfy this desire. All art, therefore, is self-expression by the artist." Naik, p. 7.
[57]   "... it is generally recognized by autobiographers themselves to require some excuse. explicit or implicit, though not necessarily the true one." Clark, p. 7.

cuarta y más interesante es la del que escribe por satisfacer
su necesidad de comuniciaócn artística [58]. Para Baroja, sin
embargo,

> Es difícil hacer una autobiografía que no sea, en el fondo apo-
> logética, porque, aunque se escoja, en la opinión de los demás, un
> insulto o una necedad, se les escoge para señalar su injusticia o
> su estupidez, y para destacarlos por este carácter. (I, 38).

¿Qué debe incluirse en una autobiografía? Esta es una de
las preguntas que se han hecho también los críticos. Para
Ernest S. Bates el género es muy suelto. En una autobiografía
es normal que el autor omita lo que le avergüence y que dedi-
que extra espacio a su vida social. Se puede empezar y acabar
donde se quiera. E incluso, el autor no tiene por qué ser el tema del libro [59]. Howells cree que la autobiografía debería de
tratar sólo de su autor. Cuando éste se entretiene en la descripción de otros, el estudio de sí mismo lo sufre [60]. Anna R. Burr
piensa que «El objeto del autobiógrafo debe ser concentrarse
en eso que él solamente conoce —el hombre real» [61]. Esta opinión la lleva más lejos Naik para quien los actos humanos no
dicen nada del ser real [62]. W. A. Gill, por el contrario, opina
que cuando un hombre habla sobre sí mismo, no podemos cap-
tar su interior, sino cuando actúa sin pensar en nosotros. Por
eso comparte la opinión de Dryden de que todo lo que uno diga
sobre sí mismo está de más [63].

---

[58] *Ibid.*, pp. 22-23.
[59] Bates, p. 3.
[60] Howells, "Autobiography", p. 482.
[61] "The object of the autobiographer must be to concentrate on that
which he alone knows — the real man." Burr, "Sincerity in Autobiography", p. 528.
[62] "... the visible world can hardly be the real one; for human ac-
tions, whether speech, gestures or actual deeds, after all, are not an
index of reality or the 'whole truth'. These may be perversions; they
may be forced by circumstances beyond one's control. Therefore, in-
tead of revealing the man they may just prejudice and blur the correct
view of the man." Naik, p. 15.
[63] "In life we do not get our clearest insight into a man when he
is telling us about himself, but when we see him him acting without
any thought of us. More can be learned in this kind by overhearing
than by hearing. When Rousseau is writing about other people, he
throws a light on his personality, which is turned off when he is writ-

Recursos Estilísticos

La autobiografía, a diferencia de otros géneros más rígidos, no tiene un método específico de composición. Sus límites son fluidos e indefinibles. Apenas hay forma literaria quele sea ajena. De casi todas han hecho uso los autobiógrafos [64]. Pero escribir la historia de uno de una manera convincente, requiere la mano de un artista que sepa cuanto debe decir y cuanto omitir [65]. En una autobiografía, el autor está siempre allí. Una sola voz insistente de la que quiere alejarse no sólo el lector, sino también el autor que intentará alterar los ángulos. Ver como otros lo ven. Nada de eso es fácil [66]. No es raro ver al autor volverse a ensayos, libros escritos por otros, artículos, etcétera [67]. Pero a veces no es sólo por cambiar de voz. Si un autor se alaba, se le acusará de egotismo. Normalmente para sus alabanzas escogerá a otro. Cuenta Misch que en la *Antídosis* de Isócrates, éste sostiene una conversación con un alumno quien alaba todas sus excelencias y añade que Aristóteles se maravilló ante ese truco [68]. En los casos de conversión, el autor insistirá en los pecados de la juventud, con lo cual su reforma

---

ing about himself. Dryden's epigram is almost true about the autobiographer: "Every word a man says about himself is a word too much." And it is hardly a paradox to say that he who is least autobiographical will be most so." W. A. Gill, "The Nude in Autobiography", *Atlantic Monthly*, CXCIX (Jan. 1907), p. 79.

[64] "Hardly any form is alien to it. Historical record of achievements, imaginary forensic addresses or rhetorical declamations, systematic or epigramatic description of character, lyrical poetry, prayer, soliloquy, confessions, letters, literary portraiture, family chronicle and court memoirs, narrative whether purely factual or with a purpose, explanatory or fictional, novel and biography in their various styles, epic and even drama —all these forms have been made use of by autobiographers; and if they were persons of originality they modified the existing types of literary composition or even invented new forms of their own." Misch, p. 4.

[65] Herbert Newton Wethered, *Curious Art of Autobiography, from Benvenuto Cellini to Rudyard Kipling* (London, 1956), p. 1.

[66] Richard Hoggart, "A Question of Tone: Some Problems in Autobiographical Writing", *Essays by Divers Hands*, XXXIII (London, 1965), página 28.

[67] Bates, p. 3.

[68] Misch, p. 172.

resultará más enfática [69]. Pero este tipo de autobiografía, hay veces en que no resulta sincera. En una autobiografía debe existir la misma proporción que en la vida. Si se destruye la proporción, el resultado es falso. El problema que se crea con hablar de lo que normalmente se oculta, lo que W. A. Gill califica de «nude», es que destruye toda proporción. El efecto, es chocante. Por eso opina, que los defectos de que Rousseau habla, éste los tenía realmente, pero al usar del «nude», no tuvo en cuenta las proporciones y su autobiografía da impresión de falsedad [70].

El último problema estilístico con el que tropieza el autobiógrafo es el del tono. Ha de encontrar un estilo que concuerde con su personalidad [71].

Esto es en líneas generales lo más importante que se ha dicho sobre el género literario a que pertenece la obra que nos ocupa. Baroja —como veremos en el último capítulo— usa de todos los recursos de que se valen los demás autobiógrafos. Para huir de su voz, se apoya en anécdotas, ejecutorias o canciones. Para su alabanza usa artículos donde se le menciona favorablemente. Incluso usa del «nude»; pero gracias a su tono de «todos los días» y su frialdad consigue a veces un efecto de cruel realidad opuesto a la falsedad de que habla W. A. Gill con respecto a Rousseau.

---

[69]   Mallery, p. 8.
[70]   Gill, pp. 74-76.
[71]   Hoggart, p. 31.

I. EL HOMBRE

Las *Memorias* de Baroja se inician con la frase «Yo no tengo la costumbre de mentir» [1], y añade que si alguna vez lo ha hecho, habrá sido para salir de un mal paso, pero nunca para darse tono. Con esta afirmación al principio de la obra, nos quiere dar a entender que todo lo que va a contar es verdad [2]. Claro que reconoce que nadie puede tener la absoluta certeza de que recuerda las cosas tal como fueron. De cualquier manera, él no tiende a falsificar los hechos. Los que lo hacen son los optimistas, sin darse cuenta; o los pillos, deliberadamente. El no es ni lo uno ni lo otro (I, 138). A pesar de ello, en la publicación de estas *Memorias,* aunque le han dedicado insultos e ironías, nadie ha demostrado que lo que ha dicho es falso (IV, 194).

En su afán de la verdad, Baroja, a veces, corrige detalles de lo que ha dicho en los tomos anteriores [3], a pesar de que al-

---

[1] Pío Baroja, *Desde la última vuelta del camino. Memorias,* VII (Madrid, 1944-1949), v. I, p. 5. (En lo sucesivo el número de tomo y página en paréntesis remiten a los tomos y páginas de las *Memorias* ya citadas.)

[2] Como veíamos en el capítulo anterior ésta es una característica de todas las autobiografías.

[3] "Hay en todos los tomos de las *Memorias* que he publicado varias pequeñas erratas y confusiones. Una de ellas, que me señala Sebastián Miranda en el cuarto volumen, fue que decía yo que Ignacio

gunos han calificado de pueril ese afán (I, 125), y de que él mismo reconoce que se acaba en la misantropía, mientras que «la falsedad y el disimulo son útiles dentro de la vida social» (VII, 12). Cree que el no tener esas condiciones le ha perjudicado, así como el no tener solemnidad. Sin embargo, él no es partidario de la falsedad, le da repulsión y la conoce en seguida. Prefiere el cinismo (V, 46-7).

Antes de pasar a hablar de las características del hombre, debíamos empezar por decir algo de sus «circunstancias.» Baroja es vasco por nacimiento —nació en San Sebastián—, por herencia —de sus ocho apellidos, siete son vascos y uno de Lombardía— (II, 26) y por gusto. Analizando las tradiciones de su pueblo, descubre con ilusión que éste no estuvo completamente cristianizado hasta finales de la Edad Media. Antes de esta tradición latina tuvo una mitología autóctona (II, 20-1) [4]. Le gusta también pertenecer a «un grupo étnico escaso» (II, 11-2). Cree que esta particularidad le da un tono misterioso que ha inspirado a varios autores [5]. Físicamente le entusiasma el paisaje, sus verdes, sus valles, cielos grises, montes, nieblas y caseríos. E incluso el clima, pues confiesa que se siente mejor en uno húmedo [6]. En cuanto al carácter del vasco, no piensa que sea zorro como decía Unamuno. Pues los vascos fueron aventureros que no supieron adornar su aventura con el comentario. «No supieron decir la frase a tiempo» (II, 16).

Zuloaga vivía en París, en la calle Campagne Première, cuando vivía de verdad en la rue Coulaincourt" (V, 15).

[4] En *Ayer y hoy,* Baroja cuenta como al principio de la guerra civil los requetés quisieron fusilarlo por haber "insultado en sus libros a la religión y al tradicionalismo". Pío Baroja, *Ayer y hoy* (Santiago de Chile, 1939), p. 34. En las *Memorias,* Baroja no alude al hecho, pero reproduce una conversación con un defensor del tradicionalismo vasco, que creía que lo tradicional era lo cristiano y se molestó porque Baroja le intentaba demostrar que lo tradicional era lo pagano (II, 9).

[5] "Desde el colérico vizcaíno del *Quijote,* que no es vizcaíno sino de Guipúzcoa, según Cervantes, hasta los vascos de Lotí, pasando por los de Víctor Hugo, hay una serie de tipos humanos, mejor o peor deslindados, que pretenden representar a personas de nuestra raza... con el designio evidente, por parte del autor, de trazar siluetas extrañas" (II, 12).

[6] "Es decir, me sentía; porque ahora me siento igualmente mal con calor que con frío" (II, 15).

El que era zorro era Unamuno, que usó una política unamunesca a base de cartas y llegó a ser conocido en el mundo entero. Socialmente en el pueblo vasco, no existía aristocracia. Esta, en Europa, es fruto de los arios y semitas, pueblos pastoriles y de patriarcado. Mientras que en el vasco, pueblo agricultor y de matriarcado, se da la hidalguía, que está basada en la raza. «A mí me interesa mucho la raza tanto en un hombre como en un animal» (II, 61), llega a decir Baroja. El posee tres ejecutorias de su apellido. Pero añade que en su familia no hay pretensiones hidalguescas, solamente afán de señalar el lugar de sus ascendientes. El, además, se vio metido en esas cosas cuando intentó estudiar a fondo a su pariente Aviraneta, el personaje de sus *Memorias de un hombre de acción* (II, 23-4).

Entre sus antepasados más próximos, los Baroja eran gente de inquietudes intelectuales e ideas liberales. Don Rafael de Baroja —bisabuelo de nuestro escritor— farmacéutico que compró prensa y tipos y los metió en su Farmacia. Hay testimonios de que durante la guerra de la Independencia [7] publicó *La papeleta de Oyarzun* (II, 34). Los hijos de éste, Ignacio Ramón y Pío, continuaron con la imprenta, y a más de periódiscos liberales, publicaron algunos libros de importancia (II, 35-7). El liberalismo de la familia no empieza con éstos. Baroja nos habla de «un tío de don Rafael, don Juan Joseph de Baroja, cura párroco de Pipaón y después de Vitoria» (II, 36) socio influyente de la Sociedad Económica Vascongada (sociedad que, por lo visto, era liberal). Pío fue el abuelo de nuestro escritor, a quien éste nunca llegó a conocer. Casó con doña Concepción Zornoza y tuvieron tres hijos. Baroja nos habla con entusiasmo de su abuela paterna. Sentía por ella simpatía física —«era una viejecita muy pequeña, muy guapa y muy simpática» (II, 46), y espiritual— «Yo le tenía cariño a mi abuela, quizá por su tipo simpático y por sus aficiones literarias. . .» (II, 64). Era una señora emprendedora que decidió hipotecar unas casas que tenía en San Sebastián para construir

---

[7]   Con el nombre de La guerra de la Independencia se conoce la que España sostuvo contra Napoleón, que decidió despojar a Fernando VII de su corona y entregársela a su hermano José (1808-1814).

una nueva y alquilarla al rey Amadeo. Vino la revolución y se
arruinó. Entonces convirtió la casa en criadero de gusanos de
seda y además de éstos metió a un pavo real (II, 87-8).

Su hijo mayor, Serafín, fue el padre de nuestro autor. Madre e hijo riñeron y no querían verse ni hablarse. Estando de
muerte, sólo Pío fue a verla desde Madrid donde estaba estudiando. Su padre estaba con reuma. Los robos de las enterra-
doras y la pobreza en que había quedado su abuela le impre-
sionaron. Esto lo había contado en *Silvestre Paradox,* pero ahora no se trata de la abuela de Silvestre. Es la propia del escritor. Los otros nietos —primos de Pío—parece que no le tenían
ningún afecto, y esa tarde, que era Carnaval, andaban de
máscaras (II, 63-4).

Los abuelos maternos eran don Querubín Nessi y doña
Gertrudis Goñi. Don Querubín murió pronto, y doña Gertrudis
vivió siempre con los Baroja. Es interesante comparar el distinto recuerdo que tiene Baroja de sus dos abuelas. De ésta
dice,

> ...era una mujer enferma casi siempre del estómago, flaca, triste,
> que no comía apenas... Vivía con la preocupación de tener en
> todas las casas donde habitábamos el suelo encerado y brillante,
> y se pasaba la vida frotándolo. (II, 127).

En cuanto a su muerte, sólo nos dice que coincidió con una
de las tantas enfermedades infantiles de su hermana Carmen
(II, 185).

Baroja dedica varias páginas a hablar de su padre, don
Serafín, ingeniero de Minas. Hombre alegre y bondadoso que
cantaba romanzas de ópera mientras dibujaba planos. Un poco
bohemio, de carácter arbitrario y poco preocupado por el dinero (II, 69-70). Tenía inquietudes intelectuales. Era amigo de
escritores y periodistas, y él mismo escribía en castellano y
en vascuence. Según su hijo no llegó a ser un buen escritor,
porque su cultura literaria era deficiente, no sabía lo que puede resultar interesante y pretendía llevar lo universal a lo
vasco en vez de lo contrario (II, 72).

Parece notarse un poco de incompatibilidad entre Baroja y
su padre. No nos lo dice claramente. A veces lo pone bien.
Otras, no tanto. Baroja se queja siempre de su vida de estu-

diante pobre, de la falta de comodidades en su casa, de la vida
de bohemio de su padre, del poco interés de éste por el dinero.
El padre de Baroja se enfada con su madre, y éste tiene simpatías por ella y es el único que va a verla moribunda. Luego
va a la casa de huéspedes donde vivía su padre y le disgusta
aquella bohemia (II, 65). Y su tono resulta irónico cuando nos
dice que su padre es nombrado ingeniero jefe de Minas de
Vizcaya, y decide establecerse allí, cerca de sus amigos de San
Sebastián, y que su mujer y sus hijos se vayan a Madrid (II,
171). Claro que tiene una explicación, los hijos estaban casi
todos en edad universitaria, y para los estudios les convenía
Madrid.

Baroja habla poco de su madre. Una persona «para la que
la vida era algo serio, llena de deberes y de poca alegría»
(II, 74). Hacía trabajar a todo el mundo. Nunca supo hasta
dónde llegaban las ideas religiosas de su madre. Siempre sos-
pechó que en ella no había esperanza. Cuando poco antes de
morir ésta, el confesor le dice a su hijo que era un alma pura,
quedó muy impresionado (II, 74-5).

De los personajes de su familia, al que dedica más espacio Baroja es a su padre, poco a la madre, menos a los hermanos. Aunque confiesa, «Yo siempre he sido de estos tipos
maternales que se sienten más unidos a la madre que al padre»
(II, 109), puede ser que Baroja no encontrara novelesco en su
familia más que a su padre[8].

Otro de los parientes que Baroja menciona es una tía sol-
tera, Cesarea Goñi. Recuerda la casa de ésta con sus balcones
al muelle, y las historias tenebrosas sacadas de los folletines
franceses que ella les contaba (II, 77).

Infancia

La vida puede decirse que empieza con el primer recuerdo.
Todo lo anterior por mucho que nos lo cuenten los otros, no
nos produce la sensación de algo vivido. El recuerdo más an-

---

[8]   Según Wayne Shumaker el no hablar de la vida doméstica o de
los amigos íntimos es bastante común en el género. Wayne Shumaker,
English Autobiography, p. 41-2.

tiguo de Baroja es «el intento de bombardeo de San Sebastián
por los Carlistas» (II, 88) [9]. Como es natural es una mezcla de
lo visto y lo oído. Baroja tiene una idea confusa de cómo lo
envolvieron en unas mantas y se fueron a vivir al sótano de un
conocido de la familia. Después de la guerra, Baroja recibió
una de las impresiones más fuertes de su infancia. En el piso
de arriba de otra casa a donde fueron a vivir, la criada intentó envenenar a sus amos (II, 95). Esto y la visión de dos locos
de la vecindad, nos confiesa Baroja que fue para él (como una
entrada en el folletín de la vida» (II, 98). El folletín será una
constante en la imaginación del Baroja niño que condicionará
los gustos del escritor. Pero también hay otros recuerdos que
tradicionalmente se consideran más infantiles, como el nacimiento de figuritas de papel hecho por su padre, los cuentos
de hadas contados por la madre y los villancicos de los cam-
pesinos (II, 98-9).

Más o menos en 1879 (Baroja da pocas veces fechas exactas), el padre fue destinado a Madrid. Y el folletín continuará
persiguiendo al niño. Por esa época fue el atentado contra Alfonso XII, y poco después la ejecución de los dos regicidas,
espectáculo que atrajo muchos calesines. Todo lo que oyó co-
nectado con el asunto, le «quedó muy grabado» (II, 107).

Como todos los niños tendrá que ir al colegio. Pío y su
hermano Ricardo lo harán a casa de un maestro al que los
chicos llamaban «el Bocabierta» (II, 110). No era ésta la primera vez. En San Sebastián, su maestro le había pronosticado
que iba a ser tan cazurro como su hermano» (II, 102). Baroja
nunca sintió afecto por sus maestros, ni él debió inspirarlo
tampoco. Sus sentimientos no cambiarán en el bachillerato ni
mucho menos en la carrera, como veremos más adelante. Estudiará aquél en Pamplona, debido a uno de los tantos cambios
de destino de su padre. En esa época, Baroja nos dice que para
los alumnos, el profesor era un «enemigo natural», y el ha-
cerle una pregunta era la pelotilla más grande (II, 137). Según
Baroja, sus profesores, con la excepción del de Psicología, Lógica y Etica, lo «tuvieron por corto de inteligencia» (II, 139).

_____

[9]   La tercera guerra carlista (1872-1876) se inició con motivo de la
designación de Amadeo de Saboya al trono de España.

Con respecto a sus compañeros de bachillerato, Baroja cuenta que el primer día de clase se pegó con uno porque se rió de su acento madrileño. (En la parte dedicada al estudio de su carácter veremos como Baroja siempre respondió agresivamente a la burla o al ridículo.) Y después de ese día tuvo que seguirse pegando con otros por el mismo motivo. Según Baroja, sus compañeros de Pamplona eran bastante brutos. No podía uno achicarse ante ellos y el pegó lo que pudo para hacerse respetar. Pero nunca se puso del lado de los fuertes contra los débiles [10]. Encuentra la explicación del barbarismo de estos chicos en que eran descendientes de los voluntarios de la guerra civil (II, 128). Pero no todo han de ser peleas. El bachillerato es el paso del niño al hombre. Se quiere ser y se pretende aunque todavía no se es. Baroja confiesa que en esa época les gustaba parecer «calaveras y atrevidos» (II, 141). Era cuando la lectura de *El estudiante de Salamanca,* fumaban, bebían aguardiente y jugaban a las cartas. Luego vendrá la lectura de *El Robinsón* y éste sustituirá a don Félix de Montemar en la imaginación de Baroja. Empezará a sentir desvío por sus compañeros, carentes de inquietudes intelectuales, y se pasará las horas subido a un árbol, fumando en pipa y soñando con islas desiertas.

La página folletinesca de Pamplona la representa el ver pasar por su casa un reo a muerte, los disciplinantes y el verdugo. Esta impresión no fue bastante para Baroja, ya que por la tarde fue a verlo al patíbulo, donde todavía estaba expuesto. Por la noche no pudo dormir (II, 142-3).

Pubertad, Mujeres y Romanticismo

La infancia de Baroja debió de ser alegre. Si exceptuamos el

---

[10] "Yo creo que nunca me puse con los fuertes contra los débiles; tenía odio a los grandes, que se manifestaban déspotas y bárbaros" (II, 129). Esta será una constante en Baroja que declara más adelante:

"Yo siempre he puesto mi valla al dominador y al absorbente, y he evitado también el dominar y el explotar a los demás. Ahora que hay que reconocer que esta actitud es antipática para la mayoría: al dominador no le gusta que le estorben en sus maniobras y a la gente floja y laxa le gusta más que la dominen que no que la abandonen" (II, 231).

colegio, no hay recuerdos malos en ella. Este ir de un lado
para otro a causa de los distintos destinos de su padre, debía
de acoplarse bien al ansia de libertad y cambio de nuestro escritor. Pero la infancia no es eterna. Pronto llegará la pubertad, edad no alegre, «de turbulencia y de melancolía» (II, 161).
El puritano que siempre fue Baroja, se sentirá atraído por el
vicio, «o lo que se llama vicio» (II, 161) y buscará malas com-
pañías. Habla de las casas de juego que frecuentaba, y el poco
interés que en el fondo le producía todo ello. Culpa a nuestras
ciudades levíticas de hacer la pubertad difícil. Pero, como es
un puritano completo, no puede dar soluciones. Sólo nos da a
entender que por su resistencia, quedó inadaptado.

Varias mujeres menciona Baroja en sus *Memorias*. Pocas
para una vida tan larga. Baroja no era lo que se dice atractivo
físicamente [11]. Parecía mucho más viejo. Siempre representó
muchos más años de los que tenía [12]. Luego su cambio de profesión —a los treinta años todavía no tenía un medio seguro
de vida [13]. Si a eso se une su cortedad, es natural que no tuviera ningún éxito en su juventud. Pero ya en su madurez y
vejez, convertido en un escritor famoso, con ese fondo tan
sensible y sentimentaloide que muestran sus protagonistas, es
raro que las mujeres no lo persiguieran. Alguna hay, pero
poca cosa. Quizá la causa sea debida a la fuerte formación ca-

----

[11]   Baroja mismo decía. "Yo no tengo un tipo acusado..." (IV, 114).
Y Camilo Bargiela le dijo, "Usted no tiene aire de nada... Usted podía
ser, por su tipo y por su traje, corrector de pruebas de imprenta, empleado del Ayuntamiento o médico de la Casa de Socorro" (IV, 114).
[12]   "A mí, cuando tenía veintitrés o veinticuatro años, me decían:
—Usted ya tendrá cuarenta años.
—Sí, cerca — decía yo.
Y cuando tenía cuarenta, los que me conocían creían que tenía se-
senta" (I, 50).
[13]   "Había sido médico del pueblo, industrial, bolsista y aficionado
a la literatura. Había conocido bastante gente. El ir a América no me
seducía. Llegar a tener dinero a los cincuenta años no valía la pena
para mí.
Quería ensayar la literatura.
Ya comprendía que ensayar la literatura daría poco resultado pe-
cuniario, pero mientras tanto podía vivir pobremente, pero con ilusión.
Y me decidí a ello" (II, 413).

tólica de la mujer en España y a los ataques de Baroja a la religión.

Todas las mujeres de que Baroja habla en sus *Memorias,* han sido citadas en varios artículos y libros por sus críticos [14]. Sin embargo, nos parece que no se ha analizado lo que éstas tienen en común, ni los comentarios de Baroja. Todas las que nos describe físicamente son rubias. Así Milagritos (II, 159), la doncella de Azcoitia (II, 305), la señora en los toros (II, 315) y la que él llamara «Hedda Gabler» (VII, 253-4). Ana, su gran amor, es entre rubia y castaña (IV, 357).

La idea que Baroja tiene de las mujeres va cambiando un poco a lo largo de las *Memorias.* En el primero y segundo tomo es más misógino, en los demás su misoginia se dulcifica. Quizá a ello contribuyó el que en los últimos años de su vida llegó a conocer la adulación femenina, aun cuando ésta se redujo a la estudiantil, en el caso de España, o a extranjeras.

Su primer amor fue Milagritos. Baroja tenía trece o catorce años y ella algo menos. El tímido Baroja la saludaba confuso y nunca se atrevió a acercarse a ella en el paseo, a pesar de desearlo. Es curioso el comentario que hace luego,

> Años después supe que mi muñequita rubia había hecho de mujer, bastantes disparates, y que se la tenía por una cabeza destornillada, y que su marido había pensado en encerrarla en una casa de salud. (II, 160).

Es como si Baroja se alegrara de que a ella tampoco le haya ido muy bien.

Años más tarde, ya estudiante de Medicina, pasará unas vacaciones en San Sebastián en casa de su tía Cesarea. Esta reunía en su casa a chicas, amigas de la infancia de su sobrino; pero ellas no le harán ningún caso. El comentario de Baroja es muy triste:

> Sin duda, para ellas no había que fijarse en un joven si no era rico o elegante. (II, 220).

---

[14] Miguel Pérez Ferrero, *Pío Baroja en su rincón* (Madrid, 1941). Adolfo de Azcárraga, *La timidez sentimental de Baroja,* 2d. ed. (Madrid, 1948). Pero estos autores no estudian a las mujeres que aparecen en el tomo VII de las *Memorias,* debido a la fecha de publicación. Beatrice P. Patt, *Pío Baroja* (Nueva York, 1971) sí las estudia a todas; pero su visión es demasiado americana.

Baroja, en su juventud, debió tener complejo de pobretón y
mal vestido. (Cuando hablábamos de su padre decíamos que
Baroja se lamentaba del poco interés que tenía éste por el
dinero.) Por eso, ya médico, cuando va a hacerse cargo de
su puesto en Cestona, viajará en tercera clase —que no es lo
más apropiado para un médico, hijo de un ingeniero de minas— y coincidirá en el vagón con unos sirvientes. Entre ellos
irá una doncellita de Azcoitia. Y Baroja cosechará un éxito,
nos cuenta como se desenvolvió todo en un plano completamente romántico y que llegaron a hablar incluso de casarse.
Todo acabó cuando los acompañantes de la chica la llaman a
su lado y Baroja oyó que uno de ellos le decía a ella que seguro que él no era médico ni nada. Al bajarse ellos en su es-
tación, Baroja se despedirá de la chica. No se volverán a ver,
aunque él intentó buscarla en su pueblo (II, 305-7). En nuestro punto de vista, el éxito —aun cuando efímero— que Baroja tuvo con esta chica, se debió a que Baroja con ella no tenía
complejos económicos [15].

En Cestona, Baroja estuvo de médico poco más de un año.
Poco recuerda de las chicas de aquel pueblo. De habérselo
propuesto éste era el sitio ideal para casarse. A un médico no
se le cierran las puertas. Pero Baroja no individualiza a ninguna de estas chicas. Sabemos que con su primer sueldo las
invitó a pasteles, que ellas lo llamaban medio en broma «mul-
tizarra» (solterón) (II, 314), que con unas de San Sebastián se
fue una vez a unas fiestas y que hasta bailó (II, 359), ocasión
que le inspiró su cuento *Elizabide el vagabundo*. Ahora, si allí
Baroja sintió amor por alguna chica como hace Elizabide, él
no nos lo dice. En cambio, nos habla de la señora de los toros.
Baroja siempre siente entusiasmos románticos. Una señora, al
parecer casada y de otro pueblo, por la que arrojará en un
gesto rumboso dos duros de plata [16] —los únicos que le quedaban de su primer sueldo— a los toreros (a pesar de la repug-

---

[15] Aquí Baroja se sentía seguro de sí mismo, lo que no le pasará
con las chicas de San Sebastián en casa de su tía. Estas debían ser
chicas de su edad, él empezando la carrera y poco atractivo, no les
interesaría. Y Baroja no era de los que insistían.
[16] En este gesto de Baroja se nota el mismo afán de la anécdota anterior. Baroja debía creer que a la mujer se la impresiona con dinero.

nancia que le inspira el toreo). Al irse ella, la calle de su casa
le parecerá más negra que nunca [17] y el dinero de sus bolsillos
sonará a cobre (II, 314-8).

Al abandonar la Medicina —cuyas causas explicaremos
en el capítulo siguiente—, Baroja se va a Madrid a regentar la
panadería de una pariente. Por lo visto en esa época cortejó
a bastantes señoritas, con tan poco éxito, que sus obreros de-
ciden buscarle novia. Una cómica también le busca otra. Pero
la descripción que hace de las proposiciones y de las chicas es
más bien chistosa. A la primera la encuentra «sobrante de
tejido adiposo» (II, 401). De la otra casi se alegra al decirnos
que tenía aire de mal genio (II, 403). Como si más que mujer
para la vida la buscara para sus novelas.

La mujer que dejó una impresión más honda en Baroja,
debió ser Ana. Una rusa a quien el escritor ya había sacado en
La sensualidad pervertida. Debió conocerla en 1913 (IV, 355).
Julio Caro Baroja nos dice que su tío pudo haberse casado ese
año [18]. ¿Era Ana la que pudo ser mujer de Baroja? Hablando
de un artículo de Javier Bueno que decía que la rusa era sol-
tera, Baroja insiste en que era casada (IV, 368). No conocemos
el artículo de Javier Bueno, pero sí uno de A. Azpeitua donde
nos dice que la señorita rusa quería casarse con Pío Baroja [19].
Puede que éste sea el artículo a que se refiere Baroja, y que
haya confundido a los dos periodistas o puede que se trate
de dos artículos.

Baroja dedica muchas páginas a hablar de sus relaciones
con Ana. Todo se resuelve en un plano de intelectualidad y
coquetería; algo semejante, sin llegar a tanto, al ambiente en
las comedias de Oscar Wilde. Baroja parece encontrarse muy
a gusto en ese juego. (En otra parte de las *Memorias* dice que
en un ambiente de alta sociedad hubiese tenido más éxito con

---

[17] Baroja antes no había hecho un comentario sobre la casa donde
vivía. Al acompañar a la señora a su coche, se la muestra y comenta,
"le debía chocar una casa tan pobre, tan pequeña y tan negruzca" (II,
317). Es como siempre, ante ellas se da cuenta o siente que es un
pobretón.
[18] Julio Caro Baroja, *Los Baroja* (Madrid, 1972), p. 75.
[19] Antonio Azpeitua, en José García Mercadal, *Antología crítica*
(Zaragoza, 1947-1948) II, 103-106.

las mujeres) (I, 88). Al final de la relación, Baroja se lamenta de no haberla encontrado antes, cuando él era más joven y ella libre (IU, 372). Sin embargo, ella no demuestra gran interés por Baroja. Sólo vemos curiosidad y afecto de su parte (IV, 353-74).

Para cerrar esta parte sentimental de la vida de Baroja, mencionaremos dos últimos amores completamente distintos entre sí. Uno fue el inspirado por una dama misteriosa, toxicómana, al parecer austríaca, con la que coincidió en un hotel de París, acabada la primera guerra mundial. La historia de tipo novelesco, el nombre que Baroja da a la protagonista —«Hedda Gabler» (VII, 354) porque le recordaba a un personaje ibseniano—, lo convierten en uno de los amores románticos con que debía soñar don Pío. El otro pertenece al tipo «amor-amistad». Baroja no nos describe físicamente a Gabriela. Ni siquiera nos dice que es guapa. Sólo que era muy dulce. Debió ser un bálsamo para el escritor en el exilio. En esa época solía visitar a ella y su madre. Baroja reproduce las cartas que ella le envió después. Al final de ellas comenta,

> ... me siento sorprendido y emocionado al ver que una muchacha joven ha podido interesarse por un hombre como yo, viejo, sin porvenir y sin posición. (VII, 299).

Al parecer fue Baroja el que interrumpió la correspondencia, pues en la última que ella le envía dice que se toma la libertad de escribirle aún cuando él no ha contestado a la suya anterior.

Baroja no se debía haber sentido atraído por el matrimonio o por lo menos como éste se concibe en la burguesía española. Confiesa que no tuvo nunca una pasión larga, que fue versátil y que el casarse para convertirse en un señor respetable, no le interesaba (II, 379). El se llama a sí mismo muchas veces «epígono del romanticismo» (III, 56). Sueña con la mujer pálida, rubia e irreal de los románticos. Pero la mujer de su época es realista y práctica. El intenta que rompa con el medio y ella que se acomode a él. Y Baroja nunca se pudo acomodar.

Quería solucionar sus problemas de solitario[20]. Ellas busca-
ban los fines sociales, la continuación de la familia. Baroja
comprende que su punto de vista conduce al pesimismo. Pero
al preguntarse si el realismo valdría la pena, llega a la conclusión de que, por lo menos, para él, no (III, 56-7). Para Baroja además, el escritor nunca ha tenido éxito con las mujeres. En su época ninguno tenía. El que más prestigio gozaba entre ellas —Benavente— era el que menos se sentía atraído por ellas (I, 89) y es que a las mujeres españolas no les
gusta leer, ni tienen sentido literario. (La Pardo Bazán tampoco lo tenía) (I, 90). Por ello nunca darán categorías a los
literatos. Y Baroja contrasta la distinta opinión que tienen de
ellos una aristócrata andaluza y otra italiana. Mientras la
primera el referirse a ellos los llama «pobrecillos» (I, 101), la
otra decía que «eran lo más importante del mundo» (I, 102-3).
Este poco interés por la literatura o filosofía, hace que la mujer española no quiera emanciparse. Es conservadora. Su único afán, hacer un nido (I, 89). Sin embargo, aunque Baroja
critica esto en la mujer española, de sus observaciones se des-
prende que él tampoco está de acuerdo con que el artista tenga una familia [21].

Con respecto a la moralidad de la mujer española, aun
cuando en otros sitios reconoce que es alta y que no cree en
los amores fáciles en España (I, 96), copia un trozo de *Las
horas solitarias* (publicada en 1918), y nos da el prototipo de
la mujer: Lola, una señorita de la vecindad, hija malcriada y
luego esposa infiel. Nos dice que primero creyó que era una
excepción y que hoy cree que todas son así, que el sexo las
nivela (I, 92). Estas teorías son restos de la juventud (el párrafo
es una reproducción), su tono cambiará porque éstas se ocu-

---

[20] "... no he encontrado una mujer que me gustara exclusivamente hablar con ella y a ella le gustara hablar conmigo" (I, 91), contestó
Baroja una vez que le preguntaron por qué no se había casado.
[21] Refiriéndose a las hijas de un sainetero, "Estas chicas, por lo
que me dijeron después, vivieron en Madrid en la miseria más absoluta. Es el final lógico de las familias de los hombres que se sienten
cigarras y, no contentos con esto, creen que deben tener hijos". En
cambio a Iradier, en su pequeña biografía lo pone muy bien (VI, 149-
182). Iradier nunca se casó.

pan de él. lo que quizá le hace decir que éstas no adoran sino
el éxito (V, 36-7). Pero es divertido, porque unas páginas antes
había protestado de que le hayan achacado «cierto odio por
las mujeres, y el no haber pintado en los libros el amor como algo brillante y admirable» (I, 84) cuando él siempre ha
sido partidario de las reuniones donde hay señoras interesantes. Ahora si él no describe en sus novelas ese amor de literatura es porque en España no se da. Sólo la petulancia de
algunos españoles lo quiere creer de otro modo. Pero lo propio de un país pobre y rural es que la ética no sea libre.

Además de considerar al amor cosa de novelas (II, 56-7;
I, 85-6) confiesa que no ha conocido más que matrimonios de
conveniencia y amores de prostitución. El hombre no ha sabido dignificar el instinto sexual. Hay diferencia entre una cena
elegante y una de gañanes. En el amor, en los dos aparece el
mismo animal. Recuerda con repugnancia los primeros con-
tactos en cuartos sucios y el horror al contagio (III, 15-6). De
estudiante, la visita a la sala de mujeres en el Hospital de
San Juan de Dios le impresionó por el mismo motivo [22]. Baroja
no insiste en este tema. Muchos de sus biógrafos nos hablan del
poco gusto que sentía por las bromas picantes o conversaciones inmorales [23]. Esto debió de ser desde siempre, pues a la
muerte de su abuela paterna, al parar en la pensión de su
padre en Bilbao, alude a los chistes de mal gusto que se decían en la mesa (II, 64).

Su concepto de lo erótico como algo bajo hará que no
sienta simpatías por gente con esta debilidad —Cajal, Galdós— como veremos más adelante. Y le impedirá aceptar las
teorías de Freud. Reconoce que sentía más simpatía por su

---

[22]   "Ver tanta desdichada sin hogar, abandonada en una sala negra,
en un estercolero humano, comprobar y evidenciar la podredumbre
que acompaña la vida sexual, hizo en mí una angustiosa impresión"
(II, 260).
[23]   Julio Caro Baroja, "Recuerdos" en Fernando Baeza, *Baroja y su
mundo* (Madrid, 1961) I, 48. Antonio Campoy, *Un autor en un libro*: *Pío
Baroja, Estudio y Antología* (Madrid 1963), 37. Es interesante también el artículo de Javier Martínez-Palacio, "Baroja y un personaje de
acción: Roberto Hasting, *Insula*, XXVIII, Núms. 308-309 (Jul.-Aug.
1972), p. 10, como Baroja hace desaparecer a sus personajes en cuanto
éstos se enamoran.

madre que por su padre, pero no cree en el complejo de Edipo. En las familias se dan siempre rivalidades, y éstas son más fuertes entre los individuos de un mismo sexo; pero esto no tiene nada que ver con la líbido (II, 109). Se burla de todas esas teorías y llama al psicoanálisis «el cubismo de la Medicina» y «un excelente sacacuartos» (I, 142). Sin embargo, llega a reconocer que hay alguna base, aunque ésta no sea tan grande como Freud pretendía (V, 273).

En cuanto al tipo de don Juan, aún cuando es una creación española, no abunda en nuestro país. Al menos él no ha conocido a ninguno en la clase alta o media. Donde quizá se dé es en la baja: el chulo. Lo mismo pasa en Francia con el apache. Los tipos de Balzac, «parece que se han eclipsado si es que han existido alguna vez» (V, 128).

Carácter

El ser humano es complicadísimo. Se han necesitado más de veinte siglos para casi conocerlo biológicamente. Se necesitarán más para su comprensión psicológica. Según Baroja, «El hombre es un enigma para los demás y para sí mismo» (V, 78). El «Conócete a ti mismo» es un imposible. Nunca nuestra opinión de nosotros estará de acuerdo, con la que los otros tengan. A pesar de ello, siempre nos es más fácil adoptar ante ellos el papel que nos han asignado que descubrirnos a solas. A solas nos tropezamos con la oscuridad. Puede que sea por ello, por lo que Baroja escribió sus *Memorias,* recuerdos de lo que él hizo y lo que hicieron los demás. No hay en él pretensiones de disecarse psicológicamente. Baroja se estudia en los otros, analiza sus opiniones, para luego concluir —especialmente cuando el retrato no es favorable— que la mayoría está equivocada, que él es de otro modo.

Cuando opina sobre sí mismo, el médico condiciona al escritor, y Baroja cree que un psiquiatra lo calificaría de «maníaco-depresivo» (I, 71; 263). Hay varios momentos en su vida en los que una gran tristeza parece cernirse sobre él. Al desaparecer en su coche la señora de aquella tarde de toros cuando médico en Cestona, ve el callejón de su casa negro como el carbón (II, 317). Es la misma calle de todos los días, pero su estado de ánimo, se lo hace ver distinto. En París, Ana no contesta a sus cartas. Baroja cree que se ha marchado, pero al ver luz en sus balcones, nos dice, «al pasar por un puente del Sena estuve mirando las aguas del río un largo tiempo» (IV, 373). Como si las aguas se llevaran toda su alegría.

Baroja confiesa que tiende a sumirse en la tristeza, por eso para él «ha sido siempre difícil vivir sin alegría» (V, 191). A todo lo largo de las *Memorias* nos tropezamos con el doble plano [24], el Baroja de hoy hablando del de ayer. Este no podía vivir sin alegría, pero el de hoy se da cuenta que «la alegría ha muerto», «le han dado la puntilla el comunismo y el fascismo» (V, 191). Pasa a hacer toda una historia de la alegría, como ésta existe en la Edad Media, como va disminuyendo poco a poco, después del Renacimiento, y como si hoy, debido a las guerras, al comunismo y al fascismo, quisiéramos escribir un libro alegre, tendríamos que poner la acción en un país lejano, ignoto y aislado (V, 192) [25].

Esta dicotomía tristeza-alegría es una constante en las *Memorias*. Baroja casi siempre está triste, pero encuentra divertida la conducta de la gente. Otras veces, parece burlarse de su propia tristeza y acaba el relato con un comentario chistoso. Quizá su gran admiración por Dickens venga de ahí. Baroja llega incluso a decir que la vida necesita un poco de neurastenia (VII, 66).

De la misma familia que esta tristeza y manías depresivas es su tan manoseado pesimismo. Baroja no lo niega, pero afirma que no es un «pesimista triste y lacrimoso», sino más bien «estoico y, a veces, jovial» (I, 292) [26]. Uno de los momentos en que su pesimismo alcanzó su más alto grado fue en su época de estudiante de Medicina, debido a su fracaso en los exá-

---

[24] Este doble plano, el ayer y el hoy es característico del género. Shumaker, p. 114.

[25] Es curioso, pues *Cien años de soledad,* que en su pesimismo es un libro divertido, tiene su acción en Macondo, un lugar mítico y aislado.

[26] Quizá no sea un pesimista lacrimoso con respecto al cosmos, pero siempre está hablando de su "mísera vida literaria" (I, 158) o "Yo he vivido una vida modesta, oscura, sin un momento de suerte ni de ilusión" (IV, 10) o de que nunca tiene un cuarto.

menes, unido a la tuberculosis de su hermano Darío (II, 278).
Pero el pesimismo de Baroja no es de los que se curan con un
título, por fin ganado o con el descubrimiento de la Penicilina.
Su pesimismo es cósmico —«No creo que la vida tenga objeto
fuera de sí misma» (I, 292) y humano «el hombre es un lobo
para otro hombre» (V, 45; VII, 139); frase de Plauto que no
se cansa de repetir. Su pesimismo casi podría considerarse
teórico, estaba inspirado en lecturas. Su visión de lo absurdo
de la vida, su contacto con la enfermedad y la muerte, las envidias e injusticias de todos los ambientes profesionales en
los que le tocó caer, afianzaron estas ideas. Pero eran como
expresiones malhumoradas en *Juventud, egolatría,* (1917) ahora, a la vejez, tuvo que ver con horror que la realidad llegó a
ser peor de lo que pudo imaginar. Se da cuenta que los siglos
de predicaciones no han servido de nada, y que el hombre se-
guirá persiguiendo con saña al que tenga el pelo o la nariz distinta a la suya. A la Química le toca encontrar una clase de
Penicilina que mitigue la crueldad humana (VII, 232). Y lo
que más le molesta es que después de tantas toneladas de
sangre derramadas con ensañamiento digan que se han «mo-
vido en un ambiente de nobleza y generosidad» (V, 44). Ataca
también a los espíritus que se creen privilegiados, amantes
del arte, que no piensan en los horribles tormentos por los
que está pasando la gente y sólo piensa en si se ha salvado tal
o cual obra maestra (IV, 209). Baroja se pregunta si Europa
podrá salir de ésta «y si se podrá ir y venir como antes, hablar
y pensar sin obstáculos, como hace años» (IV, 288). Reconoce
que ya es viejo y no podrá aprovecharse de ello, pero el pen-
sarlo ya le ilusiona. En su pesimismo ya no piensa solamente
que el hombre es un lobo para otro hombre. Cree que en los
tribunales de guerra, si los prisioneros pudieran elegir, los
elegirían de perros (V, 44).

Baroja reconoce que el egoísmo es necesario. Sin él, el hombre habría desaparecido del planeta y el arte sería casi inexis-
tente. Junto a ese egoísmo se da en el hombre en cantidades mí-
nimas la simpatía por los demás —«una gota de agua al lado
del mar» (V, 44). La caridad, filantropía y demás tienen su
base ahí. Aunque la mayoría de las veces se quedan en meras
palabras. Pero, a veces, en medio de la injusticia que consti-

tuye la vida, surge de pronto algún ser que no siente indiferencia por los demás, sino que incluso siente deseos de hacer el bien, y Baroja comenta, «Es extraordinario» (V, 45). Confiesa que,

> Quizá sea una manifestación de pesimismo y de misantropía; pero cuando uno cree al hombre malo, falso y cruel, al verle bueno en algún caso le produce asombro. (VII, 17).

El pesimismo de Baroja no se reduce sólo a su concepto del hombre esencialmente malo o de que la vida no tiene más objeto que la vida misma. Sino que además en ésta, «las condiciones de cierta originalidad y de trabajo no son las mejores para prosperar...» (I, 292). Pero Baroja acaba considerando que tanto el que triunfa como el que no, si son sinceros, reconocen que ambos han fracasado [27].

Con todo ello, Baroja opina que es más práctico ser platónico idealista que pesimista. Porque mientras éste gruñe y lo encuentra todo mal, el otro, entre discurso y discurso, va cogiendo todo lo bueno que aparezca en el camino y metiéndolo en su saco (V, 45-6). Por otro lado, se exige más del hombre prudente y sin grandes ambiciones que del fanfarrón. A éste se le perdona todo y al otro nada. Por lo que llega a la conclusión de que, «Es casi más práctico marchar por sendas extraviadas que por el camino del medio» (VI, 25).

Baroja no tiene tampoco una buena opinión de su tiempo. Cree que la guerra del 14 fue la que incubó todas esas tonterías de los «ismos» modernos, mientras el fascismo y el comunismo son los culpables de la pérdida del individualismo. El triunfo es para el tipo «standard» (V, 128). En las ciudades se va dando también esa monotonía. Van perdiendo su carácter. Como consecuencia, la escala de valores cambia. El filósofo, el hombre de ciencia o el escritor van perdiendo prestigio. Hoy

---

[27] "A mí me gustaría no ser pesimista, pero lo soy, tanto por instinto como por experiencia. El uno se dirige en la encrucijada de dos caminos hacia la derecha y el otro hacia la izquierda. Si se encuentran ambos y son sinceros reconocen que los dos han fallado. La vida y la inteligencia se van derrochando en empresas inútiles, pero cuando el hombre que las ha derrochado se encuentra con personas económicas y prudentes, ve que tampoco éstas han ganado la partida y que su éxito no vale gran cosa" (IV, 16).

lo tienen el pintor y el deportista (IV, 203). Sin embargo, en
otra parte reconoce que el prestigio del médico es el mayor
hoy en día en la familia (IV, 23).

Por último, Baroja nos dice que la vida le ha dado una
impresión gris (VII, 339). Pero para el hombre la vida es como las estaciones del tren para el viajero. Aunque todas las
pasadas sean horribles, el instinto le impulsa a desear alcan-
zar las siguientes (III, 26).

Baroja se siente molesto de la falta de verdad de la mayor
parte de la crítica acerca de él. El nunca afirma nada hasta no
estar en lo cierto. No comprende como se ponen a afirmar fal-
sedades cuando sería tan fácil preguntándole a él. El problema
de Baroja y la crítica se tratará en el capítulo correspondiente,
pero como muchos críticos se han ocupado de su carácter y Baroja se autodefine, negando en la mayoría de los casos sus
opiniones, estudiaremos éstas.

Así de su mal carácter proverbial, él no cree que lo tenga
tanto. Lo que pasa es que la gente suele confundir las fórmulas de cortesía con el carácter, lo que no quita para que la persona cortés riña con el amigo (I, 67-8). Ahora, él se considera
«cortés, sí; efusivo, no» (IV, 57). Nada de exageración, sólo
las fórmulas corrientes [29]. Baroja se contradice un poco, pues
en otro lugar comenta que la cortesía va desapareciendo y que
hoy la ley general es la «rebatiña» (I, 227). Según Baroja, la
gente puede enfurecerse, pero acepta mejor al que la trata
mal. El que la trata bien le da sensación de altivez. Sin embargo, no hay amargura sino humor cuando nos dice que en
su editorial siempre dejó los primeros puestos a los otros, y
que siendo Ortega director de la Casa Austral, el primer libro

---

[28] "Si no puedo averiguar algo, diré: "Se dice tal o cual cosa", pero no afirmaré nunca nada; en tal caso, si afirmo, será en el comentario, pero nunca en el dato" (I, 10).

[29] En otro lugar, Baroja copia esta conversación con un periodista,
"...Oiga usted: ¿Cómo explica usted, que, siendo un hombre atento,
corriente, se tenga de usted la idea de que usted es un tipo brutal y
de mal genio?

...Pues no sé a punto fijo. Me figuro que es una consecuencia de
incompatibilidad en conceptos e inclinaciones. Mucha gente piensa, o
por lo menos siente, que el que no tiene sus hábitos y sus entusiasmos
en un enemigo" (VII, 14).

que se publicó, fue uno suyo. De Baroja no se publicó uno hasta el 177 [30]. Por eso no comprende como lo han podido calificar de matón. Nunca ha intentado avasallar. Siempre ha sido partidario de la frase de Robespierre: «La libertad de uno acaba donde comienza la libertad del otro» (I, 77). Lo que pasa es que «mucha plebe que se considera inteligente» tiene tabús literarios, y una opinión independiente es calificada de matonismo. Como el señor que en una reunión lo acusó de ofender a los santanderinos porque Baroja dijo que no le gustaba Pereda.

Se le acusa de egotismo y de no creer más que en sus ideas. Baroja cree que el suyo no es mayor que el de los otros escritores y se pregunta si se puede creer en otras ideas que las propias (I, 77). Con respecto a su falta de amor, del que también se ha hablado, si se le compara con los místicos está de acuerdo con la acusación. El ya ha dicho otras veces que hay como tres moralidades: la natural del hombre egoísta con el hombre también egoísta, del toma y daca, reflejada en los códigos; la del caballero, de moralidad más bien estética [31] y la del santo basada en la caridad y la piedad. Baroja no llega más que a la segunda. Admira a la del santo, pero ante los hipócritas que la fingen, prefiere a los cínicos (I, 78-9). Al orgullo y la vanidad que le achacan, Baroja no los considera defectos, pues cree que al practicante de la moralidad de caballero, lo ayudan a ser más limpio (I, 79). Ante la acusación de ser versátil y apóstata, Baroja contesta que siempre ha sido fiel a su sinceridad espiritual (I, 98). Pero lo que no puede comprender Baroja es que lo hayan calificado de bohemio cuando ni va a cafés o teatros, ni siquiera fuma [32] y acostumbra a levantarse temprano. «Me ha gustado la vida ordenada y la exactitud en las horas» (I, 81). Su poco interés por

---

[30]   Es verdad. La Colección Austral publicó varios libros de Pío Baroja, pero el número más bajo es el 177. Lo lleva *La leyenda de Jaun de Alzate*.

[31]   Nora dice que estas dos primeras no son moralidades. Eugenio de Nora, *La novela española contemporánea II* (Madrid, 1958), p. 112.

[32]   Baroja no era un fumador empedernido, pero cogía un cigarro rubio de vez en cuando. Mariano Gómez Santos, *Baroja y su máscara* (Barcelona, 1956), p. 43.

la bohemia debió de ser desde siempre, pues en su juventud cuando visitó en Bilbao la pensión donde se hospedaba su pader, sintió desagrado (II, 64). Llega a calificar a la bohemia de «mito ridículo» (II, 73). Baroja añade que en él no es ningún mérito, que a veces intentó imitar a los demás, procuraba intoxicarse, pero se iba encontrando mal y lo único que pensaba era en ir a acostarse (I, 269). Ya esto le pasaba de estudiante, la falta de costumbre hacía que un café o una cerveza después de cenar, lo dejara sin dormir (II, 200-1). Sus sentimientos con respecto a la inmoralidad son algo parecidos. La pobre le deprime y la rica no la conoce (I, 268-69). Otras veces han dicho de él que ya está viejo. A Baroja le molestaba que nunca reprochen eso a los demás escritores [33]. Salaverría decía que Baroja tenía mucho miedo a las enfermedades. Baroja comenta que lo tiene más aún a las incomodidades y que hace años tuvo una operación bastante grave en la que estuvo a punto de morir, y se manifestó sereno (I, 97-8) [34]. También se ha hablado de su indiferencia y frialdad. Baroja lo com-

---

[33] Podríamos decir que Avellaneda se lo reprochó a Cervantes. Prólogo a la segunda parte del *Quijote*.

[34] Baroja no menciona aquí tampoco cuando los requetés estuvieron a punto de fusilarlo, pero Julio dice:

"Según me indicó Ochoteco tiempo después, mi tío estaba muy sereno. Pero la perorata del capitán M... empezó a surtir efecto y en un momentos los requetés hicieron ponerse en fila a los tres presos. Si nos fusilan —pensó mi tío, según me dijo y escribió tiempo después..., gritaré al morir ¡Viva la libertad! Julio Caro Baroja, *Los Baroja* (Madrid, 1972), p. 305.

En *Ayer y hoy* comenta Baroja, "Yo creí a la verdad, que en aquel momento nos fusilaban. "Nos van a matar aquí —pensé con cierta indiferencia—. Yo gritaré "¡Viva la libertad!". Pío Baroja, *Ayer y hoy*, página 33.

Pero en las *Memorias,* por la censura o por cansancio sólo dice,

"Nadie sabe cómo se va a comportar en los momentos de peligro; a veces el que se cree valiente se muestra cobarde, y al contrario. Para el que tiende a ver la vida en fisiólogo, el valor es una consecuencia de energía nerviosa de la resistencia de los nervios, y no de las convicciones. Así, en la Revolución francesa, en donde se guillotinó una porción de hombres de gran mentalidad, su actitud ante la muerte fue muy distinta. Hasta en las mujeres se dieron casos de extrema serenidad como en madame Roland y en Carlota Corday, y casos de terrible terror, como en madame Du Barry" (I, 98).

prende pues es muy mediterráneo confundir el entusiasmo
con la retórica. Pero está convencido de lo que verdaderamente impresiona no da ganas de hablar (I, 99).

Analizando la evolución del carácter del niño al hombre,
llega a la conclusión de que la naturaleza «da grandes sorpresas» (II, 184), como algunos jóvenes de malos instintos
llegan a personas respetables y como otros bien intencionados
«nos hemos ido agriando y haciéndonos esquinudos con el
trato social y con la vida» (II, 184). Baroja reconoce que a la
vejez su carácter se ha dulcificado. Cree que su problema
fue su apocamiento. Cuando no se sabe decir la palabra a
tiempo [35], se coge fama de poco inteligente. Entonces hay que
cambiar de ambiente pues esta primera fama persigue. Por
otro lado, él en su juventud creía que se le presentaría alguna
aventura inesperada y que, por tanto, no valía la pena prepararse para nada concreto [36]. Pero en vez de la aventura,
Baroja no conoció sino fracasos, y ante ellos «el hombre inadaptado tiende a replegarse sobre sí mismo y a separarse de
los demás» (III, 72). Confiesa que si se dedicó a la literatura
fue por aburrimiento, que de haber sido rico, pudiendo pasar
la vida alegremente no hubiese escrito (I, 135-36) [37]. Una vez
en el ambiente literario demostró tenacidad y fue feliz. Cree
que hubiese puesto esa misma tenacidad en una tarea científica, pero no encontró ayuda. En la literatura se puede abrir
camino sin medios; en la ciencia, no (II, 184) [38]. Baroja en su
opinión de sí mismo se contradice un poco, pues refiriéndose
a su dedicación a la literatura se considera hombre «de cierto

---

[35]   Cuando hablábamos del pueblo vasco, veíamos que ésta era una
de las características que Baroja consideraba que tenía en contra de
la opinión de Unamuno.

[36]   Esto quizá explique la indecisión de Baroja ante las carreras al
acabar el bachillerato. Y claro al aplicar esta actitud al estudio no es
raro que sus maestros lo tuvieran por corto.

[37]   Eso dice Baroja, pero no podemos tomarlo en serio porque a él
siempre le gustó escribir. Además nadie más impropio para pensar la
vida alegremente que él. Sin preocupaciones económicas quizás se hubiese dedicado antes a la literatura.

[38]   Julio Caro Baroja da una evolución casi idéntica en el carácter
de su tío. Julio Caro Baroja, *Los Baroja,* p. 74.

carácter y tesón» (VII, 16), mientras en otro lugar dice que
no es un tipo de voluntad enérgica, sino más bien flojo y un
tanto desvaído» (IV, 43).

Simpatías y antipatías

Para mejor comprender el carácter de Baroja estudiaremos
algunas de las simpatías y antipatías que experimentó.

Hablando de la antipatía, Baroja comenta que las causas
de ella no son ideológicas, que es «el instinto» —como en los
animales— el que manda, «las rivalidades y los celos» (I, 236).
Cuando hablábamos de la infancia de Baroja veíamos que no
sintió afecto por ningún maestro o profesor. Le inspiraron
antipatía o al menos indiferencia. Sus sentimientos se agudi-
zarán en la juventud. De estudiante de Medicina la despertó
y la experimentó con varios de sus profesores. El surgir de la
antipatía de don Benito Hernando cree Baroja que provenía
de que ambos vivían en la misma casa. A esto se añadió el entusiasmo infantil que sentía el profesor de Terapéutica por
los hechos gloriosos de la historia española y el fervor con
que hablaba de ellos en una clase que no tenía nada que ver
con el asunto. La cara displicente de Baroja puso el resto. Hernando dijo que los vascos eran muy brutos y preguntó su opinión a Baroja. Este contestó que no más que los de Guadalaja-
ra, lugar de nacimiento de aquél [39]. Quien le aconsejó que
trasladara la matrícula, pues nunca lo iba a aprobar (II, 243).

Otro profesor con quien Baroja no podía era Letamendi.
En los círculos médicos españoles se le tenía por un genio.
Se pensaba que en el extranjero no le hacían caso por envidia.
Intentaba aplicar las Matemáticas a la Biología. Baroja considera que no eran más que juegos de ingenio sin base empíri-
ca ni metafísica (II, 240) [40]. Pero el motivo de la antipatía fue
que el primer día de clase, Letamendi preguntó a Baroja que

---

[39] Si de estudiante de bachiller en Pamplona contestaba a las
burlas con puñetazos, de mayor responderá de otra manera, pero con
igual violencia. En el capítulo siguiente en la parte dedicada a la "sociedad" veremos como tampoco se calló ante el P. Coloma.
[40] Sería interesante saber lo que Baroja opinaría de la aplicación
de las Matemáticas a la Lingüística.

suponiendo que no hubiese leído ningún libro de Medicina le
preguntaran lo que era ésta. Baroja contestó que era el arte
de curar. Letamendi hizo la misma pregunta a otro alumno
quien recitó la definición de Letamendi que quedó muy sa-
tisfecho, con gran indignación de Baroja (II, 239).

Otra vez fue un examen. Letamendi pidió a Baroja que le
midiera el cráneo. Baroja sin querer le despeinó las melenas.
Cuando recibió la nota era un suspenso. Sin embargo, Baroja
no cree que esto influyera. Don Benito Hernando formaba
también parte del tribunal (II, 268).

En el ambiente literario, tan propicio para las envidias y
zancadillas, Baroja no pudo por menos que experimentar antipatías. Sintió una muy profunda por Valle-Inclán. A veces
fueron amigos. En un desafío que tuvo Baroja nombró a aquél
padrino. A pesar de ello, Baroja nos dice que la antipatía que
sentía por Valle-Inclán era física, moral e intelectual. Empieza por describirnos su aspecto físico [41] poco atractivo, y como
con voluntad de hierro convenció a críticos y pintores que
dignificaron su figura [42]. Las causas de la antipatía moral pudieron ser que Valle-Inclán siempre recibió pensiones del gobierno, nunca las confesaba y presumía de austero (I, 55).
Luego sus afanes aristocráticos [43], su cambio de nombre [44] y

---

[41] "Valle-Inclán no era hombre de cara bonita, ni mucho menos;
tenía restos de escrófula en el cuello. La nariz un poco de alcuza; los
ojos turbios e inexpresivos; la barba, rala y deshilachada, y la cabeza,
periforme, y, sin embargo, para muchos era algo como un gigante y
hasta como un Apolo" (I, 56).

[42] "Llegó a convencer de que tenía una cara correcta, una barba
espesa y una voz tonante" (I, 59). Cita entre otros a Jean Cassou en
Panorama de la literatura española, que mientras de Baroja dice que
tenía un rostro pesado y un cráneo redondo (lo tenía alargado) de
Valle dice,

"Su nobleza caballeresca, su extraña cara barbuda, sus gestos so-
berbios."

Y Baroja concluye, "Este escritor francés, un tanto judaico, va como
todos al lugar común" (I, 46).

[43] "Valle-Inclán tenía una serie de ambiciones completamente corrientes y burguesas: el entusiasmo aristocrático y el de la gloria que
en él a la gente le parecía muy bien" (I, 58).

[44] "Según sus compañeros de estudios en Santiago de Galicia, Bargiela, Trillo, Portela y otros, se llamaba Valle y Peña, y se convirtió en
Ramón María del Valle-Inclán y Montenegro" (I, 60).

el palacio de sus ascendientes que por lo visto no existió (I, 60-1). Baroja le reconoce una virtud: el anhelo de perfección en su obra. Consideraba esto más importante que el dinero.

Según Baroja, una de las causas que iniciaron su antipatía fue un perro, Yock [45]. Discutían los dos escritores y éste se puso a hacer gracias. Baroja le dijo que se fuera. Poco después al ir a buscar un libro para demostrarle algo al otro, vio que el perro se volvía a acercar a Valle-Inclán y éste le daba una patada en el hocico. Baroja lo despidió malhumorado y dijo que tenía que trabajar. Cree que además entre los dos existía una antipatía intelectual. Según Baroja, Valle-Inclán temía que él hiciera algo alguna vez que estuviera bien. A veces discutían sobre la novela, y Baroja piensa que al oírlos la gente creía que Valle era el seguro y él el vacilante. Pero era lo contrario, pues Valle-Inclán leía los libros de Baroja y éste nunca leía los del otro, «porque, dadas sus premisas, yo estaba seguro de que no me podían gustar» (I, 63). Baroja opina que eran complemente distintos. Mientras Valle se sabía sus novelas de memoria, y le gustaba recitar trozos, Baroja tropezó un día con unas hojas en su imprenta y por el estilo pensó que eran de un imitador suyo. Luego resultó que pertenecían a una de sus novelas (I, 129).

A lo largo de sus Memorias, Baroja se refiere varias veces a Valle-Inclán y en casi todas ellas, éste le ha hecho algo desagradable. Intentan fundar una asociación de escritores, eligen a Baroja presidente y Valle echa abajo el proyecto (III, 70). A un banquete que le dieron a Galdós, Baroja llegó tarde, pero a tiempo de oír a Valle-Inclán decir que las novelas que escribe Baroja no le gustan sino a su perro Yock (III, 347). Otra vez es una ejecutoria al apellido Baroja. Valle se empeñará que es falsa (II, 25).

La antipatía por Villaespesa era completamente distinta. Un día éste se presentó en casa de Baroja pidiéndole dinero casi de rodillas y asegurándole que se lo devolvería esa misma

---

[45] "Yo he tenido siempre una cierta compasión por los animales. En esa cuestión, como en muchas otras, me siento más próximo al budismo que al semitismo...

Yo no soy de esas personas que tienen necesidad de vivir con animales caseros, pero si los hay, no me gusta hacerles daño" (I, 62).

tarde. Baroja no quería ceder porque ese día le tocaba pagar
a sus obreros. Tanto aseguró el otro que se lo devolvería y
tanto rogó, que al fin se lo dio. No sólo no vio el dinero con lo
que pasó un rato malísimo con sus obreros, sino que unos días
más tarde, apareció el padre de aquél a pedir más dinero «porque su niño, si no, no iba a poder escribir versos» (I, 82).

De Maeztu, Baroja dice que al principio le tenía simpatía, pero que aquél lo trataba con desconfianza. Baroja se
pregunta si la causa sería el que él pudiera llegar a escribir
algo que valiera la pena (I, 172). Pero parece que el verdadero motivo fue que se empezaron a decir las verdades (I,
173). Baroja cuenta como su padre no quiso aceptar un puesto muy interesante económicamente y que al verlo malhumorado le dijo Maeztu,

—Claro: usted quería que su padre, a su muerte, le dejara unos
miles de duros, y su padre no se ocupa de eso (II, 70).

Otra vez fue que Maeztu, por enemistades literarias, rom-
pió el bastón en la cabeza de un dibujante. Hubo un proceso
las cosas iban mal y Maeztu tuvo medio que escapar a Londres.
Antes de irse, Baroja le dijo que había que dominar la violencia. El otro le contestó que su opinión no le importaba.
Con el tiempo fue Baroja a Londres. Llevaba solamente una
carta de presentación. A pesar de avisar a Maeztu nada más
llegar, éste no le quiso ver hasta mucho después (III, 302).
Según Baroja, en esa época Maeztu era muy antipatriota, hablaba siempre mal de España. Para Baroja son incomprensi-
bles «esos brincos de saltamontes» (III, 303). Por leer a Marx
de católico pasó a marxista y de su incredulidad por oír a un
cierto padre se hizo creyente. Concluye que era un impulsivo
a quien un psiquiatra calificaría de esquizofrénico (I, 169-70).

De Unamuno, Baroja nos dice que en realidad no sentía
hostilidad hacia él, pero... le molestaba el que Unamuno se
creyera de todo —no sólo escritor—. Unamuno daba en todo su
opinión de una manera tajante y dogmática. Creía que todo
era sencillo; pero que nadie se había dado cuenta sino él. Al
lado de esto, tenía absurdos de patriotería. Baroja se burla de
la frase que empleó una vez Unamuno, «¡Que inventen ellos!»
(V, 30; 324), queriendo decir que los españoles no tenían por

qué inventar, y la usa varias veces a lo largo de las *Memorias*.
Pero éstas son opiniones generales, lo que Baroja no le pudo
nunca perdonar, es el que diciéndole que le iba a leer un capítulo de *Amor y pedagogía,* le leyó la novela casi entera. También debió sentir el resquemor de una opinión de Unamuno
acerca de uno de los cuentos de *Vidas sombrías.* Le aconsejó
que lo pusiera en verso (IV, 159). De igual manera, debió influir un artículo de la *Nación* donde se comentaba que
Unamuno decía que «Baroja se empeña en hablar de lo que
no sabe: de astronomía, de metafísica, de matemáticas» (I,
267). Baroja comenta que Unamuno con una ciencia escasa,
es el que pretendía saber de todo. Además, ni siquiera escuchaba.

> Le hubiera explicado a Kant lo que debía ser la filosofía kan-
> tiana; a Riemann o a Poincaré lo que era la matemática; a Plank
> su teoría de los Quanta y a Einstein lo de la Relatividad; a Fro-
> benius la Etnografía de Africa y a Frazer los problemas del *fol-
> klore* (IV, 154).

Respecto a Blasco Ibáñez, Baroja se llevó una desilusión
siendo estudiante de Medicina en Valencia con su físico, al
imaginarlo «un tipo mediterráneo, flaco, moreno, aguileño,
con una barba negra» (IV, 173) y ver «un hombre tirando a
grueso, con una voz de tenorino casi atiplada» (IV, 174).
Una tarde, ya Baroja escritor, con otros del oficio, se les
acercó Blasco, «en seguida pretendió dominar la conversación
y decir la última palabra sobre todo» (IV, 174). En un mitin
ese mismo día había defendido la República, ahora en cambio
la atacaba. A Baroja no le gustó esa duplicidad. Luego se
habló de novelistas del siglo XX. Al referirse a ellos y usar Baroja la palabra «nosotros», pudo notar por la expresión de
Blasco que a este no le gustó. Sin embargo, decidió invitarlos
a comer pues en Madrid la gente no comía. Baroja protestó y
comenta, «como si no supiera decir más que impertinencias,
aun queriendo hacer favores» (IV, 175).
Hubo otro motivo de antipatía. Al publicar Baroja *La busca,* Blasco le dijo que no estaba mal, pero que era sólo una
estampa que había que pintar el cuadro. Baroja le contestó

que una estampa podía ser de calidad y un cuadro no. Y
añade que Blasco luego la plagió en su novela *La horda* (IV,
176-77).

En otra ocasión, Blasco escribió a Azorín que pensaba es-
tablecer un premio anual para una novela en español. Azorín sería el jefe del tribunal y Baroja uno de los cinco jurados.
Para todo ello pondría unos cinco millones de pesetas en el
banco. Después no hizo nada. También prometió convertir su
quinta en la Costa Azul en asilo de artistas pobres. Acabó
colocando unos bustos en el jardín, y Baroja comenta,

> ... sustitución muy sabia, pues vale más tener en busto la efigie
> de autores célebres que no molestan, que no tener en vida escri-
> tores mediocres que comen, beben, murmuran, hacen reclamacio-
> nes y ocasionan molestias (IV, 186).

Baroja reconoce que Galdós fue uno de los escritores que
le mostró más simpatía. Sin embargo, no pudo corresponder
a ella. El no podía con la falsedad y el disimulo. Creía que
uno debería ser responsable de sus actos. Por eso, al estreno
de *Electra*, cuando en el punto más dramático de la obra, alguien (Maeztu) grita desde el gallinero, ¡Abajo los jesuitas!, el
público aclamó a Galdós, pero ese día no pasó más. Sin embargo, unos más tarde, le quisieron hacer un homenaje. Fue
una manifestación del pueblo a favor de Galdós y en contra
del clericalismo. Este se aterró y pidió a Baroja que lo acom-
pañara. Pasaron en un coche cerrado entre la multitud que lo
aclamaba, y que no sabía que estaba en medio de ella. Galdós
dijo que él se iba al extranjero, pues no tenía nada que ver con
ello. Baroja le contestó que él no podía negar la tendencia de
su obra. Sin embargo, Galdós, no pareció molestarse. Al llegar a su casa se despidió afectuoso (III, 216-18).

Baroja tropezó con varios detalles de la vida de Galdós
incompatibles con su puritanismo. Por lo visto, éste no sólo
explotaba a su escribiente, sino que se entendía también con
su mujer. A una chica de Santander la sedujo con engaño. Bonafoux mostró a Baroja las cartas de ella a Galdós. Luego
estaba metido en varios líos, por lo que siempre tenía que
estar dando dinero a chantajistas. Baroja piensa que esta relación parecerá a algunos una ingratitud, pero es su sentido

de justicia el que se lo dicta (III, 221). Es difícil, pero quizá
Salaverría tenía razón en decir que no era agradecido, sea por
ética o por exceso de justicia [46].

No fue sólo Galdós. En nuestro punto de vista, Baroja no
correspondió con algunos que se portaron bien con él. Valera
escribió un artículo elogiando una de sus obras [47]. Baroja no
lo critica como persona, pero se burla un poco de su literatura [48]. Nunca tuvo una crítica amable para los escritores mayores, y además esperó a que se murieran en la mayoría de
los casos.

A Santiago Ramón y Cajal nos lo describe de una manera
simpática. No fue profesor suyo, ni lo molestó cuando presentó su tesis (Cajal formaba parte del tribunal). Con los años dio
Baroja una conferencia en San Carlos en que aludía a Cajal.
Este le mandó tres libros suyos con dedicatoria. A pesar de
ello, Baroja lo llama «retórico y oportunista» (IV, 323) y señala sus problemas eróticos [49].

Con Ortega se muestra cruel. Según Baroja, éste habló con

---

[46] "También dice Salaverría que trato mal a quien me trata bien.
No creo que sea cierto... soy agradecido, aunque sea por egoísmo" (I,
248). Pero ya Galdós estaba muerto.

[47] Juan Valera, "Aventuras, inventos y mixtificaciones de Silvestre
Paradox" en Baeza, II, 15-17.

[48] Su opinión sobre la literatura de Valera se tratará más amplia-
mente en el capítulo dedicado a la crítica literaria.

[49] Después de escrito lo anterior, hemos tropezado con una carta de
Cajal a Baroja, con motivo del 98, que quizás explique porqué éste lo
pone más bien mal en las *Memorias*:

"Usted no es español, con un cinismo repugnante trató usted de
eludir el servicio militar, mientras los demás nos batimos en Cata-
luña, fuimos a Cuba, enfermamos en la manigua, caímos en la ca-
quexia palúdica y fuimos repatriados por inutilizados en campaña, y
luego, enfermos, tratamos de estudiar y trabajar para enaltecer a la
Patria, no con noveluchas burdas, locales, encomiadoras de condoe-
tieros y conspiradores vascos, sino luchando con la ciencia extranjera
a brazo partido.

Si yo fuera Gobierno, a los malos españoles como usted, que cifran
su orgullo y tienen a fruición despreciar los prestigios de la raza española, los condenaría a pena de azotes y después a una desecación
lenta, pero continua, en Costa de Oro. Creo que así nos dejarían en
paz." Joaquín de Entrambasaguas, *Las mejores novelas contempora-
neas*, I (Barcelona, 1957), p. LI.

displicencia de él [50]. Expone sus ideas de la novela contraponiéndolas a las de Ortega y concluye que con esas ideas, éste más que el birrete de profesor debería usar el gorro de cocinero (V, 175; 262). No lo cree gran filósofo [51], sino brillante escritor. Habla de su falta de intuición [52], en todos los campos. Pero como ellos fueron amigos [53], y ésta es una obra de recuerdos, con frecuencia lo pone muy bien.

A Salaverría lo pone muy mal (I, 8-16; 236-57; 266; 271-4), —parece que fue éste el que no se portó bien con Baroja— pero hay mucho humor en la crítica. Pero con Lerroux se enfada de verdad. Al decir en el tomo I que éste tenía una cultura escasa y poco conocimiento de España, un amigo de Lerroux contesta en un periódico, publicando dos cartas sobre Baroja que aquél le ha enviado. Baroja se muestra cruel en su contestación [54].

---

[50]   No conocemos todos los artículos de Ortega. En los citados más que tono displicente hacia Baroja, usa un tono de sabelotodo: esto está bien, esto está mal. Julio Caro Baroja dice lo siguiente, "Ortega, cuando hizo la primera edición de sus Obras, fechada en 1932, le envió a mi tío un ejemplar, que lleva esta dedicatoria:
"A Pío Baroja, viejo amigo infiel, con el cariño y la admiración imperturbables de Ortega. Marzo 1933." Se preguntaba a veces mi tío si la infidelidad no habría sido mutua, o acaso más fuerte del lado orteguiano que del barojiano, porque en éste no había beaterías y en el otro sí las había, y siguió habiéndolas fuertes y atacantes. Casi todos los discípulos de Ortega han dicho algo un poco agrio acerca de mi tío." Julio Caro Baroja, Los Baroja, p. 200.
[51]   Algunos entusiastas de Ortega y Gasset me han dicho convencidos que ahora, ya en el camino de la vejez, dará este autor una obra filosófica madura y profunda. Esto me parece una ilusión. Yo no recuerdo de ningún filósofo que haya escrito su obra importante en los linderos de la vejez" (I, 206-7).
[52]   "En muchas afirmaciones Ortega no ha acertado porque creo que es hombre de más cultura que intuición" (I, 200).
[53]   Cree Julio Caro Baroja, "que el enfriamiento en la amistad empezó con motivo de una polémica sobre la novela." Julio Caro Baropa, Los Baroja, p. 199 "La caída de la Monarquía causó mayor distanciación." Ibid., p. 200.
[54]   "Quién sabe, señor Lerroux, quizá sea usted todavía conde, marqués o duque. Un poco tarde es, pero usted ha sido siempre un hombre robusto y todavía puede vivir. Yo lo celebraré y que le den a usted alguna cruz decorativa, como la del Cristo de Portugal, una cosa así. Ya probablemente no nos veremos. Los dos somos viejos y es fácil morirse a estas edades. A mí no me interesa usted mucho. A usted tam-

Sin embargo, reconocemos que si Baroja pierde como persona en esas críticas que desbaratan tantas imágenes sociales, con ellas las *Memorias* ganan en amenidad y gracia [55]. Recuerdo que un admirador de Baroja al aconsejarme que las leyera añadió,

—Aquí ya se mete con todo el mundo.

Baroja debía ser una persona hipersensible, tanto por testimonio de sus parientes [56], como de él mismo [57]. Era incapaz de herir a una persona por el solo hecho de herirla [58]. Por eso,

---

poco le interesó yo gran cosa. Así que adiós. ¡Buenas noches, señor Lerroux!" (IV, 197).

[55] Baroja confiesa que se presentó a diputado para sacar una relación divertida", ... para el escritor de raza el hacer un libro bueno que llegue a ser leído en todo el mundo, es más que ser diputado de siete distritos, que ser ministro y archipámpano" (IV, 195). O sea que Baroja al escribir estas *Memorias,* más que en el daño que puedan hacer está pensando en que valgan como obra. Y ése es el criterio que debemos adoptar nosotros.

[56] Julio Caro Baroja, *Los Baroja,* p. 46.

[57] "Yo no manifestaba más sensibilidad que los otros; pero por dentro, creo que todo aquello me hacía más efecto que a la generalidad, aunque no tuviese inconveniente en abrir, cortar y descuartizar cadáveres" (II, 224).

Y hablando de las visitas al Hospital de San Juan de Dios, "Para un hombre excitado e inquieto, como yo, el espectáculo tenía que ser deprimente" (II, 260).

Y el crítico Helmut Demuth dice, "Lo casi fundamental del ser de Baroja, lo que nos da la clave para la comprensión de su personalidad, es la sensibilidad; aquella que tan particularmente le ocupa en su novela *La sensualidad pervertida"* (I, 298).

[58] Estudiando Medicina cuando se trasladan a Valencia, Baroja nos cuenta los problemas con que tropezó la primera noche y como no quiso molestar a nadie.

"La primera noche estaba en la cama con una colcha muy almidonada encima, cuando comencé a oír unos golpecitos pequeños, que supuse que eran gotas de agua. Me sorprendió. Encendí la vela, miré por todas partes y vi que en el techo había como una línea oscura, que salía de un rincón, avanzaba hasta la mitad del cuarto y cuando llegaba a este punto se dejaba caer sobre mi cama. Eran chinches. Yo no las había visto nunca.

Al día siguiente, para no mortificar al dueño de la casa, le dije que tenía mucho calor y que me pusiera la cama con un colchón en el suelo al lado del balcón" (II, 270).

Y en otra obra, "A mí no me entusiasma Unamuno, ni como no-

no sabrá perdonar. Baroja nunca olvida las malas pasadas que
le han hecho. De ahí, que cuando al cabo de años, ya escritor
de cierto nombre, se cruza con don Benito Hernando, medio
paralítico, Baroja piensa hacerse el desentendido, pero el otro
exige que lo salude. Baroja le da la misma contestación que
le costó los suspensos (II, 245-6). Con respecto a Letamendi
se jacta de haber sido el que comenzó a demoler su fama (II,
240). El ridículo del primer día de clase no se lo debió perdonar.

Poco después de acabar la carrera, Baroja necesitó una
copia de su *Memoria*. Calleja, a quien fue a pedir permiso lo
trató mal. Al cabo de años, ya Baroja escritor, al encontrárselo
por las calles, el otro lo miraba siempre sonriente. Pero Baroja
nunca lo saludó (II, 248). Algo parecido le pasó con José Nákens, escritor y amigo de su padre. Baroja, de principiante,
fue a verlo para publicar algo en su periódico. Por lo visto,
Baroja había escrito algo contrario a las ideas del otro. Este
cogió el artículo, lo arrugó, lo tiró y dijo que para eso más valía que no escribiera. Con el tiempo, —ya Baroja con cierta
fama— le escribió una carta halagadora. Ahora fue Baroja el
que la tiró al cesto de los papeles sin contestación (II, 290).

Cuando la guerra civil, Baroja exilado en Francia, vio a
Ignacio de Zuloaga que por lo visto vivía muy bien. Quiso saludarlo, pero el otro al ver que se acercaba, se escondió. Acabada la guerra, Zuloaga le pidió que fuera a posar. Baroja
nunca fue (IV, 241). Debido a esta característica de su carácter, Baroja nunca podrá comprender como Valle-Inclán, siendo capaz de sentir odios grandes por gente que no le había hecho nada, no odiaba a Manuel Bueno (I, 57) [59].

Pero todo no han de ser antipatías y rencores. Baroja también era capaz de sentir simpatías. Así por Juan Maragall, a
quien consideraba «sencillo y buena persona. No tenía nada de
farsante, ni de trepador» (IV, 171), y se distinguía de sus pai-
sanos en no comparar a Madrid con Barcelona. De Stravinsky
a quien conoció en un banquete, dice que tenía una actitud

velista ni como poeta, ni como filósofo. No se lo hubiera dicho en su
cara cuando vivía por no molestarle". Pío Baroja, *Aquí París,* p. 125.
    [59] Valle-Inclán había perdido el brazo de resultas de una pelea con
Manuel Bueno.

inteligente, no pretendía saber de todo, preguntaba, «huía del lugar común y quería enterarse» (IV, 300). Una actitud parecida era la de Keiserling. hombre amable y ameno, que hablaba, pero que también escuchaba» (IV, 153-54). Nicolás Achúcarro —de quien hablaremos en el capítulo siguiente— le gustaba porque no era dogmático y porque a pesar de ser un científico «consideraba tan importante una obra literaria como una obra científica» (IV, 327).

Baroja habla de más simpatías y antipatías a lo largo de las *Memorias,* pero con éstas ya nos podemos hacer una idea de sus reacciones hacia sus contemporáneos.

Otros rasgos de su carácter

Ya hemos dicho que Baroja se califica a sí mismo de «epígono del romanticismo». Sus gustos, por tanto, son algo románticos. Amará sobre todo la libertad y le gustará haber nacido junto al mar porque le parecerá «un augurio de libertad y de cambio» (II, 87). Confesará que su «aspiración ha sido vivir lo más libre posible y no notar la limitación» (IV, 161), de ahí que nunca le haya dado por politiquear. Siempre soñó con la aventura, pero nunca se la encontró. Siempre el camino trillado y monótono. En su juventud le hubiera gustado ir de corresponsal a cualquier país del Norte, pero nunca lo pudo conseguir (IV, 287). Sin embargo, lo enviaron a Marruecos, pero su antisemitismo le impedirá disfrutar la aventura. Todo aquello le resultará teatral (III, 236-37). Dentro de lo romántico caen casi todos los nombres que se aplica Baroja, «hombre inadaptado», «individualista rabioso»[60], vagabundo[61]. Aunque a veces parece culpar a la sociedad[62], sus gustos son de

---

[60] "Hombre inadaptado e individualista rabioso estaría en el pelotón de los perturbados o dementes" (I, 263).

[61] "Prefiero tener la moral de perro vagabundo que de perro en jauría" (I, 184); "... turista vagabundo de pocos medios. Si hubiese tenido dinero hubiera vivido aquí y allá" (IV, 165); "Tengo algo de gusto de vagabundo" (II, 153).

[62] "Quizá si hubiese encontrado posibilidad me hubiera gustado intentar meterme dentro de una tarea científica en la juventud, aunque fuera obscura; pero no encontré ocasión ni la menor ayuda. He

vagabundo. Amará la noche, el silencio, el campo, los ríos. En Londres la primera visita es al Támesis (III, 280) y confiesa que todos los de Francia le gustan (III, 106). Pero Baroja no es sólo hombre de naturaleza. Aun cuando se queja de que las ciudades antiguas son mejores que las modernas y éstas que la gente (III, 95), es asombroso el entusiasmo con que se introduce entre las muchedumbres [63] y los barrios pintorescos de las ciudades grandes, con un deseo de conocer todo sin plan fijo, al azar, «a fuerza de zancadas» (III, 279).

Baroja no era partidario de tertulias literarias —decía que en ellas más que conversación lo que se exhibía era la envidia— ni de hacer conocimiento con grandes artistas [64]. Le gustaba seguir a los cantores populares para aprender sus canciones (II, 177). Pero no era amigo de fiestas y verbenas (IV, 75). Si nos fijamos en todo lo anteriormente dicho vemos que Baroja no era partidario sino de lo espontáneo, sencillo, individual y odiaba todo lo afectado y pedantesco. Baroja llevará esa afición a todos los niveles de la vida y del arte. Por eso no le gustará el Sur de España, «pueblo más de fachada que de interiores» (VI, 265). Y será más germanófilo que latino, primero porque Alemania es el país que ha llegado más lejos en la ciencia. Segundo porque «Empaque, seriedad y latinismo» no le entusiasman, pero añade «latinismo con un poco de laxitud y de dejar hacer, de simpatía y de broma, sí» (VII, 245). Y no tendrá simpatía por los profesores de literatura porque de los que ha conocido, «todos ellos me parecieron un poco pedantescos» (IV, 351). Por ello, se asombrará de que el profesor Félix Durbach, rector de la Universidad de Tolou-

andado desmantelado y desamparado, como un perro vagabundo, y mi moral, naturalmente, es un tanto de cínico y de vagabundo. No creo que sea mía toda la culpa" (I, 292).

[63] "Me mezclé entre la muchedumbre pululante de Whitechapel y anduve por callejuelas estrechas entre la gente harapienta que pululaba por allí" (III, 281).

[64] "Gómez Carrillo me decía que el París pintoresco que yo intentaba conocer no tenía interés. Claro, para él el interés estaba en hablar con Moreas, con Catulo Mendes o con Oscar Wilde y contarlo después en un periódico americano. A mí esto me interesaba poco o nada" (III, 146).

se, lo trate como a una persona importante, y comenta, «me dio
la impresión de una modestia verdaderamente rara entre catedráticos» (IV, 351) [65].

No se lamenta Baroja de haber trabajado toda su vida sin
gran resultado. En el trabajo ha tenido su recompensa (I, 133).
Viviendo en una especie de convento, con sus necesidades cu-
biertas, no necesitaría más. Pero teme a la miseria porque no
sabría salir de ella (IV, 260-61). Baroja vivió por lo menos
dos veces en su vida en pobreza. La primera vez que fue a
París (III, 169) y la última, con motivo del exilio (I, 193). Al
final de su vida llegó a reunir bastante dinero, pero por testimonio de su sobrino, ni él mismo sabía que fuera tanto [66].
Acerca de la cantidad que acumuló Beatrice P. Patt comenta,
« a sum that scarcely suggests the romantic indifference of the
bohemian life» [67]. Hay que tener en cuenta, que en esa época
ya hacía tiempo que la cabeza de don Pío no funcionaba pro-
piamente, y que esa suma de dinero le debió venir de la publicación en edición de lujo de sus obras completas por la casa
Espasa-Calpe. La misma autora dice más adelante,

> Baroja's election to the Royal Spanish Academy is equally in-
> dicative of the mythical nature of the writer's conviction that
> he suffered a lack of appreciation bordering on outright ne-
> glect [68].

Y nosotros añadimos, Baroja no fue elegido por la Academia
hasta 1935, después de haber publicado setenta y cinco libros.

Otro rasgo importante al que alude Baroja es su curiosidad. Se declara «curioso de los pueblos, de las casas, de los
barrios» (III, 95). Confiesa que en París andaba kilómetros y
kilómetros (III, 111). Se asomó a todos los rincones, y, a veces, el temor le hizo huir (III, 170). Lo mismo en Londres y
Madrid. La curiosidad por los barrios extremos de éste, ya

---

[65] Baroja no podía con los profesores porque éstos criticaban su
estilo literario. Entre ellos Mérimée que luego escribió una carta que,
según Baroja "parecía arrancada de un libro de un autor español del
sig.o XVII. Si yo le hubiera dicho que aquello era lo que se dice en francés un 'pastiche', le hubiera parecido naturalmente, muy mal" (I, 107).
[66] Julio Caro Baroja, "Recuerdos" en Baeza, II, p. 66.
[67] Patt, pp. 170-171.
[68] Ibid., pp. 170-171.

empezó de estudiante (VI, 50). En Amsterdam un policía lo
acompañará por los barrios de maleantes (VII, 63-4). Baroja es
además curioso de las personas. Cuando médico en Cestona,
pedirá detalles de la vida de la curandera del pueblo (II, 319).
No para denunciarla. A Baroja no le preocupa la competen-
cia, sino el ser humano y entre más raro, mejor. También sintió curiosidad por un «topista» que aseguraba que «no había
emoción como la de robar» (VI, 306). Pero aunque Baroja llevaba una tarjeta de presentación, aquel nunca quiso dejarse
conocer. don Salvador, uno de los asiduos a la tertulia del
Club de papel [69] —de quien se decía que era un Borbón— le
intrigará y Baroja indagará y escribirá cartas intentando acla-
rar el misterio (VI, 107-48).

Esta misma curiosidad será la que le impulsará a presenciar ejecuciones. Estudiante del Instituto irá a presenciar la
«de los reos de la Guindalera» (VI, 47) y ya en la Facultad
de Medicina la de Higinia Balaguer, la protagonista del crimen de la calle Fuencarral (VI, 72). Esta ya sentenciada.
tuvo que ir al hospital por algún motivo y Baroja se le acercó
en un pasillo y cambió unas palabras con ella. Pero Baroja no
sólo presenciará ejecuciones. Casi todo el Madrid que nos describe es a base de los crímenes que a lo largo de su historia
han ocurrido en sus calles. Así la calle de Santa Clara porque
allí se suicidó Larra. La de la Almudena porque asesinaron
a Escobedo (VI, 45) [70]. Otras veces ni tendrá que salir o leer,
las conversaciones con Joaquín —un carpintero que trabajaba
en su casa— lo pondrán al tanto de los detalles macabros de
los saqueos de tumbas (VI, 75).

Un último punto hay que tratar en el carácter de Baroja,
su añoranza del pasado. Al empezar a escribir estas *Memorias,*
Baroja tenía cerca de setenta años. Como es natural encontraría más agradable la época de su juventud. Baroja se con-

---

[69]   *El Club de papel* era el nombre de una tertulia a la que asistía
Baroja en la librería Tormos, situada en la calle Jacometrezo. Marino Gómez-Santos, *Baroja y su máscara* (Barcelona, 1956), p. 86.
[70]   Baroja se lamenta de que habiendo tantos crímenes horribles
en España, éstos no hayan inspirado a los novelistas. Llega a la conclusión de que "la imaginación constructiva es más nórdica que me-
ridional" (V, 66).

sideraba un tipo más del XIX que del XX, pues en el primero fue donde tuvo lugar su formación. Le molesta que Daudet —«escritor francés aparatoso»— lo haya «llamado el estúpido siglo XIX» (VI, 37), cuando sus hombres han sido superiores a los del XX [71]. El espíritu del siglo XIX llegó hasta la guerra del 14, luego vendrían «la barbarie y la torpeza» (III, 83). El ambiente de todos los países ha variado: para peor. Antes las diversiones eran locales o nacionales y tenían gracia. Ahora, internacionales y sosas (II, 42). No ve grandes obras literarias o artísticas. La genialidad: «No sabemos si resucitará o se eclipsará para siempre» (V, 208). Encuentra que los diplomáticos de ahora son chabacanos y lentos y que de vivir Talleyrand, Disraeli o Bismark los despreciarían (V, 40). La música popular de estos años le parece vulgar y mediocre. La canción del vasco antiguo —obra del campesino— era ingenua. La de ahora —del obrero— tiene «grosería y barbarie» (VII, 169), debido a que la mecánica esteriliza el genio popular. Madrid también ha variado,

> Inmovilidad y tradición en las ideas, cambio y modificación en las cosas. A mí me parece que lo contrario sería mejor. Movilidad y cambio en las ideas, y tradición en las cosas (VI, 37).

Con respecto al carácter de Baroja la crítica cambió con los años. Los que convivieron con él, sus sobrinos, siempre lo ponen muy bien. Ambos recuerdan que los enseñó a leer [72]. Y Julio añade que la imagen de su tío en *Juventud, egolatría*, no es la que le es familiar [73]. Azorín tiene un concepto buenísimo de Baroja. Asegura que éste fue siempre el mismo con

---

[71] "En la literatura, todo el mundo tiene el derecho de decir lo que le da la gana; pero es difícil convencernos que desde Napoleón a Bismark, desde Kant a Nietzsche, desde Lord Byron y Edgar Poe a Verlaine, desde Laplace a Pasteur, desde Goya a Degas, desde Dikens a Dostoiewski y desde Beethoven a Wagner, no hayan sido más que unos pobres insignificantes, y que, en cambio, Hitler, Mussolini, Edgar Wallace y Pierre Benoit hayan sido grandes hombres" (VI, 37).

[72] Julio Caro Baroja, *Los Baroja*, p. 205. Pío Caro Baroja, *La soledad de Pío Baroja* (México, 1953), p. 24.

[73] Julio Caro Baroja, *Los Baroja*, p. 74.

él [74]. Incluso cuando tuvieron ideas políticas distintas. Llega a decir que en la crítica literaria agresiva de Baroja no hay nunca rencor [75]. Francisco Pina abre su biografía sobre Baroja con las siguientes palabras,

> Es hora de decir que Baroja no es, en modo alguno, ese ogro gruñidor y hosco que algunas gentes sencillas han pretendido ver en él. Podrá ser un temperamento reconcentrado y taciturno, hasta huraño en ciertas ocasiones; pero de eso a ser una especie de "coco", media un abismo [76].

En la *Antología* de José García Mercadal, algunos críticos dicen que es un hombre alegre, que lo de amargado es falso [77]. Los que asistían a su tertulia, asistían porque lo pasaban bien con él. Y han dejado recuerdos. De entre ellos, resaltan por el cariño que han puesto Antonio Campoy [78], y sobre todo, Miguel Pelay Orozco [79]. También demuestra afecto el libro de Marino Gómez-Santos [80]. Pero éstos no lo trataron sino en la vejez. Y algunos de ellos Eugenio de Nora, a pesar de reconocer su trato campechano, critican que no haya ayudado a los jóvenes [81].

---

[74] "... sincero, leal, desapasionado bondadoso". Son los adjetivos que le dedica Azorín. José Martínez Ruiz, *Obras Completas* (Madrid, 1948), VIII, p. 148.

[75] *Ibid.*, p. 293. Y lo llama "amigo bondadoso, franco y leal". *Ibid.*, página 220.

[76] Francisco Pina, *Pío Baroja* (Valencia, 1928), p. 9. Y dice más adelante,
"Se trata simplemente, de un hombre acogedor y efusivo, que ha practicado silenciosamente el bien en todos los momentos de su vida. Tiene, sin duda, algo de Nietzsche, pero también un poco de San Francisco..." *Ibid.*, p. 11.

[77] Javier Bueno, "El historiador del famoso Aviraneta", en García Mercadal, p. 85. F. González Rigobert, "Baroja y la pipa", *Ibid.*, p. 89. Luis de Zulueta, "Padres e hijos", *Ibid.*, p. 132.

[78] Campoy, pp. 37-49.

[79] Miguel Pelay Orozco, *La ruta de Baroja* (Bilbao, 1962), p. 13. "He escrito este libro con cariño, tal vez con pasión. Yo sentí una estimación y un afecto entrañables por Don Pío. Fue un hombre íntegro, sencillo, bondadoso y honesto en la vida privada".

[80] Gómez-Santos, *Baroja y su máscara*, p. 24.

[81] Nora, *La novela española contemporánea*, p. 104.

A Baroja, con sus grandes virtudes y sus muchos y pequeños defectos, creemos que se le pueden aplicar las mismas palabras que dedicó Marco Antonio al cuerpo yacente de Bruto,
en la tragedia *Julio César,*

> His life was gentle, and the elements.
> So mix'd in him that Nature might stand up.
> And say to all the world "This was a man" [82].

---

[82]   William Aldis Wright, ed., *The complete works of William Shakespeare* (New York, 1936), p. 661.

II. PREOCUPACIONES INTELECTUALES Y SOCIALES

El Médico

Al acabar el bachillerato, le llegó a Baroja el difícil problema de elegir carrera. Se matriculará en el preparatorio de Medicina que era común con el de Farmacia. En su familia había antecedentes de ésta, pero por consejo de su amigo Carlos Venero, se decidirá por la otra. Cuando las clases empiezan, Baroja no sale de su asombro, especialmente en la clase de Química; en algunas de las otras, los catedráticos no admitirán bromas. El profesor, Torres Muñoz de Luna, era hijo de cómicos, y «la sangre de cómico le rebosaba» (II, 206). Le gustaba hacer experimentos aparatosos y saludar cuando los alumnos le aplaudían. Baroja se lamenta de que esperaba encontrar una disciplina fuerte y se «encontraba con una clase grotesca, en que los alumnos se burlaban del profesor» (II, 218). Por lo que añade, «Mi preparación para el estudio no podía ser más desdichada» (II, 218) [1]. Como consecuencia natural

---

[1]   Baroja dedica varias páginas a criticar el método de Torres Muñoz de Luna y sólo unas líneas a los otros. Luego nos dice que suspendió la química. Las otras, por lo visto, no. Podría esto incluirse en las características que decíamos en el capítulo anterior. Pero quizá Torres no influyó en la nota, pues más adelante nos dice,

"Muchos profesores agrios y de mala intención recuerdo. Uno de ellos era un tal Sáenz Díez, químico de alguna fama, profesor de la Universidad y enfermo de la orina. Este enano solía estar en el tri-

suspenderá la Química en junio. En septiembre la pasará gracias a una recomendación. Aunque en el verano empezó a estudiar de buena fe, pronto preferirá la lectura de sus amados folletines y demás a la Química. Pocos días antes del examen va a visitar a un amigo de su padre para que lo recomiende [2], pues sólo tenía una ligera idea de las primeras lecciones. En el examen le saldrán de las últimas.

El segundo y tercer año, por lo visto los pasó. Sin embargo, Baroja confiesa que era más bien mal estudiante, pues con sus dos amigos —Venero y Ruidavets— faltaba a clase y se iban a vagabundear o discutir «de todo lo divino y lo humano» (II, 228). Luego le entró la afición a escribir, y los tres se reunían a hilvanar historias. Baroja reconoce que esto «iba en detrimento de nuestros estudios médicos» (II, 231). En el cuarto año estaba la novedad de Letamendi. Ya sabemos la opinión que Baroja sacó de él. Pero confiesa que su palabrería le despertó el deseo de asomarse al mundo de la filosofía [3]. Baroja cita a muchos profesores. Sólo habla bien de Alejandro San Martín, pero confiesa que no fue profesor suyo que lo conoció más tarde [4].

Debido a los suspensos con Hernando y a que su padre consiguió destino en Valencia, se mudan a ésta. Baroja decide estudiar. Abandona parte de sus lecturas y completamente sus

---

bunal de Química general del preparatorio de Medicina y Farmacia, y daba la puntilla al que se examinaba e iba ya malamente con una pregunta difícil" (II, 246).

O sea, que a lo mejor, Torres Muñoz de Luna no tuvo mucho que ver en el suspenso.

[2]   B. P. Patt desde un punto de vista muy americano critica esto en Baroja. Patt, *Pío Baroja*, p. 62.

[3]   Baroja, aunque no lo dice abiertamente, se considera casi un autodidacta. Critica a todos sus profesores. Lee por su cuenta todo lo que le interesa, y acaba diciendo que él escuchaba con interés a Ortega y Gasset y que cree que de haber tenido un buen maestro, hubiese sido un buen discípulo.

[4]   San Martín formará parte del tribunal ante el que Baroja defendió la Memoria. La observación que dirigió a éste es simpática. Baroja dice de él que "tenía un carácter de judío de los buenos" (II, 249).

aficiones literarias, que ya habían despertado, como dijimos [5].
Se convierte en un «empollón» (II, 298), hasta el punto de
despertar la admiración de sus compañeros. Estudia de una
manera mecánica a base de ir a clase, apuntes, biblioteca y
encerrarse. Consigue acabar la carrera en año y medio [6]. Se
presenta a la Licenciatura y con el método que ya tiene de
estudiar, se luce en el oral. Los catedráticos le aconsejan que
no se presente al práctico, pues en eso no está fuerte. Pero él
sigue adelante. El primer ejercicio fue fácil, un caso de gan-
grena, que, según Baroja, con su manía de quitarse importancia, cualquiera lo hubiera diagnosticado. El segundo era hallar
la vena subclavia en un cadáver, al que describe de «seco, mo-
mificado, horrible» (II, 282) [7]. Confiesa que encontró la vena
por casualidad.

Decide ir a Madrid a hacer el doctorado, estudiando de la
misma manera mecánica. Haciendo las visitas en el hospital,
por fin conoce un profesor con el que se llevará bien, don Ja-
cobo López Elizagaray. Con él aprendió «un poco a auscultar
y a limitar la macidez de un órgano por la percusión» (II, 287).
Elizagaray era un buen clínico. Fuera de la Medicina no tenía
más inquietudes. Baroja, en cambio, tenía más interés en las
ideas o sentimientos de los enfermos que en sus enfermedades.
Cosa que le reprochará el otro.

Baroja no debió de practicar mucho pues en febrero lo
llamaron de Valencia. Su hermano Darío estaba para morir.
No volvió a ir a Madrid hasta abril para examinarse de las
asignaturas del doctorado. Luego volverá más tarde para es-

---

[5] Baroja ya había publicado algunos artículos en periódicos. También había escrito dos novelas y un libro de cuentos que abandonó en
Madrid, desilusionado por sus fracasos en los exámenes.

[6] Granjel refiriéndose a este cambio en Baroja, dice:
"En los años de su vida en Madrid, antes de experimentar esta
transformación, no se distinguió Baroja como buen estudiante; su
espíritu inquieto, curioso de muchas cosas, sus nacientes aficiones literarias tuvieron en ello su tanto de culpa; por eso, cuando ya en Valencia decide, poniéndole frenos a este temperamento suyo, dedicarse
por entero al estudio, le resulta relativamente fácil cumplir su propósito de terminar en poco tiempo la carrera." Luis S. Granjel, *Baroja
y otras figuras del 98* (Madrid, 1960), p. 21.

[7] Pero como buen médico, al referirse a los pacientes nunca em-
pleará ese tipo de adjetivos.

cribir la tesis. Comenta que al defenderla «me hicieron algunas observaciones. Evidentemente no habían leído mi tesis, y tampoco valía la pena» (II, 301). Llevaba por título *El dolor* y defendía la idea de que «la vida normal no daba una sensación placentera» (II, 301) [8]. En fin, que salió con su título de doctor y sabiendo muy poco de «medicina verdadera como la mayoría de los estudiantes» (II, 301).

Poco tiempo después, sale a vacante la plaza de médico titular de Cestona y Baroja la solicita. Es el único y se la dan. Baroja no debió ser mal médico. Si abandonó la Medicina fue por lo dura que era la vida de médico de pueblo. Contaba para sus visitas con un caballejo alquilado, mal intencionado, que por tres veces lo tiró, y una de ellas al borde de un precipicio. A veces, estas visitas eran por la noche, a caseríos lejanos, en un clima duro, con lluvia y con nieve. Baroja llegaba completamente empapado. Podía suceder incluso que durante la visita, no tuviera donde guarecer al caballo, y al montar en la silla, le daba la sensación «de que cruzaba un río sumergido en el agua hasta la cintura» (II, 334). Una noche de nieve, mientras iba a caballo, vio dos especie de lobos persiguiéndose. Nuestro médico huyó aterrado. A esto es unió la soledad y como consecuencia de todo, una neuralgia. Los Baroja constituían una familia muy unida. Siempre les gustó vivir a todos juntos en casas grandes. La enemistad con el otro médico, el poco sueldo y la mucha responsabilidad añadieron su tanto. Por otro lado, Baroja no tenía gran confianza en sí mismo como médico, ni en la Medicina. Se dirá es que entonces era mal médico. No, es que en el siglo xix la Medicina no había da-

---

[8] Según Helmut Demuth, cuya tesis sobre Baroja utiliza éste en sus *Memorias*.

"No le satisface la vida por ella misma; en su disertación sobre el dolor, sienta el principio de que la vida en estado normal no despierta el dolor ni el gozo, sino una sensación de indiferencia. La vida adquiere importancia por la acción" (I, 307-8). Baroja nos dice que este crítico le mandó una copia de su memoria y que él la mandó traducir (I, 291), pero no hemos podido saber si está publicada o no. Todos los críticos se refieren siempre a los trozos incluidos en las *Memorias*.

do los avances que en el xx [9]. Este mismo escepticismo le sirvió para no cometer disparates, que puede ser lo que Baroja califica de «conpensaciones» (II, 333) en el cargo. Y había también las latas de los parientes de los pacientes. A veces tuvo que hacer sangrías donde ya la Medicina ordenaba que

---

[9] Baroja comenta como se creyó primero que la tuberculina, invento de Koch, era eficaz contra la tuberculosis, y luego se vio que aceleraba la enfermedad. Además él conoce personalmente el fracaso con su hermano Darío.

"Yo empleaba los sistemas que había leído en los libros para la curación de la tuberculosis. Tenía el enfermo un cuarto grande y soleado, dormía con el balcón abierto de par en par, sólo con una cortina que yo impregnaba con creosota" (II, 281). El usa todo lo científico del xix y Darío muere.

Guimón Ugartechea dice lo siguiente,

"... fueron las circunstancias las que precipitaron su decisión: la vida del pueblo poco soportable para él, los roces profesionales, los intentos de traslado a otros pueblos más importantes, el atractivo de Madrid, que según él dice "se nos aparecía como un foco de luz', la falta de preparación para ejercer en la capital y, por encima de todo, tal vez la falta de un verdadero éxito profesional. De esta falta de éxito fueron responsables, aparte de la formación deficiente, su natural insociabilidad, el escepticismo hacia la práctica médica y la carencia de entusiasmo, sin el cual, como afirmaba Marañón, no se gana al enfermo". José Guimón Ugartechea, "Las ideas médicas de don Pío Baroja," *Revista de Occidente*, núm. 62 (mayo, 1968), pp. 225-26.

Todos hablan de la formación deficiente de Baroja. No creemos que su formación fuera más deficiente que la de la mayoría. Baroja sacó varios sobresalientes y —en Valencia no, pero en Madrid sí— gustaba de ir a las prácticas, aunque fuera inspirado por Venero. Lo que pasa es que Baroja todo lo ve empequeñecido. Otros, en cambio, agrandan las cosas. El las empequeñece y tiene el valor de decir la verdad de como se ve a sí mismo. No habla en ningún momento de ninguno de sus condiscípulos con admiración. Así que no los debía de ver superiores a él. En su práctica de la Medicina reconoce que tuvo algunos "éxitos, pero me confesaba ingenuamente a mí mismo, que a pesar de mis éxitos, no hacía casi nunca un diagnóstico perfilado de buen médico" (II, 343). Muy pocos serán capaces de reconocer una cosa así. Baroja era muy inteligente. Mucho más inteligente que la mayoría de sus compañeros. Y si sacó mejores notas en la carrera, no tenía por qué saber menos que ellos. Lo que pasa es que Baroja ha sido siempre pesimista y amigo de rebajarse. Todos estos recuerdos de estudiante y médico formarán su libro *El árbol de la ciencia*.

no se hicieran. Exigían lo conocido. No siempre le dejaban
practicar lo aprendido [10].

En cierta época de su ejercicio, la familia fue a vivir con
él. No sabemos cuanto tiempo. Luego se van, pues el padre
tenía destino en San Sebastián. Baroja renuncia a su puesto e
intenta buscar uno en esta última, donde su padre tenía tantos
amigos. Pero ninguno le ayudará [11]. Dirán que en Cestona se
peleó con todo el mundo y que escandalizó al pueblo con su
ostentación antirreligiosa. Baroja asegura que eso no era verdad, que trabajaba en el jardín los domingos, pero que no
se podía ver desde el camino. En cuanto a pelear, sólo lo hizo
con el otro médico, y fue éste el que empezó, y que luego siguió peleando con todos los médicos jóvenes que fueron apa-
reciendo por el pueblo. Sin más camino que tomar, Baroja se
irá a regentar la panadería de una tía en Madrid. Su hermano
Ricardo, cansado, quería dejar el puesto.

Baroja no pensó en abandonar la Medicina para siempre.
Al principio de su carrera literaria, Unamuno le escribió que

---

[10]   "Cuando he hablado con algunos de que no podía ejercer la
Medicina y explicaba por qué, me decían:
—No se puede ser tan absolutista.
En mí no creo que hubiera absolutismo". (II, 344). Y comenta más
tarde,
"No es que pretendiera yo ser un Trousseau, ni mucho menos un
Pasteur; pero tampoco se podía uno contentar con ser un curandero
desaprensivo" (II, 345).
Esta ética hacia el enfermo la usará también cuando el otro médico
le propone operar unas cataratas.
"—¿Lo ha hecho usted antes?— le pregunté.
—No. Pero alguna vez hay que empezar.
—No, entonces yo no colaboro. Busque usted otro ayudante" (II,
342).
[11]   Baroja nunca volverá a sentir simpatía por los amigos de su
padre. Hablando de éste comentará de pasada de los otros,
"Tenía mi padre tal fe en sus amigos de San Sebastián y en su
pueblo, que vivió siempre con una ilusión completamente absurda.
Creía que eran gentes especiales, distintas a los demás; pero en el fondo, eran unos arrivistas que iban a lo suyo y no tenían la menor idea
de ayudarle a él.
Cuando llegó el momento en que necesitó de su apoyo, yo pude
ver que su amistad era falsa y se perdía en vana palabrería" (II,70-1).

si podía hacer algo por él. Baroja le contestará que le busque una plaza de médico en Salamanca. La que le encontró era por lo visto en otra aldea perdida, y Baroja comenta que para aldea prefiere una vasca (IV, 165).

Baroja siempre sentirá una especie de comezón por la Medicina. Su amigo Carlos Venero no está visto con simpatía. Este se supo situar en la Facultad, era ayudante y amigo de catedráticos. Baroja nunca supo politiquear. Ni en la universidad, ni luego en el pueblo. Esto le valdrá la enemistad con el otro médico. La causa fue una paciente de éste, a la que tuvo que visitar una noche Baroja, por hallarse el otro ausente. Era un caso de hidropesía muy avanzado. La chica estaba perdiendo el pulso. Había que tomar una decisión si quería que se salvara. Baroja punzó el abdomen y lo libró del líquido. Luego aconsejó llevar a la chica, en cuanto se repusiera, a San Sebastián a un especialista, pues si no la retención del líquido se repetiría. El otro médico lo acusó de maquinar contra él.

Salaverría decía que «don Pío no había sabido ser ni siquiera un mal médico de pueblo» (I, 266). Baroja contesta que es más difícil ser un buen médico de pueblo que «embajador o ministro plenipotenciario» (I, 266). El que se metieran con su ejercicio de la Medicina le debió doler, pues en el tomo siguiente reproduce un artículo de un médico que lo pone muy bien y dice entre otras cosas, que Baroja,

... fue un buen clínico, con dotes de observador y devoto de las teorías vitalistas.
Como todos los compañeros de aquella generación debió entregarse con excesiva tolerancia a la terapéutica expectante, fiado en la acción de las defensas orgánicas naturales y de la espontánea tendencia de las enfermedades hacia la curación. (II, 338)

Con todo lo dicho, llegamos a la conclusión de que Baroja, como principiante no debió ser mal médico, que lo que fue siempre fue mal político. Es decir, apolítico [12].

---

[12] De estudiante casi le pega a un médico importante en el Hospital de San Juan de Dios, por maltratar a una enferma. Por lo que no podrá asistir más a esas prácticas. Hablando de ese médico comenta. "Era un macaco cruel este tipo a quien habían dado una misión tan humana como la de cuidar de pobres enfermas" (II, 261).

En el prólogo a *El laberinto de las sirenas* —publicada en
1923— Baroja reproduce una conversación con una compañe-
ra de viaje en un tren italiano. Al preguntarle ésta su profesión, dice que es médico. En 1909 o 1910 viaja a Roma. En el
registro del hotel donde se hospedaba, figuraba como el «dot-
tore Pío Baroja» (III, 351). Además siempre le gustó rodearse
de médicos. Entre sus mejores amigos están los doctores Manuel Val y Vera, Rafael Larumbe y Gregorio Marañón [13].

Baroja hace un pequeño resumen de la medicina moderna.
Considera como iniciadores de ella a Xavier Bichat y Bronssais [14]. Ambos —cada uno en su campo; el primero es anató-
mico y el segundo clínico principalmente— intentan romper
con el pasado mágico y buscan la verdad en la experiencia.
Después vino Claudio Bernard que escribió el *Código de la
Medicina.* Según Baroja, es un código que no ha podido ser
superado. A veces surge un mago que quiere saltar por encima
de él, y que incluso puede dejar algo. Como Samuel Hahne-
mann, Jean Martin Charcot, Cesare Lombroso, Sigmund
Freud [15] y otros. Luego hay un segundo tipo de magos que sólo
deja «retórica» como Letamendi (IV, 315).

---

[13] Larumbe hará el viaje a París en 1913 con Baroja. Iba a espe-
cializarse en Puericultura. Val y Vera era uno de los contertulios del
Club de Papel —tertulia a la que pertenecía también Baroja— y lo
asistirá a su muerte. Marañón contestará a su discurso de entrada a la
Academia. Mientras estaban en el exilio, todas las semanas iba Baroja a comer a casa de Marañón. Y éste lo asistirá en su última enfermedad. En el exilio iba también semanalmente a casa del doctor Gustavo Pittaluga.
    Guimón Ugartechea ha estudiado todo esto,
    "Durante toda la vida don Pío dará lugar preferente en el círculo
de sus amistades a un nutrido grupo de médicos, que le acompaña-
rían en su tertulia madrileña, en sus retiros de Vera del Bidasoa, en
los viajes por Europa y España, en la cabecera de su lecho de muerte.
En una revisión extensa de su obra hemos hallado más de doscientos
personajes médicos con sus nombres y apellidos; entre ellos, la mayoría de las grandes figuras de la profesión en aquella época". Guimón
Ugartechea, p. 226.
[14] No hemos encontrado ninguna noticia sobre Bronssais.
[15] Comenta Guimón Ugartechea:
    "En sus ataques contra Freud y su Escuela psicoanalítica realiza
don Pío asociaciones entre sexo, psicoanálisis y semitismo, culpando
a la raza judía de ser mantenedora de determinados mitos sexuales,

Reconoce que los descubrimientos de Pasteur son más importantes para la humanidad que el libro de Claudio Bernard pero éste le parece mas pensador que el otro. Algo así como el Kant de la Medicina (IV, 316).

Baroja y la Ciencia

A pesar de no poder evitar la muerte de Darío, Baroja no perderá su fe en la ciencia. «Es el máximo respeto que he tenido» (I, 267), dice. En ningún momento pensará que la ciencia esté en decadencia, sino que hay problemas que ésta todavía no ha resuelto. Y muchas veces es la gente la que no sabe aplicar los descubrimientos. Llega a tal extremo su fe en la ciencia que cree que ésta puede llegar a descubrir «la finalidad práctica de nuestro planeta» (III, 69). Ello hará que al compararla con el arte éste salga malparado [16]. Lo que le debió ocasionar discusiones con los literatos de su época. E incluso hoy se le critica el no dar categoría a las ciencias del espíritu [17]. Y es que Baroja en la escala de valores da el primer puesto al científico y al filósofo, luego al escritor, músico y pintor, y, por último, al escultor.

En el siglo XX, mientras las artes no han hecho más que repetirse, la ciencia es la única que ha dado grandes avances. Esto se debe a que el campo de ella no tiene límites, mientras el de las otras sí. Por otro lado, en la ciencia no se necesita de la

---

con lo que aventura una explicación al pansexualismo de Freud, del que continuamente recuerda que era judío." Guimón Ugartechea, páginas 233-4.

[16] "Yo había defendido varias veces la tesis cientifista asegurando, por ejemplo, que la obra de Darwin o de Pasteur era mucho más trascendental para el mundo que la de Baudelaire o la de Verlaine" (IV, 97). Baroja dice esto, y sin embargo, le resultaba simpático Achúcarro porque consideraba que una obra de arte o una científica tenían el mismo valor, como veíamos en el capítulo anterior.

[17] "La actitud barojiana es regresiva y consiste en negar que las novedades de nuestro tiempo sean tales novedades, y en suponer que no hay más ciencia que las de la naturaleza. A las llamadas "ciencias del espíritu" no les concede certidumbre alguna. Lo que significa que, tratándose de psicología, de historia, de política o de arte, no cabe sino la opinión subjetiva, el impresionismo del particular parecer." Vicente Gaos, "Los ensayos", en Baeza, I, p. 251.

genialidad para hacerla avanzar. Los genios dan pasos gigan-
tescos, pero al lado de éstos, hay otros, que sin serlo, la hacen
avanzar. Por todo ello, «lo mejor de la humanidad encuentra
hoy más horizontes en las actividades científicas que en las
artísticas, literarias o filosóficas» (V, 197). El problema de estos grandes avances de la ciencia, especialmente estos últimos
es que el nombre de cultura mediana ya no la puede seguir
bien. Baroja se lamenta de que al leer las teorías de Einstein
no las pudo entender. Cogió algo de la descomposición del áto-
mo, pero para la de la relatividad comprendió que necesitaba
unas Matemáticas muy elevadas.

Pero lo peor de estos descubrimientos, como, por ejemplo,
el de la energía atómica, es que los sabios se han quedado aterrados. Quieren librarse de toda responsabilidad y dejarla en
manos de «gente más audaz y menos responsable» (IV, 53). Y
eso es lo que aterra a Baroja, que los inteligentes tengan miedo de dirigir los destinos humanos.

Baroja, sin demasiadas pretensiones, y con su amenidad
característica, nos cuenta algo de lo que ha leído en materia
científica. Nos dice, por ejemplo, que los datos de la ciencia
no son inmutables, que las nociones de hoy pueden ser falsas
mañana. Cree que por ello es por lo que Newton al explicar sus
leyes de la gravitación usa mucho la frase, «Esto sucede así
como si existiera tal fuerza» (IV, 313). En cambio, la teoría
evolucionista de Darwin era optimista. Todo estaba determinado. Se creía que todo tenía su utilidad, aun cuando se sabía que había microbios perjudiciales. Luego vendrán teorías
más pesimistas. Surge la entropía, teoría formulada por Rodolfo Clausius sobre la disminución calorífica del mundo y
luego la catagénesis o «decadencia de la energía vital» (IV,
314). Por fin, aparecen las críticas a la teoría de la evolución
con el neodarvinismo de Augusto Weissmann. El holandés
Hugo de Vríes, por un lado, y el sueco Nilson, por otro, obser-
van que una planta se puede transformar en otra de características diferentes. La puntilla al darvinismo vendrá con Thomas H. Morgan que llega a transformar «las moscas del vina-
gre a su gusto» (IV, 314).

Baroja se pregunta si las leyes de la naturaleza son algo
serio o caprichosas. No lo sabemos. En vista de eso, filosofa

un poco y llega a la conclusión de que lo bueno es morir en plena gloria como Darwin y no como el pobre Roberto Koch, que después de dedicar toda su vida a la investigación descubrió que la tuberculina, no sólo no curaba la tuberculosis, sino que la aceleraba.

Aun cuando Baroja es un antidogmático [16], sin embargo, considera que en la ciencia se debe dogmatizar. Todas esas dogmatizaciones producen una serie de contradictores, que estudian los hechos para poder contrarrestarlos con sus opiniones. Todo ello va en beneficio de la ciencia. Como ejemplo, tenemos la teoría de Darwin que ha producido una cantidad enorme de bibliografía [19].

Baroja conoció a los tres investigadores más famosos de España en su época. Estos no se han destacado en un campo dinámico como la fisiología —lo de Letamendi no vale la pena— sino en uno estático, la Histología. En éste, los nombres de Santiago Ramón y Cajal, Nicolás Achúcarro y Pío del Río Hortega son citados en el mundo entero. A Cajal lo considera el investigador más importante que ha tenido España. Pero piensa que de haber nacido en otra época «probablemente no hubiera podido hacer lo que hizo» (IV, 321). Fue, por lo visto, un mal estudiante de bachillerato, pero bueno en la carrera. Ya doctor, monta un laboratorio para sus experimentos. Sus publicaciones no fueron tenidas en cuenta hasta su viaje a Alemania, donde se relaciona con el investigador suizo Koelliker, profesor de una Universidad de Baviera. Pasará,

---

[18] En *Juventud, egolatría,* publicada en 1917, se declara dogmatófago. Pío Baroja, *Obras completas,* V (Madrid, 1946-1951), p. 158.

[19] García-Luengo dice de Baroja:

"En cuanto se lee a Baroja se advierten multitud de dependencias, de posiciones previas, de supuestos de carácter o históricos, de sometimientos a muchas creencias o falta de creencias, que forman un sistema, en ocasiones tan rígido como el que se pretende destruir. Así, es fácil toparse en las páginas barojianas con ciertas formas más o menos temperamentales que podrían denominarse *el fanatismo de la negación,* la superstición de la ciencia, la credulidad en todo cuanto confirma ideas previas sobre la sociedad, la política, la religión; muy frecuentemente, esquemas burdos y, desde luego, escasamente interesantes." Eusebio García-Luengo, "El alma de Baroja", en Baeza, II, p. 334. Por lo que Baroja dijo anteriormente puede que lo que él pretenda es, al negar, invitar al diálogo para que surja la verdad.

entonces, a la Universidad de Madrid —antes era catedrático
de la de Valencia— y empiezan los honores, que culminan en
el Premio Nobel, ganado en 1906 en unión con el profesor
italiano Camilo Golgi. Ambos habían llegado por el mismo camino, al descubrimiento de la neurona —célula nerviosa con
brazos, piernas y cola—. Disentían en la relación de esta neurona con el resto del sistema nervioso.

Del científico, pasa Baroja a hablar del hombre. Considera que intelectualmente las ideas filosóficas de Cajal no va-
lían la pena. De su carácter dice que «Era hombre hosco, de
aire huraño y brusco» (IV, 323). A pesar de ello, había cierta do-
blez en él, pues tenía que darse cuenta de que sus compañeros
de universidad no eran gran cosa y habla de ellos como si fueran importantes. Baroja comenta que al ser profesor, aunque
fuera de Histología, creía que tenía que ser «como un profesor
de Literatura o de Derecho, retórico y oportunista» (IV, 323).
Además, «empleaba una prosa arcaizante» (IV, 323) (gran pe-
cado para Baroja). Después tenía una patriotería absurda. Como cuando defendía los colores de la meseta frente a los verdes del Norte. Baroja comenta que «El gusto del gris y del
pardo es un gusto semítico de gente del desierto» (IV, 324) [20].
Aunque pretende demostrarnos que los grandes coloristas de
la pintura universal pertenecen a países húmedos, de mucho
verde, acaba reconociendo que en colores no se debe dogmatizar. El último punto que toca en Cajal son sus tendencias
eróticas. Un día estaba de conquista con una rubia gorda en
un café cerca del Ateneo. Al ver a Baroja, se levantó y se fue.
De viejo miraba mucho a las mujeres y escribió un cuento
donde se notaba la líbido.

---

[20]   Además de calificar a sus gustos de semíticos dice de Cajal,
"Había en él algo de gran rabino" (IV, 323). No tendremos tiempo de
tratar el antisemitismo de Baroja. Este no es tan patente en sus *Memorias* como en los libros anteriores. Los horrores que precedieron a la
Segunda Guerra Mundial debieron debilitar su fobia. De cualquier manera el calificativo semítico o judaico tiene un valor completamente
negativo en Baroja. Creemos que hay un solo momento en las *Memorias* en que al referirse a la posible ascendencia judía del catedrático de Medicina San Martín, comenta que tenía el carácter de un
judío de los buenos.

Achúcarro está visto con simpatía. Como científico, Baroja no tiene un conocimiento exacto de todo lo que hizo, por no saber de ningún libro que lo haya estudiado a fondo. Sabe que intervino en el descubrimiento de la neuroglia, célula nerviosa en forma de árbol. Se conocieron como asistentes a una tertulia de un periódico. Baroja lo considera el más filósofo de los investigadores españoles que conoció. Además unía el trabajo a la fantasía, a la cual Baroja considera muy importante en la ciencia.

De Río Hortega —a quien Baroja conoció exiliado en París—, dice que no era hombre de pensamiento filosófico. Aunque era mediocre, debía estar en buen camino y halló algo, la microglia, que son células como islas. Como persona, en él «había algo de aire cauteloso de un judío de ghetto» (IV, 331). Era localista, no internacional como deben ser los sabios. Hablaba sólo de Valladolid de la «H» de su apellido y del castillo que había comprado. Lo demás no le interesaba. Si se hablaba de política o literatura, sacaba una tijeras y se ponía a hacer encajes en un papel lleno de dobleces. Tenía, por lo visto, tomada una película de su célula, pero no la quería mostrar para que no se estropeara, sino en sitios en que la pagaran bien. Baroja apoyó la petición de unos estudiantes para que diera una conferencia en París. Río Hortega se negó. Baroja llega a la conclusión de que era «hombre picajoso» (IV, 334).

Como dijimos en el capítulo anterior, a Baroja le hubiese gustado tomar parte en alguna tarea científica. Luis Granjel estudia las opiniones de Baroja hacia los científicos que éste trató y llega a la conclusión de que Baroja nunca hubiese sido un auténtico investigador. A más de ciertos párrafos que cita que aluden, según él, a su falta de auténtica vocación científica, cita los comentarios hacia Cajal, Achúcarro y Río Hortega y dice que vio en ellos lo que no los hace científicos. Por otro lado, cree que Baroja no era dado a acotar su campo intelectual [21]. Sin embargo, Baroja demostró tesón en su investigación sobre la vida de su pariente Aviraneta, ¿por qué no había de ponerlo también en una tarea científica?

---

[21] Luis S. Granjel, *Baroja y otras figuras del 98*, pp. 30-1.

Ante la política

El sentimiento político tardó en despertar en Baroja. Siendo
estudiante de Medicina, tuvo lugar la manifestación contra
Cánovas. Cuenta como un día suspendieron las clases y los
catedráticos hablaron a los alumnos de una manifestación
contra un político, pero que ellos no se debían sumar. Baroja
comenta que parecía una invitación a que se sumaran. Los
alumnos salieron exaltados y gritando. Baroja asistió por curiosidad. No tenía una idea de como era Cánovas políticamente, pues esas cosas todavía no le interesaban. La lectura
de los folletines debió despertar su entusiasmo por la Revolución francesa. De ahí pasará a leer los libros de Historia. Confiesa que de aquélla le atraía más su retórica espectacular que
sus decretos. Por esa época se intensificaron en España las
luchas sociales. Baroja asiste a varios mítines y en él despierta el sentimiento de la injusticia social. Las lecturas de
Schopenhauer sirven de contrapeso, lo hacen evolucionar a una
tendencia más escéptica y de no acción, a una especie de
anarquismo pasivo a lo Tolstoi. Confiesa que nunca se sintió
atraído por la parte constructiva de dicho movimiento. Tampoco le sedujeron el socialismo ni el comunismo por tener un
dogma muy cerrado. Se llega a convencer de que en la vida no
puede haber justicia, y no necesita mucho para darse cuenta
de que la política española es algo sucio. De los predicados de
la Revolución francesa ya no acepta como posible más que la
libertad [22]. La igualdad le resulta utópica pues los hombres
no son naturalmente iguales. Los hay más o menos inteligentes,
como hay quienes rinden más y quienes menos. La igualdad en
este caso es injusta. Baroja se declara partidario de la frase
de Claude Henri Saint-Simon: «a cada uno, según su capacidad; a cada capacidad, según sus obras» (I, 294-5). De la fra-

---

[22] "Yo, de los predicados de la Revolución francesa, Libertad, Igualdad, Fraternidad, no he aceptado como posible más que la libertad. Lo
demás no es más que palabrería vana. La libertad es posible dentro de
unos límites. La igualdad y la fraternidad son puras utopías. ¿Qué
igualdad va a haber entre una persona fuerte y una débil, entre un joven y un viejo, entre un guapo y un feo, entre un afortunado y un des-
dichado? ¡Ninguna!" (VII, 133).

ternidad encuentra que es ridículo hablar después de tantas
guerras [23]. (Las *Memorias* empezaron a publicarse poco antes
de acabar la Segunda Guerra Mundial.) Baroja se convierte
en apolítico. Se declara individualista, de los «del individuo
contra el Estado» (I, 181). No cree en políticos ni en gobiernos.
Aquéllos le parecen unos retóricos «y el gobierno que no haga
nada es el mejor» (I, 182). No comprende como le pueden haber achacado inconsecuencia política, cuando él nunca ha sido político. Siempre ha sido consecuente con su individualismo, mientras otros han cambiado políticamente y cobrado todo lo que han podido [24]. El solamente ha usado de la política
en su literatura, pues es como mejor se representa la realidad
del momento. Sin embargo, han gustado de encastillarlo en
éste o en el otro partido político. Baroja critica a todos los modernos y niega el haber pertenecido a ninguno de ellos.

Se asombra de que lo puedan acusar de comunista, cuando
él siempre ha sido individualista y lo menos estatal posible.
Baroja nos cuenta como fue invitado por el Ateneo a inaugu-
rar una crítica de masas. El tema sería su obra *Los visiona-
rios*. El la defendería desde su punto de vista y un escritor joven desde el marxista. Comenta que le pareció una encerrona
pues el público era todo comunista y lo acusó de servir a la
burguesía. Y a Unamuno, que estaba entre el público, lo abu-
chearon todavía más que a él, porque gozaba protección del
Estado. Baroja se asombra pues los comunistas son partida-
rios de que todo esté mediatizado por el Estado. Irónicamente
acaba comprendiendo que es lo de siempre, «esta mediatiza-
ción unas veces está bien y otras no» (IV, 164).

Además en este marxismo de España, según Baroja, no ha
influido *El Capital* de Carlos Marx. No puede haber un solo

---

[23] "En nuestra época de guerras crueles, internacionales y civiles,
venir con la monserga de la fraternidad es una mala broma" (VII,
139).
[24] "Se ha hecho uno solitario, difícil para el entusiasmo social. De
aquí que no haya tomado parte en nada político ni de aire colectivo.
Algunos a esto lo llaman egoísmo. En cambio les parece generosidad
participar en empresas políticas, variar cuando lo consideran necesario y cobrar todo lo que se pueda. Ya para mí variar sería difícil, casi
imposible" (IV, 11).

obrero que haya leído esa obra tan difícil y pesada. Eso está
bien solamente para la gente que hace oposiciones. Por curiosidad preguntó en la librerías si se vendía la traducción en español y le dijeron que muy poco o nada. Con lo que concluye
que muchos se consideran marxistas por leer artículos y oír
discursos. Y como a la gente le gusta sistematizar, dividen a
los hombres en marxistas y antimarxistas, cuando se puede
decir que no hay marxistas en España. Pero es que «En política no sólo se cree que el que no está conmigo está contra mí,
sino que es un canalla y un vendido» (VII, 16-17).

La democracia no le cae simpática. Si fuera comprensión
y benevolencia para todos, sí. Pero el parlamentarismo y el
voto, no, pues los habitantes de un país no caben todos en una
cámara, y los políticos no piensan sino en sí mismos, y cada
vez está más difícil el subir. En cuanto a la igualdad que pre-
gonan las teorías democráticas, le parece una tontería, siempre habrá hombres superiores e inferiores. Recuerda con horror a un médico socialista que acababa sus discursos con el
grito: «¡Abajo la inteligencia!» (I, 294) en su afán de igualar.
Por todo ello, no cree que «una masa social pueda ir a nada
bueno. Todo en ella serán apetitos un poco brutales, nunca
pensamientos nobles ni juicios claros» (I, 294). Luego, los socialistas lo acusaron en un periódico de explotarlos como escritor al utilizarlos en sus novelas y como patrono de una panadería. Esto le indigna pues los socialistas consideran a todo
el mundo explotador y que ellos, en cambio, son puros y, sin
embargo, al llegar al poder han sido los primeros enchufistas.
Reconoce que los socialistas se portaron bien el día de la Revolución, impidiendo que el pueblo entrara en Palacio, que era
lo que pretendían los comunistas. De no haber sido por aquéllos, la familia Real, con el Rey huido, y el partido monárquico
escondido, hubiese acabado a manos del populacho. A pesar de tachar a aquéllos de cobardes, Baroja se declara más
monárquico que republicano.

En la República Baroja nunca tuvo esperanza. Siempre
creyó que sus hombres fallarían pues no tenían una idea clara
del pueblo español. En cuanto a la responsabilidad política
del 98 en ella y en lo que vino después, no cree. Primero, el

98 es una entelequia [25]. Segundo, las influencias de esa supuesta generación en la política no existen. La gente no se pone a pegar tiros por

> ... haber leído *Paz en la guerra*, de Unamuno; *La Voluntad*, de Azorín; *Flor de Santidad*, de Valle-Inclán o haber visto representar *La noche del sábado*, de Benavente... (IV, 20).

Cree que Unamuno sí influyó «en el descrédito de la Dictadura y en la caída de la Monarquía» (I, 279), pero fue cosa personal. Por su lado, los ensayos de Ortega, piensa que influyeron en la ideología del fascismo español. Tan poco intervinieron los escritores de su tiempo en ella, que al instaurarse la República, no le ofrecieron nada a ninguno. Si alguno consiguió algo es porque lo pidió.

Julio Caro Baroja nos dice que aunque él y otros miembros de su familia tuvieron por algún tiempo fe en la República, su tío Pío no la tuvo nunca [26]. Y José Agustín Balseiro comenta que al proclamarse la República, Baroja dejó de escribir en *Ahora* pues no le parecía bien criticar el nuevo gobierno desde el principio [27].

Baroja nos cuenta como poco antes de caer la Monarquía, Ortega lo avisó para que estuviera atento. Baroja le contestó que él no iba a tomar parte en nada. Una revolución le parecía «algo horroroso que uniría la esterilidad y la pedantería con crueldades horribles» (I, 202). Ortega creía, en cambio, que regeneraría al país. Baroja opina que él fue el que acertó, pues ya hacía tiempo que pensaba que «sólo los gobiernos viejos y llenos de experiencia pueden dar una vida tranquila a los pueblos» (I, 202). Añade que si alguien se tomara el trabajo de leer los artículos que publicó en esa época, vería que

---

[25]   La opinión de Baroja sobre el 98 se estudiará en el capítulo cuarto.

[26]   "Viví creyendo que era algo muy importante un poco de tiempo También lo creyeron mis padres y mi tío Ricardo. El único que no dio su brazo a torcer fue mi tío Pío, para el cual los republicanos españoles eran 'gente mediocre' en general y por definición". Julio Caro Baroja, *Los Baroja*, p. 219.

[27]   José Agustín Balseiro, *Blasco Ibáñez, Unamuno, Valle-Inclán y Baroja, 4 individualistas de España* (New York, 1949), p. 207. También en Pío Baroja, *Ayer y hoy* (Santiago de Chile, 1939), p. 15.

ésas eran sus ideas. La lectura de las historias de la Revolución
francesa lo habían convencido de que las tres fases de ella
—utopía, revolución y reacción— se darían en cualquier país
de Europa en el que se intentara el cambio. Confiesa que lo
ideal sería vivir y morir en la utopía.

Baroja no se considera un revolucionario, pues el viejo no
puede serlo más que de nombre. El viejo es ante todo conser-
vador. Sabe que las leyes son malas; pero «la rutina, cuando
no es de una injusticia evidente, es lo mejor» (I, 76). Las revoluciones son perjudiciales y todo lo sistemático peligroso.
Tanto la revolución de Lenin como la de Mussolini, que era de
signo contrario, fallaron. Lo mejor es no hacer revoluciones y
contentarse con vivir. Además, una idea —que es una vulgaridad— no puede justificar nunca una muerte. Ninguna política le gusta —se considera relativista absoluto— y menos una
radical. Por eso la dejó de nada que pudo [28].

Se ha hablado mucho del anarquismo de Baroja. Su anarquismo es utópico, podría realizarse en un país de sabios. El
no se considera ni siquiera anarquista teórico. Para eso habría que creer que el hombre es esencialmente bueno. Cosa
que él no cree. Sin embargo, se califica de «vagamente anár-
quico» como todos los españoles «que no tienen un buen destino o una cuenta corriente en un Banco» (III, 332). Con los
verdaderos siempre que hubo discusión, intentó demostrarles
que estaban en un error.

Gerald Brenan achaca el anarquismo de Baroja a su timidez enfermiza que al impedirle triunfar, le hace desear que
todo se derrumbe [29]. No creemos que sea así. Esas son las ideas
políticas de Andrés Hurtado en *El árbol de la ciencia.* Hay
mucho de autobiográfico en esa novela. Cuando en sus *Memorias* habla de su vida de estudiante, Baroja reproduce
párrafos enteros de aquélla, pero no reproduce las ideas políticas destructivas de aquél. Si las sintió en algún momento,

---

[28]   Baroja perteneció una época al partido de Lerroux e incluso se
presentó a Concejal (III, 355-7). También se presentó como candidato
a diputado por Fraga (Huesca), relación que cuenta en *Las horas solitarias,* publicada en 1918.
[29]   Gerald Brenan, *The Literature of the Spanish People* (Cambridge University Press, 1953), p. 451.

no debió ser más que una ligera enfermedad juvenil. Arthur L.
Owen en su artículo sobre la ideología barojiana, lo ve más
certeramente. Para él, Baroja tiene tres novelas donde sus
protagonistas son anarquistas: sin embargo, no está de acuerdo con las doctrinas de ninguno. Acaba refutando todas. Como
dogma no le gusta. Sólo lo acepta,

> In so far as it implies a negative criticism of society and politics,
> a philosophy of freedom, and an aspiration toward social change,
> Baroja is in sympathy with it [30].

Para Antonio Martínez Menchén la parte individualista de Baroja se siente atraída por el anarquismo, pero su parte de pequeño burgués lo condena [31]. José García Mercadall [32] y Azorín [33] piensan que Baroja, por exceso de individualismo, no
era hombre de adscribirse a un partido [34]. Pero si Baroja no
es hombre de partido político, sin embargo, muestra simpatías
hacia un sistema, el liberalismo. Siempre habla del liberalismo
de sus antepasados. Cree que «ha producido una forma social
aristocrática e inteligente» y que es el que más se acerca a la

---

[30]   Arthur L. Owen, "Concerning the Ideology of Pio Baroja", Hispania, XV (1932), p. 23.
[31]   Antonio Martínez-Menchen, "Baroja y la crisis del canovismo",
Cuadernos Hispanoamericanos, núms. 265-267 (julio-septiembre 1972),
página 246.
[32]   José García Mercadal, "Baroja en La Justicia... y en otras partes", Cuadernos Hispanoamericanos, núms. 265-267 (julio-septiembre,
1972), pp. 635-36.
[33]   José Martínez Ruiz, Obras Completas, VIII (Madrid, 1947-1948),
página 248.
[34]   La negación de Baroja a todos los movimientos políticos ha sido
criticada:
"Todo este radicalismo nihilista, tan audaz en apariencia, se ha
mostrado en la práctica totalmente inofensivo para derribar situaciones injustas partiendo de condicionamientos objetivos. El tono radical de la acusación nihilista 'contra todo' acaba siempre sembrando
la confusión en los auténticos revolucionarios, que imaginan sus es-
fuerzos baldíos antes de empezar a realizarlos. El artista nihilista —casi
siempre sin saberlo— acaba convirtiéndose en un instrumento en manos de la clase dirigente, que utiliza su ira 'contra todo' para hacer
dudar al pueblo en los tiempos difíciles." Fernando Martínez Laínez,
"El sentimiento político de Pío Baroja", Revista de Occidente, segunda época, núm. 62 (mayo, 1968), pp. 198-9.

fórmula de Saint-Simon: «A cada uno, según su capacidad;
a cada capacidad, según sus obras» (I, 294-5). Sus intenciones
han sido siempre «limpias y lógicas» (IV, 86), sin embargo, ha
fallado por falta de fuerza, pues en España los reaccionarios
siempre lo han sido de verdad, mientras que los liberales, no.
Para Baroja la política de Occidente empezó a decaer con el
asunto Dreyfus. «Se vio que la mentira, la calumnia, la mala
fe son armas de combate» (IV, 30). Eso no era ningún descubrimiento. La gente lo sabía hacía mucho tiempo, pero creían
que se debía proscribir. La teoría llega a las masas que cree
que el fin justifica los medios. «Toda la política moderna ha
sido en la práctica glorificación de la mentira» (IV, 31). Con
la aparición de los tres dictadores, Stalin, Hitler y Mussolini
desapareció el espíritu liberal. Mientras el liberalismo piensa
en el hombre de hoy, las doctrinas extremistas de aquéllos se
ocupan del de mañana y «producen ríos de sangre» (V, 43).

Baroja se lamenta de que hoy el Estado lleva camino de intervenir en todo. Para él «ningún amigo de la libertad» puede
simpatizar con Rusia. Se burla de que Mussolini pretendiera
dar la libertad al Estado y al hombre dentro del Estado. Para
Baroja, la libertad de uno siempre se tendrá que ejercer a
costa del otro.

Baroja nos da la semblanza de algunos políticos a los que
trató o conocía de vista. Así nos dice que el patriotismo de
Alejandro Lerroux era «oratorio y palabrero» (I, 201), no conocía a España y era hombre sin lecturas. Manuel Azaña tampoco conocía a su pueblo. Este sí leía y además era ateneísta,
pero esto no es bastante para ser un gran político. Hay además que tener nervios. En la extrema izquierda conoció a Pablo Iglesias —«doctrinario»— (IV, 197) y Buenaventura Du-
rruti —«un *condottiero* inquieto, atrevido y valiente» (IV, 199).
Como es natural en Baroja las simpatías se le irán hacia éste [35].

---

[35]   Además de no calificarlo de "doctrinario" que es una palabra
denigrante en boca de Baroja, lo califica de "condottiero" que es una
palabra muy positiva en su vocabulario. Recuérdese que con Blasco
Ibáñez se lleva una desilusión y comenta "Nada del tipo del *condottiero* italiano audaz, moreno, aguileño, sino un hombre tirando a grueso,
con una voz de tenorino casi atiplada" (IV, 74).

A don Nicolás Estévanez, ex-ministro de la República del
73 lo veía en París, con frecuencia, hacia 1913. Baroja nos dice
que tenía una mentalidad rectilínea del hombre de acción.
(Para Baroja el filósofo nunca podrá ser un político.) Nos
habla de su vida sencilla, su encastillamiento en lo antiguo y
su fervor por el idioma. Ya era viejo, y, según Baroja, aunque
lo seguía pretendiendo, ya no era revolucionario más que de
nombre.

En uno de sus viajes a Londres, Baroja consiguió le pre-
sentaran al famoso anarquista Malatesta. Refiere que tenía
una testuz de bisonte con algo de polichinela, con lo que Baroja añade, «El hombre por su tipo prometía» (III, 296). Pero
sufre una desilusión porque esperaba encontrar a un energú-
meno y se encontró con «un tipo sencillo y humilde» (III, 297)
que alababa la misión de los escritores. Baroja lo achaca a la
soledad en que vivía y al desengaño de la revolución. Comenta
divertido como un agregado de la Embajada al verlo un día
con Malatesta, le advirtió que tuviera cuidado, que era peligroso. El tal agregado tenía «una idea melodramática y folletinesca» (III, 298), concluye Baroja.

Concepto de la Sociedad

La actitud de Baroja con respecto a la sociedad se podría calificar de aristocratizante, dando al concepto aristocracia un
sentido más amplio. Al hablar del entusiasmo que demuestra
hacia el pueblo vasco, veíamos que en él primitivamente no
existía la aristocracia, basada en la preeminencia social, sino
la hidalguía basada en la raza. Cuando médico en Cestona,
Baroja tuvo un pequeño tropiezo con el padre Coloma. Este
dijo en tono displicente que no había aristocracia vascongada.
Baroja le contestó que él prefería la aristocracia de la raza
o de la inteligencia; que el que un antepasado suyo «le hubiera puesto una vez los calzoncillos o la casaca a un rey» (II,
325-6) no le entusiasmaba. Coloma, aristócrata, le volvió la
espalda. Baroja llega a confesar que le interesa la raza «tanto en un hombre como en un animal» (II, 61) y que una nariz
bien hecha vale más que una ejecutoria. Ya que ésta puede
tener un valor social, pero ninguno biológico.

Baroja nos asegura que él nunca ha tenido en cuenta las
jerarquías sociales, y que siempre ha tratado igual a todo el
mundo. Esto no se sabe por qué, a veces, despierta antipatías.
Así, estando un día con José María de Salaverría, se le acercó
un vendedor ambulante a quien hacía tiempo no veía. Baroja
le dio la mano. A Salaverría le pareció que no debía de haberlo hecho. En cambio, otro día le presentó a un señor riquísimo
de Buenos Aires y le molestó que Baroja lo saludara «como a
otro cualquiera» (I, 256) siendo riquísimo. Baroja comenta que
trata igual a los ricos que a los pobres, pero que tiene más
consideraciones con el inteligente y el sabio.

Si algo no le gusta a Baroja son los nuevos ricos. Entre el
aristócrata y el rico prefiere a aquél. En cambio, Ortega sentía simpatía por el que sube. Baroja nunca. El que sube por
un trabajo científico, sí le gusta; pero el que sube por intrigas,
no. Creemos que no es sólo por la manera de subir. Cuenta
que fue a un teatro de Florencia a ver al *Trovador*, y habla
con desdén del público, que «no tenía ningún aire elegante y
aristocrático», sino que parecía «de un teatro nuevo de América o de Australia» (III, 343). Otra vez fue en San Sebastián
en un hotel elegante. Le pregunta a un empleado si ya no vienen los aristócratas, y éste le contesta que no, que tienen que
ir a hoteles de menos categoría, que los que vienen ahora son
los estraperlistas. Y Baroja se lamenta, pues esto significará
una transmutación de valores en todos los sentidos. Esta gente no intentará comprender a Einstein o leer a Schopenhauer.
Querrá rodearse de cosas —cuadros, a veces, de ahí que el
valor del pintor no haya descendido— e irá al futbol. La preeminencia social no impide que se pertenezca a la plebe. Hay
dos clases de plebe, la rica y la pobre. El prefiere ésta que
aquélla.

Con la plebe pobre la actitud de Baroja es patrocinadora,
pero no despertó simpatías. Creía que había que darle mejores condiciones de vida, pero opinaba que el obrero nunca
leería, que nunca iba a los museos y que no había por qué en-
señarle «a sentir la poesía y el arte» (IV, 168). Nunca comprendió al pueblo. Por eso, se llevará sorpresas. Como cuando está
de acuerdo en que los obreros se enfrenten al patrono explotador; pero se asombra de que se pusieran contra él, que los

trataba bien. Y es que la actitud campechana de Baroja, de irse a tomar unas cervezas con sus panaderos, no fue suficiente cuando llegó la conciencia de la injusticia social. Aunque mucho no podría haber abusado Baroja, —aún en el concepto más socializante— cuando no se hizo rico [36].

Baroja comenta que su novela *La busca* dio alguna idea a los ricos de los barrios pobres. Por eso se lamenta de que el escritor más cerca del pueblo es siempre el más atacado por éste [37]. Y sigue siendo atacado [38]. Cosa totalmente ridícula pues no se puede esperar que un señor de hace cien años piense con la mentalidad de ahora. Para el siglo XIX era un hombre avanzado, y él siempre se declara más del XIX que del XX.

Baroja era una persona muy correcta. Una americana le reprocha el que hacía «la farsa como todos» (VII, 243), pues se levantaba cuando entraban señoras y no se sentaba hasta que todos no estuvieran sentados. El le contesta que hace lo corriente, que es como obedecer a las señales. Con ello se evita el que tropiecen todos. Pero además de esta educación que podríamos llamar lógica, existe como un cierto refinamiento en él. Cuenta que dejó de comer con los Solana, pues el pintor se llenaba la cara de grasa y tiraba los huesos en el suelo. Todas estas cosas debían de ser las que le hacían sentir antipatía por la plebe adinerada.

---

[36] Baroja, casi al final de sus *Memorias,* reproduce una conversación con una señora que cree en la moralidad de crear una familia sana y fuerte. Baroja le contesta que si es a base de otros desdichados no le interesa. Discuten sobre los intereses de patrono y obreros y Baroja afirma que si aquél se acoge al evangelio, ganará muy poco (VII, 251-2). En esta conversación se muestra totalmente socializante.

[37] Baroja se refiere aquí de nuevo a la discusión en el Ateneo que él calificó de "encerrona". Según él, los obreros le echaban en cara que si había podido escribir era porque le habían dado medios. El intentaba convencerlos de que todo es acción de la voluntad. Como el entmólogo Fabre sin medios, se dedicó a estudiar la vida de los insectos, en vez de ponerse a criticar. O como hay familias que se comen y beben el jornal y otras que ahorran y mandan a los hijos a estudiar (V, 234).

[38] Por eso se miran con simpatía artículos como el de José María Vaz de Soto, "Baroja, crítico literario", *Cuadernos Hispanoamericanos,* números 265-267 (julio-septiembre, 1972), pp. 302-27, y el de Luis Pancorbo, "Baroja saqueado", *ibid.,* pp. 118-34, que aconsejan ver en él al artista y dejar de criticar al ideólogo.

Ante el sistema de muchos organismos españoles, la actitud de Baroja será de crítica. Unas veces porque sufrió la injusticia. Otras, al comparar con partes de Europa. Al primer tipo de crítica pertenecen las que hace a la universidad. Critica la inmoralidad de las cátedras. Como entre sus titulares los había que practicaban el «despotismo» y el «nepotismo» (II, 248). Como los del preparatorio eran todos viejísimos. Algunos «llevaban cincuenta años explicando», «no los jubilaban por sus influencias y por esa simpatía y respeto que ha habido siempre en España por lo inútil» (II, 217).

En cuanto a la Escuela Politécnica —donde estudiaba Ricardo— no aprobaban a los alumnos sin repetir año, para demostrar que era más dura que la de París. Aunque no por eso había grandes ingenieros» (II, 271). Se burla de que hoy se exijan oposiciones para casi todo y comenta que pronto habrá que hacerlas «para ser mozo de café o portero» (II, 199).

Baroja, como hijo de un voluntario vasco de la guerra civil [39], no tenía que hacer el servicio militar. Como estaba en Madrid, los burócratas de allí, le dijeron que su exención sólo valía si vivía en las Vascongadas. Baroja tuvo que ir de un lado para otro, hablando a éste y a aquél, y estuvo a punto de ser considerado prófugo. Por fin, el Conde de Romanones, que en aquella época era teniente alcalde, comprendió que tenía razón.

Como regente de la panadería, Baroja tuvo que sufrir las estupideces de algunas leyes. Por ejemplo, se exigía que los repartidores de pan llevaran una chapa que había que sacar en el Ayuntamiento. Se iba allá a buscarlas y contestaban que no había. Salían entonces los repartidores con el pan, y al no tener chapa, los llevaban a la comisaría. El resultado era que el pan se perdía. En la panadería que instalan en la calle Mendizábal ponen un motor eléctrico para amasar. Pero el Ayuntamiento no les quiere aprobar los planos, porque no tenían «una cuadra para las mulas, según las Ordenanzas munici-

[39] Esta guerra civil es probablemente la tercera guerra carlista (1872-1876), pues en las dos anteriores el padre de Baroja debía de ser muy joven

pales» (II, 412). También los quisieron «procesar por estafa» (II, 413) por hacer unos panes más pequeños, al gusto de un hotel al que servían.

Con el tiempo, ya Baroja escritor famoso, tendrá que seguir tropezando con la estilidez de burócratas e intelectuales. Al intentar obtener información sobre Avinareta, los historiadores le contestaron cosas como que no se interesaron en la vida de éste porque no era un hombre de bien y que sentían mucho que fuera pariente suyo. Los problemas por los que pasó para ver unos legajos y tomar dos o tres notas parece una reproducción del artículo «Vuelva usted mañana» de Larra [40].

Baroja no pretende que el escritor tenga más categoría social que nadie. Pero le gustaría que fuera un oficio como los otros, que diera para vivir. Mientras hay en España unos mil pintores que se ganan bien la vida, no hay un sólo escritor. Y pasa a hablar de los editores que tuvo que aguantar en su «mísera vida literaria» (I, 158). Por lo visto, todos —con la excepción de Bernardo Rodríguez Sierra, que intentó lanzarlo, pero murió pronto —lo estafaron lo que pudieron. Con los demás, las cifras de los ejemplares regalados y los vendidos no coincidían nunca con las de la liquidación. Luego estaba el mercado americano. A veces, editaban libros sin permiso del autor. Otras, no liquidaban los ejemplares. Por todas estas

---

[40] Baroja va al Ministerio de la Gobernación. Explica al subsecretario lo que quiere (cierta información sobre Aviraneta). Aquél pidió a un empleado que lo llevara hasta los archiveros. Cuando llegan,
"—¿Está el señor Tal?— preguntó el empleado que me acompañaba.
—No, señor. No está en Madrid.
—¿El señor Cuál?
—Acaba de salir ahora mismo.
—¿Don Fulano?
—Tiene la mujer mala y no viene.
—¿Don Zutano?
—Tampoco está" (V, 255).
Lo dejan con el portero que le dice que la "A" (Aviraneta) está en los estantes de arriba y no se puede subir. Baroja tiene que coger una escalera. Entonces es cuando el portero lo ayuda. Pero no hay suerte. No hay nada en los papeles. En el Ministerio de Hacienda con más latas todavía y más ir y venir, puede por fin "tomar unos apuntes atropelladamente" (V, 257). Baroja acaba comprendiendo que con esa burocracia se pierdan las colonias, lo que no comprende es como no se han perdido también los pantalones.

cosas, Baroja fue una vez al juzgado. Los testigos no comparecían cuando debían. Al cabo de tres años no se había solucionado nada. El abogado le pasó una buena cuenta que tuvo que pagar. Otra vez que intentó escribir un artículo a costa de una de las tantas estafas de una de las tantas casas editoriales, el abogado le aconsejó que no lo hiciera pues lo podían procesar por injuria. Luego con la editorial de su cuñado ya no tuvo problemas [41] y por último Espasa-Calpe que le «ha pagado con puntualidad y ha hecho las liquidaciones a tiempo» (I, 224). Pero se queja, en un tono humorístico, de que a esa casa no le gusta hacer el reclamo de sus escritores. Así en las notas en que el Diccionario Abreviado de ésta, se ocupa de los autores contemporáneos, a todos les dedica frases elogiosas —que Baroja reproduce— con la excepción de él, de quien dice,

> Baroja y Nessi (Pío). Novelista español de la escuela realista (I, 225).

Pero Baroja no critica sólo lo que le toca de cerca. Es el espectador que señala lo poco que sabe aprovechar España sus escasos recursos. Así en los ríos y pantanos españoles no se ve un solo bote. En otros sitios de Europa estarían llenos de balandros. O donde hay puentes, la gente prefiere vadear los ríos. Y a veces es «la negligencia habitual del Estado» (VI, 260), como en Almadén, pueblo minero de importancia y que no tiene agua corriente.

En su visión de Gibraltar hay tristeza humorística. Ve masoquismo de parte de los españoles en el pueblo de la Línea. Pues mientras los ingleses que vienen para acá lo hacen en coches lujosos, los españoles que van allá no son más que mendigos y lisiados, que viven de pasar productos de un lado al otro, cruzando la frontera varias veces al día.

---

[41] Baroja no cuenta porqué abandonó la editorial de su cuñado. Económicamente le convenía más, y por consejo de sus amigos se pasó a Espasa-Calpe. Julio comenta, "El día que se supo la decisión en casa, fue un día terrible para mi padre, que estuvo llorando como un niño". Julio Caro Baroja, *Los Baroja,* p. 202. Y añade que su tío no tuvo suerte, pues al ser los de la directiva unos carcas, al empezar la guerra y después, las condiciones que le pusieron eran malísimas. Puede ser por culpa de esa directiva por lo que no le dedican comentarios elogiosos en el diccionario a Baroja, como veremos más adelante.

Al hablar de su pueblo, nos hace una pequeña biografía de don Sebastián Miñano, director de un periódico de San Sebastián, hombre muy culto que llegó a reunir una biblioteca fantástica. Al morir la cedió al Ayuntamiento de dicha ciudad que no la quiso coger por no tener un sitio donde poner «Aquellos libros, que hoy, probablemente, valdrían millones» (II, 39).

La Filosofía

A pesar de no ser un filósofo [42], la actitud de Baroja ante la vida puede calificarse de filosófica. «A mí me interesa, como decía Stendhal, ver en lo que es» (V, 84). Porque se dan dos tipos, el que lo pretende, que a todo dará un carácter subjetivo, y el que realmente puede ver en lo que es. Este es el que entusiasma a Baroja. Por eso confiesa que sintió admiración por el policía Dupin creado por Edgar Poe, aun reconociendo que es una entelequia. Para él ésa será la labor del filósofo, «distinguir la realidad del mito» (V, 84).

Para la mejor comprensión de su filosofía [43], Baroja hace un resumen de una tesis sobre las ideas filosóficas de nuestro escritor, defendida por un estudiante alemán, Helmut Demuth. Baroja dice que la usa porque es más fácil de entender [44]; pero comenta que «son juicios sintéticos, de los cuales yo no sé su exactitud absoluta» (I, 295). Antes de pasar a citar al otro se declara agnóstico, y que entre sus preferencias están en la filosofía antigua, Heráclito y Protágoras, y en la moderna, Kant y Schopenhauer.

Según Helmut Demuth el gusto de Baroja por Schopenhauer no es de extrañar, pues éste era un enamorado de la sabiduría popular española. Este le muestra lo fea que es la realidad,

---

[42] Ya Ortega y Gasset había dicho, "Sus teorías y sus conceptos no tienen gran precisión ni novedad. No es su fuerte pensar, sino sentir". José Ortega y Gasset, "Ideas sobre Pío Baroja", en García Mercadal, I, p. 27.

[43] En el presente estudio no pretendemos analizar las ideas filosóficas de Baroja en general, sino más bien su actitud ante la Filosofía, sus opiniones a autores y movimientos.

[44] Se nota cierto orgullo en Baroja al decirnos que un estudiante alemán se ha ocupado de él.

pero también le dice que hay un camino, la voluntad, la acción. Por eso, en su tesis sobre *El dolor,* Baroja intenta probar que la vida no es agradable ni desagradable. Sólo adquiere importancia por la acción. Esta negación de la vida no puede contentar a Baroja por mucho tiempo. La armonía entre vida y conocimiento —que en *El árbol de la ciencia* los había colocado frente a frente— no la alcanzará sino a través de Nietzsche. «El vitalismo viene a reemplazar al pesimismo» (I, 311) [45].

Baroja reconoce que no tiene una sólida formación filosófica, pero que ha sido aficionado a su lecturas. Como ya dijimos, «la palabrería de Letamendi» despertó este interés. Compró libros de Kant, Fitche y Schopenhauer. A los dos primeros no pudo entenderlos, al último sí, por lo que continuará leyéndolo y comenta, «tenía para mí el atractivo de ser un consejero chusco y divertido» (II, 241). Con el tiempo volvió a intentar leer a Kant, a quien pudo entender ya un poco mejor a través de Schopenhauer. Para él Kant será el punto más alto de la filosofía. Lo de éste no se podrá sobrepasar o combatir. La comprensión de algunos de sus libros le exigía mucho esfuerzo. Baroja comenta que con lo difícil o lo ha dejado o lo ha saltado. Hay dos libros que sí ha leído completa y varias veces: *La vida como voluntad y representación* de Schopenhauer y *La introducción al estudio de la medicina experimental de* Claudio Bernard. Ambos le han influido mucho pues, según Baroja, hubiese querido seguir cualquiera de los dos caminos que éstos le mostraban, la filosofía y la ciencia. Para el primero le faltaba preparación: para el segundo, medios (V, 48-9).

Otra obra que le ha interesado mucho y que lamenta que no esté traducida al francés o al español para leerla con frecuencia es *Die Worsokratiker* de Wilhem Capelle. Hay en ella trozos de los presocráticos. Considera a estos hombres verda-

---

[45] Según Sobejano, "... en 1899, Baroja sólo aceptaba de Nietzsche la protesta contra las ideas socialistas, rechazando lo demás, y muy especialmente la dureza, la impiedad". Gonzalo Sobejano, *Nietzsche en España* (Madrid 1967, p. 349. La influencia de Paul Schmitz le hará ver un Nietzsche distinto. Pero Baroja nunca aceptó la violencia y como dice A. L. Owen, "For him morality is more closely identified with pity than with energy". Owen, p. 18.

deramente geniales. Le admiran sus intuiciones (V, 57). En
cambio, los que les siguen, o sea, Sócrates y Platón apartaron
a la filosofía y ciencia de su verdadero camino. Mientras aquellos eran metafísicos, éstos son sólo pedagogos y éticos. Con
su subjetividad característica, llega a decir que los que co-
nozcan bien la obra de aquéllos, no sienten simpatía por la
de Sócrates y Platón, a la que califica de «obra de decadencia»
(V, 88) pues llevan el conocimiento a un mundo de fantasías
«más asiático que europeo» (V, 89).

Entre estos presocráticos, el pensamiento de Protágoras «el
hombre es la medida de todas las cosas» (V, 83), le parece de
una intuición genial [46]. Platón, sin embargo, se empeñó en
desacreditar a todos los sofistas y casi lo consiguió. El primitivo sentido de la palabra sofista [47] no era peyorativo, pero
luego sí. Baroja pasa a comentar dos diálogos de Platón. En
el primero discuten Sócrates y Protágoras de pedagogía. En
éste Protágoras queda algo achicado. El otro debía ser más
pedagogo que él. En el segundo se discute sobre la ciencia, y
aquí la figura que sobresale con mucho es la de Protágoras.
Para Baroja los argumentos que Platón expone son de orden

---

[46]   En el tomo IV atribuye esa frase a Pitágoras. "Pitágoras enseña
que el hombre es la medida de todas las cosas y que ningún objeto
sensible es independiente del ser que piensa y siente" (IV, 309). Puede
ser error del copista, pero más probablemente confusión en el recuerdo
de Baroja por la semejanza de los dos nombres.

[47]   Julián Marías en su *Historia de la Filosofía* dice de los sofistas,
"Se caracterizan externamente por unas cuantas notas: son profesores ambulantes, que van de ciudad en ciudad, enseñando a los jóvenes; y enseñan por dinero, mediante una retribución, caso nuevo en
Grecia y que sorprendió no poco. Tenían gran brillantez y éxito social;
eran oradores y retóricos, y fundamentalmente pedagogos. Pretendían
saber y enseñar todo, y desde luego, cualquier cosa y su contrario, la
tesis y la antítesis". Julián Marías, *Historia de la filosofía*, 13.ª ed.
(Madrid, 1960), p. 95.
Entre los sofistas cita como de mayor importancia a "Hipias, Pró-
dico, Eutidemo y, sobre todo, Protágoras y Gorgias". *Ibid.*, p. 96. Y
aquí es donde Baroja comete un error pues dice, "Protágoras o De-
mócrito no son sofistas. Es mucho más sofista Platón" (V, 88). Demó-
crito siempre ha sido considerado un presocrático, pero nunca un
sofista.

sofístico [48]. Platón y los suyos son los que son sofistas, retóricos
y políticos. Se empeñó «con sus habilidades dialécticas de
profesor» (V, 88) en desacreditar a los filósofos anteriores interesados en la Naturaleza y quiso imponer una «ciencia de
cátedra» (V, 88). Ya todo será de carácter político y moralista
hasta su culminación en el antipático *Tratado de la República,* «que preconiza un sistema de vida tiránico y comunista» (V, 88). Las academias de éste debieron luego contribuir
al olvido de los libros de aquéllos. Esa era la filosofía relativista de los escépticos griegos [49]. Culminará en Kant. Baroja
se lamenta de carecer de la preparación necesaria para explicar el desarrollo de las teorías de Protágoras hasta llegar
a Kant y Schopenhauer con la frase de éste: «El mundo es
mi representación» (V, 164). Considera que a juzgar por los
restos conservados, no ha habido una sola época de la humanidad con tal grupo de genios como la presocrática (V, 88).

Otro filósofo antiguo por el que Baroja siente admiración
es Heráclito. El mayor filósofo quizá de la época presocrática. Primeramente Friedrich Schleiermacher lo sacó del olvido y luego Nietzsche lo consideraba «el pensador más impor

---

[48]   "A las ideas de Protágoras Platón expone objeciones de carácter sofístico y personal.
'Si la sensación es la regla única —dice—, cada ser es juez de lo que
le parece y en este sentido todos nuestros juicios son siempre verdaderos, o mejor dicho, no son ni verdaderos ni falsos y nadie es juez de
lo falso y de lo verdadero. Entonces ¿por qué Protágoras se cree más
sabio que otro cualquiera y el único capaz de conocer y de enseñar la
virtud?'
El argumento es de lo más vulgar que puede darse. Dentro de una
teoría relativista y aceptando lo contingente como norma de todo,
las relaciones entre las cosas pueden ser exactas. Sabido es que la división que se ha hecho del termómetro centígrado, colocando el cero
en la temperatura del hielo y el cien en la del agua en ebullición, es una
división arbitraria, pero las relaciones obtenidas por el termómetro
centígrado son ciertas aunque su base no sea absolutamente exacta"
(V, 163).
[49]   Acerca del relativismo de Baroja dice E. Tijeras, "Imposible
conciliar el relativismo de Baroja con sus afirmaciones viscerales, el
antisemitismo, la antipatía por sus contemporáneos, y sus a menudo
insustanciales generalizaciones sobre el carácter de los pueblos". Eduardo Tijeras, "El relativismo en Baroja, *"Cuadernos Hispanoamericanos,*
núms. 265-267 (julio-septiembre, 1972), pp. 367-8.

tante de la antigüedad» (V, 89). Pero por lo que es famoso es
por su frase «Nadie se baña en el mismo río dos veces, porque
todo cambia constantemente en el río y en el que se baña»
(V, 90). A Baroja le parece de una intuición genial, pues el
agua es siempre otra y el hombre también cambia biológicamente. Como metafísica y en apariencia está bien, pero mirando al hombre en su proyección histórica, éste sigue repi-
tiendo las mismas vulgaridades.

> El joven es optimista casi siempre, y cree que vencerá la pesa-
> dez y la inercia de la materia; piensa que ha hecho un surco
> profundo en la arena de la playa, pero la marea llega y el surco
> desaparece (V, 91 y IV, 318) [50].

Esta teoría de la evolución culminará en las optimistas del
siglo XIX: todo era mejor de lo que nunca había sido. Contra-
rrestando éstas estaban las teorías del buen salvaje que habían surgido en el XVIII. «Esta contradicción ha llevado muchas confusiones a la política de nuestro tiempo» (V, 91). El
que todo cambie no quiere decir que sea de una manera as-
cendente. La sociedad que tal pretendiera tendría que luchar
con voluntad además de ser capaz de ver con claridad [51]. Baroja acaba diciendo: «Cualquier frase de Heráclito puede dar
origen a largos comentarios» (V, 92).

La filosofía medieval no debió interesar a Baroja. No nombra a sus cultivadores y refiriéndose a la contemporánea dice
que «se ha hecho caprichosa y pintoresca como la de la Edad
Media» (V, 156). De la moderna, el axioma de Descartes (Co-
gito ergo sum) le parece falso. Todo el mundo sabe que existe por cualquiera de las sensaciones. «Nadie necesita dar ese
giro a su espíritu para pensar que existe» (V, 12).

Con Kant la filosofía llega a su tope. No se podía superar
racionalmente. Por eso Schopenhauer «llevó el examen filosófico a hechos biológicos, estéticos y sociales» (V, 156). Hegel
intentó remontar a Kant, y con él y sus seguidores la filosofía
pasó de ser científica a un juego de charlatanes y alquimis-

---

[50]   En (V, 90-1) repite cambiando alguna frase lo que había dicho
en (IV, 317-9).
[51]   A pesar de su pesimismo, Baroja siempre creyó en la acción de
la voluntad.

tas, que intentan incluso legitimar la magia y el espiritismo (V, 157). A pesar de ello, es Hegel el que llega al pueblo. Kant es muy difícil.

Formando también parte de estas charlatanerías está el existencialismo, especie de misticismo masoquista pues encuentra la salvación en la angustia. Como maestros de este movimiento tenemos a Kierkegaard, Dostoiewski y Chesterton. Como literatura, encuentra que no está mal; ahora, no es nada científico. La esencia de la vida no le parece que esté en la angustia. Otros filósofos encontraron su esencia en otra cosa. Y en Baroja surge el médico y el humorista,

> Yo, la angustia la he sentido muchas veces en el hipogastrio; pero nunca he creído que fuera una manifestación de sabiduría, sino resultado de la acción del nervio vago (IV, 36).

Por otro lado, el nombre no es tampoco exacto pues las demás filosofías no han ignorado la existencia.

Si el existencialismo no le interesa, el pragmatismo tampoco, pues no le ve la utilidad. «Si todas nuestras ideas son utilitarias... ¿para qué destacar el carácter utilitario de nuestros conceptos?» (V, 136). A pesar de ello, encuentra que el angloamericano fue más inteligente que el francés e italiano, pues desembocó en el materialismo, no en el fascismo como éstos.

La posición de Baroja frente a Bergson, no es completamente negativa. Por un lado, piensa que siguiendo la teoría de Heráclito es fácil llegar a la concepción de Bergson de que el tiempo también evoluciona (IV, 318). Pero, por otro, su teoría de que las nociones de causa y efecto, tiempo y espacio nos tapan la realidad, es pura palabrería, pues el hombre no conoce más realidad que la que le dan los sentidos y la razón. Además si esas nociones son humanas, el «elan vital» que defendía Bergson también es humano. Para Baroja no podemos escaparnos de las nociones de causa y efecto. El problema es que a veces no conocemos todas las causas. Por ello, fue por lo que fracasó Zola en su estudio sobre una familia [52]. Por-

---

[52] Se refiere a *Les Rougon-Macquart, histoire naturelle e sociale d'une famille sous le second Empire,* grupo formado por una veintena de novelas de Emile Zola, publicadas entre 1871 y 1903.

que no podemos conocer todas las causas espirituales, orgánicas o patológicas, ni cómo actúan (V, 79-80).

Por último Baroja se propone hacer un análisis comparativo de las tres filosofías más trascendentales. La primera es la relativista de los escépticos griegos, llamados luego sofistas y que culminan en Kant. La segunda es el absolutismo hebreo con su más alto representante Spinoza. La tercera es el nihilismo budista, y su representante europeo Schopenhauer. Mientras el mundo occidental ha sido relativista y ateo, el oriental ha sido monoteísta y dogmatizador; su síntesis en el pensamiento de Tertuliano: «Credo quia absurdum est» (V, 162). Desde el principio todo está calificado en éste. Su carácter es estático. Los grandes dogmatizadores del judaísmo —tanto los profetas antiguos como Spinoza o Carlos Marx— querían que su pueblo viviera apacible. No dejaron cabos sueltos en sus dogmas. Baroja considera que los libros de estos últimos —el *Tratado teológico y político* y *El Capital*— son las consecuencias racionalista y económica de la Biblia (V, 164-5).

El budismo aparece en Europa en el siglo XIX y llegó a estar asociado a la filosofía de Schopenhauer. El relativismo europeo continuará, pero ahora lleva unida una característica pesimista y nihilista de tipo oriental. El budismo es lo opuesto del semitismo. Mientras aquél aspira a no ser. Este pretende ser después de la muerte, y no sólo espiritualmente, sino también corporalmente [53]. Según Baroja, Unamuno tenía también ese deseo, probablemente despertado con la lectura de la Biblia.

El parsismo de Nietzsche significó un golpe para las doctrinas budistas. Baroja no sabe si las teorías de este último son de origen zoroástrico o germánico. En su pesimismo ve un algo de optimismo en «el culto romántico de la violencia y de la crueldad» (V, 166). Pero acaba preguntándose si de vivir Nietzsche y ver la derrota de Alemania hubiese hablado con tanto en-

---

[53] "Porque para el buen semita el ideal no es sólo vivir después de la muerte, en espíritu, sino que quiere vivir con sus barbas y con su pelo, su estómago y sus intestinos y probablemente con los callos en los pies y con su dinero en su cartera" (V, 166).

tusiasmo de lo dionisíaco [54]. Pues Hitler era un dionisíaco ener-
gúmeno y de poca cultura. Como lo era Mussolini, quien había
cogido lo nietzscheano a través de D'Annunzio [55]. Pero a más
de al fascismo, lo dionisíaco, según Baroja, ha dado lugar al
comunismo [56]. Y Baroja se lamenta de que una filosofía que
canta lo individual desemboque en un predominio de la masa [57].

Con respecto a la cultura de Baroja, que en nuestra opinión
es bastante amplia, José Corrales Egea la encuentra limitada
y anticuada [58]. Todo eso es relativo, puede que para alguien lo
sea. De cualquier manera, esto no es verdad con respecto a la
ciencia. Baroja procuró estar al día y cuando no pudo com-
prenderla siguió sintiendo admiración por ella.

---

[54] En *Juventud, egolatría* (publicada en 1917), Baroja dice que se
consideraba antes dionisíaco y continúa, "Poco a poco la turbulencia
se ha ido calmando; quizá nunca fue grande; poco a poco he visto
que si el culto de Dionysios hace moverse a saltos la voluntad, el culto
de Apolo hace reposar la inteligencia sobre la armonía de las líneas
eternas. Y en lo uno y en lo otro hay un gran atractivo". Pío Baroja,
Obras completas, V, pp. 159-60.

[55] Considera como más importantes representantes dionisíacos, "en
literatura, Dostoiewsky; en música, Wagner, y en las artes plásticas,
Rodin" (V, 137).

[56] "En política, la tendencia dionisíaca ha dirigido los dos movimientos tumultuosos de la época: el comunismo y el fascismo" (V,
137).

[57] "Los discípulos de Zaratustra soñaban con el superhombre. La
filosofía de Nietzsche, más poética que práctica, en vez de producir en
Europa el predominio de lo individual, de lo raro y de lo único, ha
producido el predominio del número y de la masa" (V, 135).

[58] "El problema de la cultura va unido al del conocimiento e influye en la interpretación del mundo casi tanto como la inteligencia natural. A este respecto, la obra de Baroja choca por la limitación de los
conocimientos que acusa, confinados a cierta época y a cierto número
de autores. Dentro de su tiempo, Baroja resulta un hombre de cultura anticuada, decimonónica, varado en el saber de sus años de estudiante. Lo que a fines del xix podía representar una revolución y un
progreso, lo sigue representando para él muchos años después de la
guerra europea del 14, e incluso después de la guerra mundial de 1939.
La ciencia es Darwin, Claude Bernard, Pasteur; la literatura, Verlaine,
Dostoiewsky, Dickens; la filosofía, Kant; la música, Beethoven; la revolución, la marsellesa y el 93..." José Corrales Egea, "De *La sensualidad pervertida* a *La estrella del Capitán Chimista*", en Baeza, I, p. 197.

III. EL ESCRITOR

Cuando hablábamos de los antepasados de Baroja, veíamos que el escribir no fue un oficio ajeno a ellos. Tuvieron imprenta, publicaron periódicos y libros y el padre de nuestro escritor escribía con alguna frecuencia artículos, a más de versos, canciones y una novela que no llegó a completar (II, 72). Es una entrevista que Baroja concedió a Ledesma Miranda, habla de la gran influencia que tuvieron en su vocación de escritor los folletines y novelas de la biblioteca de su padre [1]. En este ambiente, no resulta raro, que los tres hermanos fueran muy aficionados a la lectura. Darío, el mayor, «compraba todos los periódicos nuevos que salían» (II, 186). Pío, por el contrario, se dedicaba a recorrer las librerías de lance. Confiesa que no leía a los autores españoles contemporáneos, porque con lo que costaba una obra de éstos, se podían comprar varios tomos de extranjeros [2]. Tampoco leía a los clásicos castellanos, ni cree que ninguno de sus compañeros —se refiere a su época de estudiante— «hubiese leído de verdad El Quijote. Se hablaba de él, naturalmente, pero no se leía» (II, 188).

---

[1] Ledesma Miranda, "Pío Baroja, poeta del 'plein air' en García Mercadal, I, 244-5.

[2] Baroja nos dice que iba también con mucha frecuencia a la Biblioteca Nacional, pero que su director Tamayo y Baus había prohibido que los jóvenes leyeran obras literarias y que al final tampoco los periódicos porque en éstos había folletines (II, 189).

Baroja nos da una lista de sus lecturas en cuatro momentos de su juventud.

En su época de bachillerato en Pamplona leyó, «Julio Verne, el capitán Marryat, Gustavo Aynard, *El Robinsón,* algunos folletines: *Las tragedias de París, El coche número* 13 y *Creación y Redención* de Dumas» (II, 188). Estudiante de Medicina en Madrid, sus «favoritos eran: V. Hugo, E. Sue, Balzac, J. Sand, Zola, Espronceda y Bécquer» (II, 188). En Valencia, concluyendo la carrera de Medicina y ya de médico en Cestona, «Schopenhauer, Poe y Baudelaire» (II, 188). De vuelta a Madrid, regentando la panadería, «Dickens, Stendhal, Turgueneff, Dostoiewsky, Tolstoi, Ibsen y Nietzsche» (II, 188). En quince años se leyó lo más importante del siglo XIX. Confiesa que le entusiasmaba leer, pero que leía sin método, lo que le gustaba, sin importarle si el autor era bueno o no. Acostumbraba a saltarse los párrafos aburridos. Le gustaba también releer, y esas sucesivas lecturas las concluía en pocas horas, pues en ellas no leía sino los diálogos. Pasados los treinta años descubrió que desconocía las obras más importantes de la humanidad. Pero hasta que no fue viejo, no llegó a leerse un libro del todo, sin saltarse nada (II, 210).

De los tres hermanos, Pío no fue el único que se dedicó a escribir. De Darío nos cuenta que «era aficionado a la literatura» (II, 292) y que dejó un diario contando su vida. Ricardo pudo escribir más. Ha publicado libros y artículos.

En el capítulo anterior, veíamos que Baroja empezó a hilvanar historias con su compañeros de universidad. Pero la afición por la literatura había empezado antes. En el bachillerato, él y Carlos Venero se hacen amigos de dos estudiantes mayores, porque éstos en colaboración habían logrado estrenar sainetes, aunque añade, «de inferior calidad y bastante desprovistos de gracia» (II, 178-9).

Las primicias de Baroja escritor aparecieron en *El Liberal,* cuando estudiaba el tercer año de carrera. Debía tener unos 18 años [3]. Publicó dos artículos sobre dos científicos. Confiesa

---

[3]   Intentaremos dar un pequeño bosquejo de la labor literaria de Baroja como éste la expresa en sus *Memorias.* No pretendemos que ésta sea exhaustiva, pues su autor no lo pretendió tampoco. Y nuestro objetivo en esta tesis es el autor de las *Memorias.* Hay unas pequeñas

que había leído algo de ellos, pero que los datos los sacó del
Larousse (II, 237). Al año siguiente publicó otros más, uno
sobre Dostoiewsky en un periódico de San Sebastián. Por esa
época, ya había comenzado a escribir cuentos y dos novelas.
«La una se titulaba *El pesimista* o *Los pesimistas*, y la otra
Las buhardillas de Madrid. Creo que una de ellas debía pare-
cerse a mi novela *Camino de perfección*, y la otra a *Las aventuras de Silvestre Paradox*» (II, 237). En Valencia, a pesar de
haberse apartado de la literatura, publicó algo en una revista
de arte, y en un suceso de la vecindad, encontró la inspiración
para escribir su cuento *Medium*, publicado más tarde en *Vidas sombrías*. Al volver a Madrid para hacer los cursos del doctorado, vuelven sus aficiones literarias. Comienza «a escribir en la *Justicia*, periódico de Salmerón» (II, 288). Y se acercó a visitar a Nákens, director del *Motín* y amigo de su padre, probablemente con la idea de publicar algo. La dura
crítica de aquél a sus artículos, que el autor hoy califica de
«engendros» [4], le valió la enemistad eterna. También había
publicado algo en *El ideal*, pero sin firmar (II, 288). Médico en Cestona, Baroja publicó un artículo en la *Voz de Guipúzcoa* con motivo de las fiestas del pueblo (II, 314). Es muy
probable que publicara algo más, pero no nos lo dice. Sin
embargo, allí se debieron de incluir varios de los cuentos que
aparecen en *Vidas sombrías*. Las fiestas de Airzarnazabal le
inspiran *Elizabide el Vagabundo* (II, 359). Una excursión que
hace con su padre, por asuntos de éste, a una mina donde vi-

---

contradicciones y que quizá no sean tal. Por ejemplo, habla de su tercer
año de carrera y cita que publicó dos artículos en *El liberal*, cuyos
datos sacó del Larrouse (II, 237) y más tarde, refiriéndose a la época
en que empezó a colaborar en *La Justicia* dice: "No era ésta la primera vez que aparecía mi firma en un periódico. Cuando yo estudiaba el
cuarto año de Medicina se me ocurrió enviar algunos artículos, uno
de ellos sobre Dostoiewsky, a *La Unión Liberal*, de San Sebastián, donde me los publicaron. También había escrito en *El Liberal*, de Madrid; ..." (II, 288). ¿Cuándo? ¿Un año antes?
  [4] "Como principiante, yo creía, como creen la mayoría de los principiantes de sus engendros, que mis artículos estaban bien, que tenían
interés" (II, 289). Vemos aquí muy claramente el doble plano temporal
característico de las autobiografías. El Baroja de hoy califica de "engendros", los artículos que el Baroja de ayer consideraba "interesantes".

ven dos mujeres puapísimas con un viejo, le inspira *Bondad oculta* (II, 354). A más de estos cuentos de ambiente vasco, su vida de médico en Cestona sirvió para modelar la vida de Andrés Hurtado, médico en Alcolea del Campo [5].

A su vuelta a Madrid para regentar la panadería, Baroja vivirá en una casa que ya existía en un plano del xvii (II, 362). Estaba situada en la calle de la Misericordia. Era una casa grande, vivienda, panadería y sótanos. Se decía que por un pasadizo se comunicaban éstos con el Palacio Real y las Descalzas Reales. Baroja gustaba de recorrer la casa de un extremo a otro y con el tiempo la sacó en dos de sus novelas [6], publicadas ambas cuando ya habían tirado la casa (II, 413). Por esa época se dedica a publicar con bastante frecuencia, «entre cuenta y cuenta y factura de la panadería» (III, 74). En 1897, aparece su cuento *Bondad oculta* en la revista *Germinal,* que dirigía Dicenta [7]. Fue su primer escrito comentado con éxito (III, 74). Su panadería fue, por lo visto, lugar de conocimiento de varios tipos extraños a los que después irá sacando en sus libros (II, 396-400). Tipos, ambientes, todo captará la retina de Baroja, y echará mano de ellos cuando lo necesite. Como, por ejemplo, los Jardines del Retiro, que estaban donde hoy el Palacio de Comunicaciones, lugar de reunión de los que no iban de veraneo. Este ambiente lo reproducirá mucho más tarde en su novela titulada *Las noches del Buen Retiro,* publicada en 1934, de la que dice su autor «que no está mal y que es un documento de la época» (II, 400). Pero esto es adelantar, sigamos el orden cronológico de la producción barojiana.

En 1899 empieza a publicar en *El País* y *La Revista Nueva.*

---

[5] Pío Baroja, *El árbol de la ciencia* (Madrid, 1922), pp. 189-250. Su vida de estudiante de Medicina en Madrid y Valencia inspiró también la de Andrés Hurtado. Aquí se podría aplicar la frase de Oscar Wilde de que la vida imita al arte pues Pío Baroja en sus *Memorias* reproduce párrafos completos cuando habla del estudiante de Medicina o del médico (II, 197-356), como para la infancia y juventud los reproduce de *Silvestre Paradox, La sensualidad pervertida* (II, 124-42), y otras.

[6] "Esta casa de la calle de la Misericordia aparece en varias novelas mías: en los *Ultimos románticos* y en la segunda parte del volumen titulado *El sabor de la venganza*" (II, 366-7). Novelas publicadas en 1906 y 1921 respectivamente.

[7] Baroja habla de Dicenta en (III, 198-9 y 324-5).

En la primera había dos directores en ese tiempo, Roberto Castrovido y Ricardo Fuente. Mientras aquél, según Baroja, era muy buena persona, «No tenía envidia ni celos de ningún colega» (III, 74). El segundo, a quien todos tenían por tipo bohemio y perezoso, en realidad, «era un hombre agazapado en la vida, que acecha la ocasión para lanzarse sobre algo» (III, 75). Y se lanzó sobre alguien. Entre él y varios de los redactores empezaron a decir que Azorín era un atravesado. En opinión de Baroja, en ello no había sino política. Su experiencia lo llegó a convencer de que cuando se decía algo en las tertulias literarias, había que creer siempre lo contrario.

La Revista Nueva fue fundada por Luis Ruiz Contreras, quien le pidió a Baroja que publicara e interviniera en los gastos. Baroja llevó algún mueble y algún grabado a la redacción, pagó su cuota dos o tres meses, pero al ver que otros periodistas no tenían que pagar y eran más solicitados, se negó a dar más dinero. Le prohibieron colaborar y Ruiz Contreras lo acusó de desagradecido, pues en su opinión, él lo había lanzado [8]. Pío Baroja, por su lado dice:

... Ruiz Contreras ha sido un maquinador sempiterno, casi un maníaco, porque no se explica la maquinación en un terreno tan pobre como el de la literatura. Tampoco se comprende que un hombre guarde unas supuestas cartas de un estudiante de hace más de cincuenta años, ni siquiera dirigidas a él, sino a su hermano. Que Napoleón o Fouche, o Clemenceau o Churchil, guardaran cartas por precaución, se explica, pero un escritor en Madrid, qué cosa más grotesca (III, 77) [9].

---

[8] Según Ruiz Contreras, él le aconsejó que escribiera *Paradox* y encima lo introdujo en la *Revista Nueva*, pero Baroja se retiró, y añade: "Convirtióse de pronto en un 'fiero' enemigo; escribiendo la novela que yo le aconsejaba, no desdeñó aprovechar algunas oportunidades de mi cosecha, y en venganza y en pago del bien que le hizo me satirizó en uno de sus personajes más desgraciados y canallescos". Luis Ruiz Contreras "Recordando a Pío Baroja" en Fernando Baeza, II, página 45.

[9] Al parecer Luis Ruiz Contreras publicó unas cartas que Pío Baroja escribió a un hermano de aquél, compañero suyo de estudios. Baroja dice que no las recuerda, que deben ser falsas (IV, 286-7). Según Luis Grangel, Luis Ruiz Contreras reproduce la correspondencia entre Baroja y su hermano en *Memorias* (Madrid, 1946), pp. 60-67. Luis Grangel, *Baroja y otras figuras del 98*, pp. 45-6.

y añade que antes que en ese periódico había publicado en muchos otros.

Ese mismo año hace Baroja su primer viaje a París (III, 83), cuyos escenarios habría de pintar tan bien en sus obras. No llevaba sino quinientas pesetas, y tenía la vaga idea de encontrar trabajo en alguna casa editorial de esas fundadas con vistas al mercado americano. Pero como ha sido común siempre en la vida de Baroja, no pudo encontrar trabajo de ninguna clase. Claro que ese exceso de tiempo libre, le permitió conocer la ciudad mejor que la mayoría de los parisinos. Este viaje no le dejó un buen recuerdo a Baroja. No conoció «más que a periodistas y pintores franceses, españoles e hispanoamericanos...» (III, 169). En los viajes sucesivos se relacionó con franceses normales y corrientes, y éstos le gustaron más. Se le acabó su dinero y tuvo que volver a España con un viaje de indigente que le consiguió el consulado. No nos dice lo que escribió en esa época. Sólo menciona que un amigo le tradujo un artículo que se publicó en *L'Humanite Nouvelle* (III, 135). Probablemente no publicó más en París, pues se hubiese ido con un recuerdo mejor. En España debió de publicar más, a juzgar por la reproducción que hace de uno aparecido en *La Voz de Guipúzcoa* (III, 167).

A su vuelta de París, vuelve a reunirse «con la gente literaria» (III, 175). Entra en contacto con Bernardo Rodríguez Serra —el editor que tan buen recuerdo había de dejar en Baroja— y le muestra *Vidas sombrías* en 1900. Pero éste no lo aceptó y Baroja hubo de publicarlo por su cuenta. Del libro se habló y se escribió —uno de ellos fue Unamuno—, pero no se vendió. Baroja, con rabia, acabó quemando ejemplares. Sin embargo, de esta publicación surgió la amistad con Azorín —se conocían de vista—. Este se interesó por el autor del libro y se acercó a saludarlo (III, 176). Ruiz Contreras inventa, según Baroja, al contar este incidente (IV, 185).

Poco después viene la publicación de *La casa de Aizgorri* en una editorial vascongada, por influencia de Maeztu, a cuyo director conocía éste (III, 176-7) [10]. Azorín y Valle-Inclán, en-

---

[10] Sin embargo, Marino Gómez-Santos en la bibliografía que da al final de su obra dice que fue publicada por Rodríguez Serra. Marino Gómez-Santos, *Baroja y su máscara*, p. 215.

tre otros, publicaron artículos sobre la obra. Se le atribuyó influencia de Maeterlink, del cual Baroja no había leído nada. Cree que de haber influencia sería por las conversaciones. Baroja reproduce en esta obra, una escena que había contemplado allá por 1888, en un viaje que dio con su padre a Vera del Bidasoa, donde con el tiempo habría de comprar la casona de Itzea. Su padre tenía que ir a Lesaca, un pueblo próximo, por asunto de minas. En la fonda dos hombres tocaban la guitarra, escena que le debió quedar bastante grabada (I, 10).

Por esa época, Rodríguez Serra lo debió introducir a Emilio Ríu, director de *El Globo* (III, 229), y lo llevó a visitar a Palacio Valdés (III, 267-70) y a Valera (III, 270-1). Baroja hace una semblanza de ambos.

Al año siguiente, 1901, Rodríguez Serra le publica *Aventuras, inventos y mixtificaciones de Silvestre Paradox,* «que había aparecido en folletín en *El Globo*» (III, 176). Algo antes debió conocer a Paul Schmitz que fue como el introductor de Nietzsche en España. Las conversaciones de los dos amigos aparecen reproducidas en *Camino de perfección,* novela publicada en 1902, habiendo aparecido antes como folletín en *La opinión* (III, 187). El editor fue de nuevo Rodríguez Serra y entre él y Azorín prepararon un banquete homenaje a Baroja. Asistieron a él autores consagrados como Galdós y Ortega Munilla. Pero el ambiente fue desagradable. Surgieron discusiones entre los asistentes y hubo hasta puñetazos entre algunos de ellos y unos señoritos que se burlaron de los modernistas, como llamaron a los escritores (III, 189-90). En cuanto al protagonista de la obra, Baroja dice que para él se inspiró en uno que había sido estudiante de Medicina, a quien conoció Baroja cuando el doctorado. Dice de él que se mostraba «decadente y satánico» (III, 188) y lo debió unir al personaje de *El pesimista,* la novela que había abandonado al ir a Valencia. En esa misma novela hizo una contrafigura de don Juan Valera en un cura de Toledo. Aunque aquél no parecía molesto, por ello, a Baroja le dio después vergüenza volver por su casa (III, 270-1).

En ese mismo año, 1902, el director de *El Globo* lo envió a Tánger a que hiciera un reportaje de la guerra. Baroja confiesa que no hizo gran cosa, pues se pasó el tiempo enfermo

(III, 234). Poco después estuvo de crítico teatral en el mismo periódico, pero el ejercer la crítica con su sinceridad acostumbrada, le creó enemistades, entre ellas la de Dicenta, al opinar sobre su drama *Aurora* (III, 198-9). Por esa época, la familia Baroja abandona la calle de la Misericordia y se muda a la de Mendizábal. Con ello, la soledad de Baroja se acentuó. A los amigos no les venía de paso acercarse a su casa a charlar, y Baroja poco amigo de todos los espectáculos públicos, situación agravada por la lejanía del centro, dejó de asistir a teatros [11]. En esta nueva casa fue donde se puso a escribir *El Mayorazgo de Labraz*, que apareció en prensa en 1903. De ella dice Baroja:

> ...es una novela desigual, mal compuesta; pero que tiene un fondo de romanticismo y cierto color y movimiento (III, 266).

Confiesa que intentó escribir una obra de teatro, imitando el estilo de una de Shakespeare, pero que no le salió, porque no podía hacer hablar a sus personajes de una manera alambicada y retórica (III, 266-7).

No era la primera vez que Baroja probaba fortuna con el escenario. *La casa de Aizgorri* la mandó a una compañía teatral, que después de tenerla seis meses en su poder, le contestaron con todos los lugares comunes que se contestan a los principiantes. Al parecer ni se molestaron en abrirla, pues Baroja sospechándolo, pegó varias hojas al principio y al final y así se la devolvieron (III, 177-8). Tres de los personajes del *Mayorazgo* están inspirados en la posadera y sus hijas de un pueblo. Abornícano, donde paró con su padre, debido a los líos de minas de éste (II, 354-6).

Rodríguez Serra ya debía haber muerto. Baroja empieza a escribir *La busca* que «se publicó primero como folletín en *El Globo*, y después como era demasiado largo para ser un solo tomo, se convirtió en tres» (III, 244). Algunos le aconsejaron que siguiera con ese tipo de literatura, pero Baroja consideraba que en un caso así, lo mejor para un escritor es

---

[11]   Francisco García Pavón comenta la actuación de Baroja. Francisco García Pavón, "Pío Baroja, crítico de teatros" en *Encuentro con don Pío. Homenaje a Baroja* (Madrid, 1972), pp. 145-51.

apartarse lo más posible «hay que separarse de todo lo fácil»
(III, 245). *La busca* y *Mala hierba* son apuntes del natural [12];
en ellas el estilo intentaba ser impersonal. En *Aurora roja,* en
cambio, Baroja nos dice que puso «en ella una retórica en
consecuencia con los tipos de gentes exaltadas y enloqueci-
das de la obra» (III, 248).

Poco después, Azorín y él abandonan *El Globo* y en colaboración con Carlos del Río, periodista sevillano, publican la revista *Juventud* (III, 263). Poco debió durar la revista, pues Baroja no vuelve a aludir a ella. Poco antes o poco después, más
o menos en 1904, Baroja decide ir a un pueblo de Andalucía.
Había estado en el entierro de un amigo. Hacía frío en Madrid
y tenía un poco de fiebre. Escoge Córdoba. Con las impresiones de esta ciudad escribe *La feria de los discretos,* publicada
en 1905 (III, 336) que inicia la trilogía *El pasado.* Entre éste
y los dos tomos que le siguen no hay unidad ambiental, ni de
personaje. El segundo, *Los últimos románticos,* su acción empieza en Madrid, donde describe la casa de la calle de la Misericordia, y continúa en París. Allí muchas anécdotas de su
primer viaje a dicha ciudad. Baroja comenta que en sus *Páginas escogidas* dijo de esta novela que valía poco [13]; pero que
al releerla últimamente no le parece peor que las otras. Vuelve a París a refrescar sus recuerdos, y visita muy a menudo a
Don Nicolás Estévanez, el político republicano exiliado, cuya
semblanza nos dio Baroja (IV, 136-40). Con las noticias que
le da éste, reconstruye la parte histórica de *Las tragedias grotescas,* el Segundo Imperio. De esta novela opina que «destila
melancolía» (II, 341), tristeza y desesperanza. No sabe por qué
razón. Lo achaca a sus paseos por los jardines de Luxemburgo
en otoño.

En 1906 tiene lugar el atentado contra los reyes de Mateo

---

[12] La convivencia con sus panaderos le impulsó a conocer los barrios bajos y las afueras de Madrid. Las descripciones de *La Busca* las
reproduce Baroja en el tomo titulado *Reportajes* en la parte "Lo que
desaparece en España" (VII, pp. 64-8).

[13] Baroja al revés de todo el mundo, parece que le gusta quitarse
mérito. Leí esta novela hace mucho tiempo, pero el personaje, en su
falta de carácter está muy bien trazado. Las anécdotas de París son
entretenidísimas.

Morral. Este suceso histórico inspira a Baroja *La dama erran-te*, primera parte de la trilogía *La raza*. La huida de la prota-gonista María Aracil con su padre por tierra de Castilla, Ex-tremadura y Portugal, está basada en un viaje que hizo Baroja en burro, con su hermano Ricardo y Ciro Bayo. Ciro Bayo pu-blicó también un libro sobre el viaje titulado *El peregrino en-tretenido*, que en opinión de Baroja es un libro «de paisajes inventados, pues no tiene nada de lo visto en el camino» (IV, 122).

Por esta época, 1906 más o menos, Baroja marcha a Lon-dres, a conocer los rincones descritos por Dickens (III, 277). Con sus impresiones escribe *La ciudad de la niebla* en la ciu-dad vasca de San Juan de Pie de Puerto, adonde le había acon-sejado su amigo Darío Regoyos que fuera, pues encontraría un buen paisaje para una novela. De ahí marcha a San Sebas-tián, donde indagando se informa de un tal Fuentes, al que llamaban *Fuentesch*, que había sido pelotari y «Había estado en la partida del cura Santa Cruz, y recordaba a los tipos prin-cipales de su cuadrilla» (III, 342). Con estos detalles urdió la trama de *Zalacaín, el aventurero* y la publica en 1909. Baroja se extraña de que esta novela escrita en un par de meses se haya explicado en la Sorbona y leído en las aldeas vascas, mientras otras novelas suyas en que ha puesto más empeño no hayan conseguido ni una cosa ni otra (V, 276). Nos cuenta que últimamente intentó leer ésta y *El mayorazgo* y que no pudo concluirlas de la tristeza que le produjeron. Le dieron la sensación de algo completamente acabado (IV, 77).

Con el dinero que le dieron por esta obra decide irse a Ita-lia. Visita Florencia, Milán y luego pasa a Ginebra donde se encuentra con su amigo Paul Schmitz (III, 342-3). Poco des-pués decide volver a Italia. Esta vez con la idea de escribir una novela sobre la figura histórica de César Borgia, la visita a cuya tumba, en Viana de Navarra, en compañía de Maeztu, más de diez años antes, le había despertado interés por el per-sonaje. Al llegar a Roma abandonó la idea. Necesitaba docu-mentarse históricamente. «Había que averiguar un conjunto de detalles de vestuario, de muebles, de costumbres, cosa que exigía mucho tiempo, mucho estudio, y que, después de con-seguido, podía producir un libro muy aburrido» (III, 50). Esta

será una constante en la novelística barojina, Baroja no se
mete nunca a escribir de algo que no ha visto o estudiado con-
cienzudamente. Pero de su visita a Roma, algo le salió, su
novela *César o nada*, publicada en 1910. En el personaje puso
algo de su homónimo histórico. La primera parte ocurre en
Roma, en una pensión cuyo ambiente debía ser muy similar
a aquél en el que Baroja estuvo. Por esta novela se dijo que
su autor era un precursor del fascismo. Baroja contesta que
eso no es verdad, que intentó solamente enfrentar objetivamen-
te dos fuerzas y dejar que triunfara la mayor (V, 246). *César
o nada*, apareció primeramente como folletín en *El Radical*.
Su director era Alejandro Lerroux, el político republicano. Según Baroja, los colaboradores eran gente de poco fiar y amigos de darse zancadillas políticas (III, 358-9).

Al año siguiente, 1911, aparece *Las inquietudes de Shanti
Andía*. La empezó a escribir en Madrid en primavera, pero
para avivar los recuerdos portuarios, se fue durante el verano
al Cantábrico. Los datos de los negreros se los suministraron
unos viejos marinos, ya retirados. Es una novela con bastante
autobiográfico por sus recuerdos infantiles de San Sebastián.
Incluso la tía Úrsula es una contrafigura de su tía Cesárea.
Las aventuras de piratería confiesa que están inspiradas en
«Poe, Wayne Reid, Stevenson, etc.» (III, 361).

Ese mismo año publica «*El árbol de la ciencia*, libro de
carácter filosófico, en donde yo había puesto mis preocupaciones de médico y de aficionado a la filosofía» (III, 362). A pesar
de que ninguna escena de la novela ocurre en París, la empezó a escribir en dicha ciudad en uno de sus tantos viajes. En
opinión de Baroja es la mejor de carácter filosófico que ha
escrito. «Probablemente es el libro más acabado y completo
de todos los míos, en el tiempo en que yo estaba en el máximo
de energía intelectual» (III, 365). Con esta novela se cierra la
trilogía *La raza*, el personaje principal, Andrés Hurtado, no
tiene nada que ver con María Aracil, el de las otras dos, pero
hay un personaje subalterno, que alcanzará más relieve en la
última, que las une, el Dr. Iturrioz.

En 1912, aparece *El mundo es ansí*. Esta novela surge con
motivo de la boda de Paul Schmitz en 1909, con una rusa en
la Iglesia ortodoxa en la ciudad vasco francesa de Biarritz. Su

amigo le telegrafió que fuera uno de los testigos. Después de la boda visitaron algunos pueblos de los alrededores. Con estos detalles empieza la novela (I, 11). La novia y protagonista de la obra es rusa. Todo lo demás es imaginado.

Poco después empieza la publicación de los veintidós tomos que forman las *Memorias de un hombre de acción*. Nos dice Baroja que había oído hablar de su pariente Aviraneta, que primero no sintió un mayor interés por él, luego éste fue despertándose y empezó a investigar en 1911. En el capítulo anterior, en la parte dedicada a las quejas de Baroja contra la sociedad, veíamos las dificultades con que tropezó para hojear unos legajos sobre dicho personaje (V, 253-7). Entre los varios tomos que componen la obra, opina Baroja que hay algunos «que están-bien: por ejemplo, *El aprendiz de conspirador, La Veleta de Gastízar* y *El sabor de la Venganza*» (V, 257). Como muchos lo han comparado con los *Episodios Nacionales* de Galdós, Baroja establece las diferencias entre ambos. Mientras Galdós fue a la Historia por su interés en ella, él lo hizo por su interés en su pariente. Galdós trata de los momentos más brillantes. El tuvo que acoplarse a los que le dio su personaje. Para Galdós la España de esta época no era como la de hoy. Para Baroja es la misma. Luego alude a sus cualidades de investigador, cosa que en su opinión no tuvo Galdós (V, 257-8).

Baroja insiste muchas veces en que los tipos de sus novelas están sacados de la realidad. A lo largo de los siete tomos de sus *Memorias,* nos va hablando de las distintas personas que fueron poblando sus novelas. Otras nos muestra sin decirnos nada, pero nada más presentárnoslas, evocamos al personaje de tal o cual novela, a pesar del cambio de nombre. Pero el relacionar esos personajes y sus contrafiguras es materia para otra tesis.

Al acabar el tercer tomo de sus *Memorias, Final del siglo XIX y principios del XX,* Baroja decide abandonar el carácter cronológico de su narración. Es una pena porque ya no nos vuelve a hablar de su producción de una manera sistemática [14].

---

[14]   Podríamos nosotros completar la historia de la producción de

Ambiente

Entre los escritores de esa época, no debía reinar un ambiente de paz y concordia. El éxito en los demás es algo que no puede ser contemplado con tranquilidad. En alguna de sus obras dice Oscar Wilde, «Podemos simpatizar con los fracasos de nuestros prójimos. Simpatizar con sus éxitos requiere una naturaleza delicadísima». Es sabido que debido al asombroso éxito de *El Romancero gitano,* el ambiente literario se puso tan difícil para García Lorca que fue una de las cosas que lo impulsaron de ir a Nueva York. Baroja confiesa que él no llegó a sentir la rivalidad literaria, pues al publicar un libro, cogía el dinero y se iba de viaje. Al volver ya no se acordaba del libro publicado sino del que iba a escribir (III, 72). Claro que esto no debió de ser al principio de su producción, pues en otra ocasión alude a los escritores infecundos que se sienten molestos porque alguien escribe algo y hacen chistes (III, 188) [15]. Asegura que entre los escritores de su época no conoció más que la envidia del éxito y la acusación subsiguiente de plagio u homosexualismo (III, 71). Baroja achaca esto a que siendo la literatura un pobre oficio no se puede esperar generosidad de sus cultivadores. Esto no es privativo de la época. No hay más que recordar como se lanzaron contra Ruiz de Alarcón sus compañeros en el xvii (IV, 42-3). Sin embargo, ahora se

---

Baroja, pero no lo hacemos porque el propósito de esta tesis no es hacer una Biografía de Baroja, sino analizar sus *Memorias.*

[15]   Y en otras partes comenta;

"Hay gente de una escasez de recursos tan grande y tan entusiasta del oficio de escritor, que no sólo hacer algo en literatura, sino hacer algo medianamente bien, les parece tan extraño, que se queda ofendida con el principiante bantante audaz para escribir mucho, y esta audacia no se la perdona nunca. Así persigue al compañero audaz con la llaga disimulada y una sonrisa fingida, y muestra su dolor con protestas o con supuestas ironías" (I, 83).

Pone de ejemp o a: "Don Vicente Colorado ... hablaba con saña de todo el mundo ... había escrito un tomo de poesías que se titulaba *Besos y mordiscos,* y otro libro, *Hombres y bestias* ... Era un hombrecito belicoso, que se derretía de cólera cuando hablaba de algún escritor que tenía éxito" (I, 83).

ha agravado pues el escritor para subsistir necesita de otras
actividades (III, 349). Por todo ello, en la «troupe» literaria:

> ... la gente, en general, era grosera; sin la menor delicadeza se
> insultaban, se decían unos a otros enormidades. No había entre
> ellos una verdadera amistad (III, 252).

Salaverría, por su lado, refiriéndose al 98 dice algo parecido.

> Azorín estimaba a Baroja con fervorosa fidelidad, y ahí termi-
> naba la historia de las simpatías. Maeztu tenía celos de Azorín y
> detestaba a Baroja; Baroja detestaba a Unamuno y hablaba mal
> de Maeztu, y Unamuno no quería a nadie, como de costumbre,
> pues bastante tenía con atender a su gigantesca estimación de
> sí mismo [16].

Baroja comenta que por tener una panadería, entre los
literatos se hicieron una serie de chistes a su costa. Como el
de Rubén Darío que le contaron dos periodistas:

> (Rubén Darío) Dice: Pío Baroja es un escritor de mucha miga.
> Ya se conoce que es panadero.
> —¡Bah! No me ofende nada. Yo diré de él: Rubén Darío es
> un escritor de buena pluma. Ya se conoce que es indio (III, 194).

Los periodistas le contestaron que eso era una grosería. Y
Baroja se pregunta por qué. Como cuando se tuvo que vacu-
nar contra la rabia por haberle mordido un perro y el periodista Luis Bello [17] publicó en Madrid un artículo diciendo que
no se sabía quien había transmitido la rabia a quien. Baroja
se maravilla de que le exijan benevolencia a él cuando ésta no
existe entre los escritores (III, 194).

---

[16]   José María Salaverría, *Nuevos retratos* (Madrid, 1930), pp. 61-2.
Baroja reproduce en (I, 238), pero no con la idea de hablar de enemistades entre los del 98, sino para acusar a Salaverría de cuquería.
[17]   Luis Bello debió de ser de siempre enemigo de Baroja, pues
muchos años antes,
"Recuerdo que, citado una vez con Azorín, nos encontramos con el
escritor cubano 'Fray Candil', que a mí me parecía un hombre antipático y presuntuoso, y éste dijo que la noche anterior había estado
en la Redacción de *El Imparcial,* y allí Manuel Bueno y Luis Bello le
decían a Ortega Munilla con tesón que no publicara nada mío, porque
no valía la pena, y que yo era un congrio" (I, 245).

Es divertido comparar el distinto concepto que tienen en dos países como los Estados Unidos y España de las actividades mercantiles. En un artículo que John Dos Passos dedica a Baroja [18] habla del escaparate de la panadería en la calle Capellanes, sin asomo de burla, casi con elegancia. En cambio en España, hasta los catalanes, a pesar de ser fabricantes le echaban en cara su profesión, según Baroja (III, 192) y un empleado de uno de sus editores decía: «—Mire usted que publicar libros de un panadero» (III, 191). Y en una de las cartas que escribió Lerroux contra Baroja, molesto por las opiniones de éste, una de las cosas que le achaca es el haber sido panadero (IV, 195) [19].

La vida de Baroja como escritor era, en opinión de su sobrino Julio, «la de un hombre de letras dedicado al trabajo, de modo absorbente» [20]. Y Baroja refiriéndose a su última época, a la presente, nos dice que se levantaba antes del ángelus y a las seis ya estaba en su tarea (I, 8). Al parecer durante toda su vida trabajó hasta la hora de almorzar. Luego por la tarde el paseo a las librerías de viejo en su juventud y madurez [21] y a lo último la tertulia de admiradores y amigos en su casa.

Baroja hace la semblanza de la mayoría de los escritores de su época. De algunas hemos hablado en la parte dedicada a las simpatías y antipatías en el segundo capítulo. No podríamos hablar de todas. Reproduciremos algunas de las más sorprendentes.

De Alejandro Sawa, Baroja nos dice, que cuando se lo presentaron no había leído nada de él, pero su aspecto le atrajo. Un día lo siguió sin llegarse a atrever a acercarse. Lo que hizo otro en que aquél iba acompañado del francés Cornuty [22], am-

---

[18] John Dos Passos, "Un novelista revolucionario" en García Mercadal, II, 230-1.
[19] Esta actitud continúa en España. Recuerdo que un señor hablaba un poco con desprecio de Truman porque había sido camisero.
[20] Julio Caro Baroja, Los Baroja, p. 75.
[21] Ibid., p. 81.
[22] De este francés habla Baroja en (IV, 92-7). Con el nombre de Caruty hace su contrafigura en Aurora roja, Obras completas I, p. 583.

8

bos recitando a Verlaine. Fueron a una cervecería. Baroja
pagó y:

> ... Sawa me pidió tres pesetas. Yo no las tenía, y se lo dije.
> —Vive usted lejos —me preguntó Alejandro, con su aire or-
> gulloso.
> —No, bastante cerca.
> —Bueno, pues vaya usted a su casa y tráigame usted ese di-
> nero. Me lo indicó con tal convicción que yo fui a mi casa y se
> lo llevé.
> El salió a la puerta de la taberna, tomó el dinero, y dijo:
> —Puede usted marcharse.
> Era la manera de tratar a los pequeños burgueses admiradores
> en la escuela de Baudelaire y Verlaine (III, 200).

Al publicar *Vidas sombrías* ya lo dejaron entrar en el cón-
clave. Sawa, después de ello, lo saludaba siempre con un:

> —Sé orgulloso. Has escrito *Vidas sombrías* (III, 200).

Según Baroja nunca oyó a nadie decir las cosas tan duras
que le oyó a Sawa. Una tarde en el Circo Price cuando la reina
Victoria de Inglaterra estaba muy grave, se le acercó Alejandro y le dijo en voz alta y tartamudeando:

> —Ese besugo podrido ... de la Reina Victoria ... parece que to-
> davía ... no ha terminado de agusanarse.
> La gente distinguida de los palcos le miró con repulsión y con
> asombro (IV, 389) [23].

Luego surgirían las enemistades. Sawa dio a Baroja unos artículos sobre París para que él añadiera algo y publicar un
libro en colaboración. El tono altisonante y retórico del otro
no se acomodaba al gusto de Baroja que se negó. Otro motivo
de enemistad fue un retrato que Ricardo Baroja quiso hacer a
Manuel Sawa, hermano de Alejandro, atraído por su aspecto
de rabino. Alejandro preguntó si él no serviría.

> —No, no —dijimos todos— Manuel tiene más carácter. Esto
> pasaba en el café Lisboa.
> Alejandro no replicó nada; pero unos momentos más tarde
> se arregló la melena, y después, mirándonos de arriba abajo, y
> pronunciando bien las letras, dijo con retintín: —M...
> Luego se marchó del café (III, 201-2).

---

[23]   En *La caverna del humorismo*, Baroja aplica esa anécdota a
Manuel Sawa, no a Alejandro. Pío Baroja, *La caverna del humorismo*,
Obras completas V, 479.

El último motivo fue que Baroja hizo una contrafigura suya en una de sus novelas y el otro se enteró [24]. Ya Sawa muerto, en 1910 apareció su obra *Iluminaciones en la sombra* donde pone bastante mal a Baroja físicamente [25] y como escritor, por adulterar su primitivo estilo a modo de los escritores de la época (III, 198-206).

A casa de Palacio Valdés fue Baroja llevado por Rodríguez Serra. Al decir de Baroja don Armando se pasó el tiempo alabándose. Según él, un crítico norteamericano decía que de ser español, preferiría antes perder las colonias que dejar de tener un escritor como Palacio Valdés. Baroja añade que Gómez Carrillo [26] le contó que eso lo inventó él y se lo dijo a don Ar-

---

[24] No sabemos en que novela lo pintó Baroja. Donde sí aparece, la relación de las *Memorias* es casi una exacta reproducción de ella, es en *Juventud, egolatría,* publicada en 1917; pero en esa época ya Sawa había muerto, pues su libro *Iluminaciones en la sombra* fue publicado póstumamente en 1910.

[25] Baroja reproduce parte del artículo que Alejandro Sawa le dedicó en su libro *Iluminaciones en la sombra.* Destacaremos los trozos relativos al físico barojiano:
"Era un hombre macilento, de andar indeciso, de mirada turbia, de esqueleto encorvado, que parecía pedir permiso para vivir a los hombres...
Es porque nunca la escultura ha soñado en hacer cariátides con los tuberculosos" (III, 205).
Baroja debía sentir horror a la tuberculosis. Cuando la cogió su hermano Darío, claro que coincidió con los suspensos de Letamendi y Hernando, Pío nos dice:
"Mi pesimismo se hallaba en el más alto grado.
Todos nos vamos a morir así —pensaba yo—. Se nos contagiará la enfermedad uno tras otro" (II, 278).
Y como dice José María Salaverría:
"Si aún conserva un instintivo horror a los resfriados y a las contaminaciones epidémicas, ya no teme a la tisis ni a la dolencia misteriosa que antes, como una quimera, estaba en el aire, no se sabía donde, constantemente amenazando. Su salud es buena; engorda bastante; tiene un palacio, una gran biblioteca, comodidades. La gloria va confirmándose cada día más". José María Salaverría, *Retratos* (Madrid, 1926), p. 88. Por ese miedo que Baroja tenía a la tuberculosis, le debió molestar más aún el artículo de Sawa.

[26] Baroja habla de él en (III, 145-7) y en (IV, 179-182). En esta última cuenta como Gómez Carrillo lo desafió y Baroja nombró padrino a Valle-Inclán de que hablábamos en el capítulo primero. El motivo fue el clásico entre los escritores, envidia de un banquete ho-

mando un día que necesitaba una recomendación. Palacio
Valdés dijo luego que los críticos norteamericanos no se ponían
de acuerdo en quien era mejor escritor si Tolstoi o él. Pasó a
hablar de los escritores de su generación y con la excepción
de Blasco Ibáñez puso a todos mal. De Galdós dijo, que, «con
el tiempo, el crítico al encontrar el montón de sus libros, les
daría un puntapié y vería que dentro no había más que paja»
(III, 268). Baroja opina de él que le parecía una lata de odios
en conserva [27].

La biografía de Ciro Bayo, «viejo hidalgo quijotesco, un
poco absurdo y arbitrario» (IV, 118), está vista con simpatía.
Al parecer este personaje, sin saberlo, había comido carne humana en un poblado indio por el Amazonas. Cuando le preguntaron a qué sabía, dijo:

Tenía un ligero sabor a cerdo (IV, 131) [28].

Muchas y muchas más pequeñas biografías nos da Baroja.
Es lástima que las *Memorias* no se publiquen como los libros
de consulta con un índice, al final, de todas las personas que
aparecen. El punto de vista de Baroja es realmente chocante.

---

menaje, artículo en torno de burla contestando al agresivo del otro.
Todo acabó con una discusión entre Gómez Carrillo y Valle-Inclán que
acabaron olvidando el asunto que los había llamado.

[27] Esta frase la había aplicado "Corpus Barga" —Baroja le dedica un capítulo en (IV, 186-91) y es uno de los pocos que pone bien—
a Salaverría, y Baroja piensa que también se le podría aplicar a Palacio Valdés (I, 241).

[28] El tema de la antropofagia es uno que se da con mucha frecuencia en Baroja. Lo tenemos en *El árbol de la ciencia,* la familia del
catedrático de neurología que se comen los sesos de un cadáver que
aquél quería estudiar. *El árbol de la ciencia* (Madrid, 1922), pp. 33-4.
Los huesos para la sopa de la pensión en *La Busca,* de los cuales alguno sería humano. Uno de los *Veintiundits* que se come la oreja de
su agresor muerto (II, 283). En *El horroroso crimen de Peñaranda del
Campo,* el supuesto asesino que ha mordido un trozo de la víctima
descuartizada y le sabe a cerdo. En *El Mayorazgo de Labraz,* el ban-
dido Melitón es antropófago. En sus relaciones de los crímenes históricos encontramos algo de lo mismo. Como el capitán Prado que dio
a comer a sus soldados en el rancho trozos de la carne de su víctima.
Y Garayo, el sacamantecas de Alava, que mató a una mujer y se co-
mió un trozo de hígado. *El hotel del cisne, Obras completas,* p. 244.

IV. EL CRITICO LITERARIO

Una parte muy importante de las *Memorias*, en realidad dos de sus volúmenes —*El escritor según los críticos* y *La intuición y el estilo*— están exclusivamente dedicados a la crítica. En los cinco restantes ésta asoma acá y allá. Baroja confiesa que no se cree un gran escritor sino un espíritu crítico que intenta ver en lo que es (I, 197). Desde siempre debió tener ese mismo espíritu. No hay más que ver lo que dice de sus profesores de bachillerato y universidad. ¿Es que eran tan ineptos éstos o es el espíritu de Baroja el que le hace verlos de ese modo? Baroja reconoce que siempre que ha presenciado un suceso con otras personas, mientras éstas han tendido a amplificarlo, él ha tendido a disminuirlo (V, 64). En este capítulo dedicado a la crítica barojiana, vamos a estudiar primeramente al crítico de sí mismo, de ahí pasaremos a ver lo que piensa de sus críticos, para entrar luego en la crítica a otros autores y literaria en general.

Crítico de sí Mismo

En el capítulo anterior, al tratar del Baroja escritor, añadíamos el pequeño comentario que le merecieron algunas de sus novelas. Ahora nos toca analizar la opinión que hace a su producción como totalidad. Para Baroja su producción novelística se divide en dos etapas. Una que abarca hasta la primera

guerra mundial «de violencia, de arrogancia y de nostalgia»
(IV, 78), la otra del 14 en adelante «de historicismo, de crítica,
de ironía y de cierto mariposeo sobre las ideas y sobre las cosas» (IV, 78). Piensa que si sus libros no son obras de arte algunos de ellos tienen por lo menos «valor de documentos, porque están escritos sin la preocupación general de la época,
sin ninguna tendencia al artificio» (I, 37). No es muy optimista
acerca del futuro de su obra. Con él será como con tantos escritores que se han mantenido en un término medio durante
un cierto tiempo «hasta que va perdiéndose en la obscuridad,
y probablemente después en el olvido» (I, 214). A pesar de su
poco amor a la preceptiva, Baroja se califica de romántico-
realista. Cree que estos dos términos no son irreconciliables.
Lo que sí sabe es que no es clásico, especialmente en su sentido francés (I, 76). Clasicismo y romanticismo alternan rít-
micamente. A un período sucede otro, habiendo autores repre-
sentativos en cada uno de ello:

> ... los unos, parecidos a los corderos que pastan la hierba en el
> terreno señalado por el amo; los otros, que estiran la cuerda
> con desesperación para morder las flores lejanas que están fue-
> ra del ámbito acotado, y que a veces arrancan el poste que los
> sujeta (I, 216).

El romanticismo tuvo mayor esplendor en Francia. Al ser éste el país donde más había dominado el clasicismo, la reacción hubo de ser más fuerte (I, 131). Para Baroja una de las
definiciones del clasicismo sería ver el mundo con las normas
de otros, a quienes se considera maestros. En cambio, «El romántico pretende no tener canon» (V, 138). Por su lado, el
realismo procura, «la representación exacta de algo» (V, 123).
Como esto es muy difícil, el realismo, según Baroja, nunca podrá ser la realidad absoluta.

Por todo ello, para Baroja hay dos maneras principales de
escribir. Una es la clásica, siguiendo las reglas y componiendo
los libros a base de lecturas [1],

---

[1] "Escritores los más ilustres, como Shakespeare, Lope de Vega y
Goethe, componían sus obras leyendo otras anteriores de distintos
autores, imitándolas y modificándolas.
En el tiempo de mi juventud yo discutí bastante de esta cuestión con
Valle-Inclán y con Maeztu, que consideraban ese sistema de la lectura

... la otra es la anárquica, la romántica, que estriba en imitar la
naturaleza y la vida sin preocupación de regla fija alguna, pensando que la naturaleza tiene en sí sus leyes y que no hay más
que seguirlas (I. 38)

Y ésta es la que le gusta a Baroja, para quien las lecturas no
hacen a un autor. Uno puede haber leído todos los clásicos y
ser un mal escritor, y otro sólo folletines «y ser un hombre de
talento» (V, 318). Aunque reconoce que Shakespeare aprove-
chó todo lo anterior y logró lo que nadie, a Baroja no le interesa dar el último toque a un personaje literario, sea Don
Juan o Salomé, sino descubrir la personalidad de ese hombre
de la calle (VI, 109), «averiguar su vida y ponerla en claro»
(V, 84). Baroja dice que al principio de escribir novelas creía
que debía dejar de lado toda técnica para que no resultasen
amaneradas (V, 273). Algo más tarde, después de una conversación con Galdós en que este le demostró que había mucha técnica en *La busca* y como en los grandes novelistas como Tolstoi o Dostoiewski había una gran técnica «quizá intuitiva muy
perfecta y muy sabia» (V, 275), fue cambiando de idea y asegura que en sus últimas novelas hay más peocupación por la
composición que en las primeras. De todos modos, reconoce
que la ha descuidado bastante en sus libros. Sus novelas surgen de algo que le llama la atención, un hombre, un paisaje y
siente como la necesidad de escribir sobre ellos. Le gusta de-
tenerse en lo que le interesa. El desenlace le tiene sin cuidado.
Siempre que se ha trazado un plan no ha conseguido llevarlo
a cabo. Su técnica se podría decir que cae dentro de la que defendía Stendhal «de que la originalidad y el interés está en el
detalle» (V, 154). A Baroja no le interesa «la novela como
asunto. Es decir, como una fábula terminada en una moraleja»
(I, 237). Ni cree que los argumentos sean importantes en su
novela, ni que pretendan probar una tesis (V, 260). Se compara a un pintor medieval del gótico,

---

anterior como el mejor para producir una obra literaria, Valle-Inclán
decía que tomar un episodio de la Biblia y darle un aire nuevo, para él
era un ideal" (I, 147).

... que necesita para sus obras un horizonte abierto, muchas figuras y mucha libertad para satisfacer su aspiración vaga hacia lo ilimitado (V, 212) [2].

Por eso aunque en una ocasión dice que en él hay como en
Velázquez «Preocupación por el ambiente y por los personajes»
(I, 149), asegura que si fuera pintor no seguiría a éste o a
cualquiera de los grandes realistas, sino a los flamencos y ho-
landeses, los Brueghel, los Vermeer y a los impresionistas ingleses y franceses (I, 191). Considera que su técnica literaria
es impresionista ya que en ella lo más importante «es el ambiente y el paisaje» (I, 152). El escritor impresionista intenta
dar «una sensación pura de la realidad» (V, 132), y si en ella
hay una nota desagradable hay que darla [3]. Esta tendencia ha
venido con la época y es la que ha hecho que «Huxley, Som-
merset (sic) Maugham, Hemingway, Dos Passos» (I, 152) sean
parecidos a él. Para Baroja la tendencia de los impresionistas
es que la naturaleza crezca y el hombre disminuya y esto se
va acentuando cada vez más (I, 150). Por eso, es tan necesaria

---

[2] En un artículo de Azorín, reproducido en sus *Obras completas,*
dice algo parecido,
"Leí, un día, en una revista, un artículo firmado por un escritor que
yo desconocía; no he retenido la fabulación del cuento, puesto que se
trataba de un cuento. Sólo veo en estos momentos, con claridad meri-
diana, como si tuviera ante mí el periódico, que por un cielo azul, un
cielo de Castilla, un cielo alto y reverberante, caminaban unas nubes
blancas. Y había en todo el cuento una lejanía, una vaguedad, vaguedad de ensueño, una ilimitación que me dejaron absorto. Aquí tenía yo,
frente a lo circunscrito, lo indeterminado. Algo que, en arte, me era
desconocido, se me revelaba en estos momentos. Sí, con el vocablo *in-
determinación* podía yo expresar esta sensación grata, agridulce, mejor
dicho, que en tales momentos me conmovía. El autor de ese cuento era
Pío Baroja". Azorín "Ante Baroja", *Obras completas,* VIII, 145.
[3] Baroja no parece tener un concepto muy claro de los distintos
movimientos literarios por lo siguiente:
"El naturalismo es una doctrina que en la literatura no parece muy
fecunda. Se trata en él de reproducir la naturaleza, la realidad de una
manera exacta. Pero, ¿cómo va a haber una medida exterior justa para
todo?
Naturalismo, realismo, impresionismo, son difícil de separarlos" (V,
132).

la descripción en su novela. Baroja asegura que no podría hablar de un personaje si no supiera donde vive, y por donde se mueve (V, 205).

Según Baroja, en una novela normalmente el autor imagina el personaje principal y toma de la realidad los secundarios (V, 203). Se pueden idear personajes e intrigas, pero el autor «necesita siempre el trampolín de la realidad para dar saltos maravillosos en el aire» (V, 188). Sin ese apoyo no cre que se pueda crear nada que valga. En su caso, confiesa que a los personajes de sus novelas los ha conocido o visto. A algunos con más detalles, a otros con menos, y a algunos con estos contradictorios. En ese caso, el autor ha de suprimir ciertas cosas (V, 261), pues aunque en la vida se den, la ficción tiene su lógica (I, 126). A todos los personajes vistos que pudo utilizar los utilizó. Sin embargo, no todos los personajes se pueden amplificar de la misma manera. Cada uno tiene su capacidad (V, 261). A veces, ha creado personajes y los ha acomodado a hechos históricos, pero lo que forma la masa está sacado de ella misma, como, por ejemplo, los guerrilleros en sus *Memorias de un hombre de acción* son los hombres del campo de la época en que él visitó esos escenarios, pues opinaba que en una «tierra áspera y arcaica, como la de Castilla la Vieja» (V, 260), el hombre no podría haber cambiado mucho. En cuanto a la mujer, no cree que un hombre pueda analizar bien su personalidad. Eso lo tendría que hacer ella misma. Por eso, nunca ha intentado hacer figuras de mujeres desde su interioridad «estilo Bourget, Houssage, Prevost», sino que las ha «dibujado como desde fuera, desde esa orilla lejana que es un sexo para otro» (V, 204). La moralidad de los personajes es una cosa que le tiene sin cuidado, pero añade que nunca ha ido «por gusto a buscar lo repulsivo» (V, 262). Como materia de sus novelas, Baroja encuentra más interesante la gente pobre que la rica. Es bueno disfrutar la riqueza, «pero como motivo artístico es tan vulgar o más que la pobreza» (VII, 91). En opinión de Baroja, las afueras de Madrid no han interesado a los escritores. Galdós muestra algo de ellas en *Misericordia,* «pero es la descripción del que se asoma a ver algo que no le produce interés» (VI, 302). Baroja nos asegura que ha huido de los lugares comunes literarios y si en algún caso los ha uti-

lizado ha sido sin perfilarlos (V, 217). Ha intentado en todo
momento hablar sólo de lo que ha visto o conocido. Por eso no
se dan en sus novelas grandes aventuras amorosas. No las ha
visto por ningún lado. Sacarlas de sus lecturas no le interesa
(III, 14), pues su afición de huir de los lugares comunes le
hace reconocer todo lo falsificado, lo no inspirado en el original. A pesar de lo que se ha hablado de su pesimismo no se
considera un escritor pesimista, por el contrario, cree que en
sus novelas la realidad está suavizada (I, 128) [4].

Baroja confiesa que si pudiera mejorar sus obras las me-
joraría, por el público, pero sobre todo, por sí mismo. Lo que
nunca haría serían libros peores, pero de más resultado económico (V, 171). Como no le molesta reconocer sus errores, si
hubiera un técnico que pudiera corregir novelas se las dejaría
para que las corrigiera; a no ser que éste no encontrara más
que defectos gramaticales, que es algo que lo tiene sin cuidado
(IV, 256).

El Estilo

Para Baroja hay tres estilos principales. El primero sigue las
formas de las obras clásicas. Se adquiere con la lectura de
éstas. El segundo está basado en la «ornamentación verbal»
(V, 309). En este estilo se buscan las palabras brillantes, se elu-
den los «ques», los verbos auxiliares, los gerundios y los asonan-
tes. El autor que lo usa no pretende la exactitud sino lo lla-

---

[4] "Galdós dijo en una interviú:
—Afortunadamente, la literatura es más grata que la vida.
Yo diría a mis amigos y lectores:
—Ustedes creen que la vida que yo represento en mis libros es baja
y triste... Bien. Pues yo me contentaría con que la vida en la realidad
fuera como en mis novelas.
La literatura no puede reflejar todo lo negro de la vida. La razón
principal es que la literatura escoge, y la vida no escoge. Lo negro de la
literatura ocurre para el lector en un plazo de tiempo pequeño, y lo
negro de la vida, en años y en años interminables. Lo negro de la
literatura está elaborado y tiene una explicación y un fin; lo negro
de la vida está sin elaborar y no tiene explicación, ni fin, ni horizonte"
(I, 122-3).

mativo y raro. Baroja reconoce que esto puede dar cierta elegancia al lenguaje, pero que siempre será una elegancia amanerada y añade,

> ... por esos procedimientos se llaga pronto a la culta latiniparla y a la jerga de las Preciosas Ridículas (V, 297).

El tercer estilo es el de los que buscan antes que nada la exactitud, la claridad y la rapidez, pero con la mayor cantidad de matices. Este estilo es la más perfecta manifestación de la personalidad literaria (V, 309-10) [5]. Los dos estilos anteriores se pueden aprender; la pompa es muy fácil de imitar. Ahora, la exactitud y la precisión en un estilo sencillo son muy difíciles de lograr (I, 107-8; IV, 27). El estilo debe ser algo así como lo que calificaba el «dandy» Jorge Brummel de elegante. El elegante era aquél de quien no podíamos recordar como iba vestido (V, 302). No cree que el estilo sea algo que se pueda mejorar con el trabajo. Esto no producirá más que fórmulas amaneradas (V, 304).

Pero para Baroja el estilo no es sólo cuestión de la forma, «sino que está en la forma y en el fondo, en la acción, en los personajes, en las intrigas, en los diálogos, en todo» (V, 169). No es una cosa puramente externa, pues tiene un origen interno al ser una manifestación de la personalidad. Pero al lado de esto, el estilo está regido por unas reglas que lo hacen literario. Por tanto, hay dos estilos, uno interno y otro externo, pero ninguno de los dos se da completamente puro. El interno tiene que exteriorizarse y el externo tiene un fondo interior. Para Baroja lo interno es lo que no se puede enseñar (V, 286). Opina que en los escritores y artistas en general hay dos tipos, unos cuyo estilo va de dentro afuera, otros de fuera adentro. El «estilo de dentro afuera» es el del que se apoya en los recursos artísticos para expresar su interior. Pero ese interior tiene que existir. En cambio,

> El arte sobre el arte nunca ha sido gran cosa (V, 290).

---

[5] En otra ocasión dice Baroja:
"En español todavía no hay más que dos estilos: uno, el arcaico y castizo, y el otro, el modernista, un poco de confitería. Ninguno de los dos tiene exactitud y precisión; los dos tienden al adorno y a la jerigonza" (V, 291).

Esa interioridad es lo que aprecia Baroja en el estilo; lo «exterior y de trabajo» (V, 289), no. Lo exterior no es lo que hace a un escritor grande, pues *Don Quijote* se lee en traducciones en el extranjero, por lo que dice, no por el sonido de las palabras. Lo mismo, comenta Baroja, pasa con Dickens, Dostoiewsky o Tolstoi, a los que leemos en traducciones sin saber como suenan las palabras en el idioma original. Por lo que concluye, «No hay escritor bueno que no resista la traducción» (V, 289) [6]. En poesía reconoce que el caso es distinto.

Entre los escritores extraordinarios capaces de obras vivas los ha habido, pomposos, académicos o pobres de forma. Baroja considera que su ideal es «la retórica en tono menor» (V, 318-9), constituida ésta por «una forma tan ajustada al pensamiento que no exceda en nada de él» (V, 319).

Para Baroja, el estilo desde el siglo XVIII iba en buen camino; pero con la influencia de D'Annunzio recobró «su ascendencia gongorina» (V, 300), y surgió la moda de la prosa retórica. «Se renovó el léxico, pero no se renovaron las ideas» (V, 301). Y esta prosa que pretendía ser tan original, acabó igualando a los que la practicaban. La prosa de éstos entre sí se parecía más que la prosa tradicional en los escritores anteriores [7]. Estos modernistas dijeron que Cervantes no sabía escribir y que en cambio, Anatole France, D'Annuncio y Maeterlink eran los que sí sabían. Y concluye Baroja, que éstos ya están olvidados, mientras que Cervantes «a pesar de los elogios aburridos de los que lo comentan» (V, 304) se sigue leyendo.

A las objeciones que se han hecho de que no sabía escribir como los modernistas, Baroja contesta que ese estilo es el más

---

[6] Es que al ser el estilo de un buen escritor algo "de dentro a fuera", lo de dentro pasa tranquilamente de una lengua a otra. Lo que si cambia es lo de fuera. Expresándose el traductor con sencillez y claridad, la obra no puede sufrir.

[7] "Todo lo que se puede aprender en cuestión de estilo vale poco. En esto pasa como en la moda. Se destaca alguien y tiene aire original; luego le imita otro, y otro, y al último, lo que parecía una novedad parece un lugar común desagradable, aparatoso y vulgar de la época" (V, 301).

fácil de imitar pues tiene reglas y temas fijos [8]. Confiesa que
le gusta mejorar y probó varias veces a usar esos adornos.
Quitó «ques» y gerundios, cambió «había nacido» por «nacie-
ra» y descubrió que no era perfección sino habilidad colec-
tiva y mostrenca» (I, 266) y que no valía nada; pues Baroja
cree que la perfección del estilo está, «en no decir ni más ni
menos de lo que se debe decir, y en decirlo con exactitud» (V,
291). Por lo que deduce que «el escribir bien es muy difícil.
No hay reglas, y si las hay no sirven para nada» (IV, 26). El
sustituir la forma lógica del lenguaje por otras lleva a la larga al amaneramiento y de ahí a la pesadez y al aburrimiento.
El lenguaje es una obra de generaciones (V, 319). Reconoce la
superioridad del francés, con respecto a su claridad, sobre el
español y demás lenguas románicas, por ser la lengua en que
han escrito más científicos, filósofos, periodistas, etc. (IV, 310).

Según Baroja, la prosa tiene tres elementos esenciales: sintaxis, léxico y párrafo largo o corto. La sintaxis puede ser
regular o con trasposiciones (V, 293). Las trasposiciones y
demás figuras sintácticas dan brillantez y energía al lenguaje,
pero a veces, lo oscurecen (V, 296). El léxico tiene mucha importancia, pues el autor que emplea las palabras que está acos-
tumbrado a oír les da un sentido de autenticidad que no se
puede lograr cuando están sacadas de un diccionario. Asegura
que él no usa tampoco palabras que no entienden de entrada
la mayoría de los lectores, pues no se debe escribir para uno
sólo [9]. Nunca ha creído que sea necesario conocer la etimología de las palabras para saberlas emplear, como se decía cuando empezaba a escribir. Cuenta que escribió un artículo ex-

---

[8] "El estilo elocuente es más conocido y el que tiene reglas fijas.
Con emplearlo y ocuparse exclusivamente de palacios, de jardines reales, de catacumbas, de héroes, de grandes capitanes, todo el mundo
sería un gran escritor" (V, 292).

[9] "Otro punto no resuelto referente al léxico es de si se deben emplear palabras especiales, populares o sabias, que para mucha parte del
público no son claras de primera intención. Yo, al menos, no las empleo, porque aunque sea un individualista no puedo escribir para mi
solo" (V, 294).

Aunque él nos lo asegura, esto no es verdad del todo. Baroja gusta
de emplear términos científicos que la mayoría tenemos que buscar
en el diccionario.

plicando la etimología de unas cuantas palabras que a través
del tiempo han cambiado de significado (V, 311). Lo que pasa
es que no se puede legislar con las palabras, es el pueblo el
que acaba dándoles su significado (V, 315-6). Para Baroja,
el «verbo» (V, 300) [10] no tiene un valor absoluto. Eso es
un concepto mediterráneo que lleva a una retórica ampulosa.
Sólo una frase, es decir, un conjunto de palabras, pueden dar
un concepto aproximado de la realidad [11]. No encuentra tampoco que las palabras sean bonitas en sí. De serlo sería una
delicia leer un diccionario (V, 302) [12].

El tercer punto de consideración en la prosa es la elección
de párrafo largo o corto. Para Baroja, el párrafo largo es de
origen latino, está formado por varias oraciones y constituye
una síntesis. Tiende a la elocuencia. Nos cuenta como a principios de siglo, Azorín, él y alguien más intentaron el párrafo
corto, que da una «visión directa, analítica e impresionista»
(V, 296).

Sobre sus críticos

La relación entre ambos no debió de ser muy buena. A poco

---

[10] Baroja usa "verbo" con su sentido etimológico de palabra.

[11] Baroja para explicar que una palabra no tiene un valor absoluto, nos dice que en el calificativo que se aplica a una persona, por
ejemplo, hay mucho de pasión y que, por tanto, no la definen, y
añade:
"El que cree en la exactitud de estos epítetos es un cándido.
La Historia demuestra muchas veces que el sabio, el justo y el be-
nemérito, al cabo de cien años, es un canalla, un cretino o un tonto o
al contrario" (V, 300).

[12] Baroja reproduce un trozo de un artículo de un hispanista francés, J. Sarrailh:
"... Baroja aceptará el ideal que propone para el prosista, Alain en
su *Sistema de Bellas Artes*. Un buen escritor no cuenta jamás sobre una
palabra; lo que es propio es producir un gran efecto con la reunión de
palabras comunes". Y añade: "La prosa considerada en su pureza
tiende siempre a desviar la atención de los elementos. Las palabras
ordinarias y las construcciones comunes son aquí la materia del artista".
Y Baroja comenta:
"Pocas veces estoy yo de acuerdo con las ideas de los críticos franceses; pero en esta ocasión me siento identificado con Alain..." (I,
108-09).

de empezar sus *Memorias,* Baroja nos dice que en su tiempo
no había «crítica inteligente» (I, 6) y algo más adelante, rodeado de los recortes de periódicos que se refieren a él comenta,

> ... en la mayoría de ellos no hay más que tonterías y falsedades.
> Se ve que todo lo exterior es lo que interesa. Entre esta gran
> cantidad de periódicos que se refieren a lo que yo he escrito en
> cerca de treinta años, casi la mitad se ocupan de cosas adjetivas:
> de si he dicho o no he dicho, de si me ha mordido un perro o he
> entrado en la Academia (I, 24) [13].

A la crítica que se ocupó de él, Baroja la divide en elogiosa, media y agresiva. La primera representada por Azorín, Federico de Onís y las críticas inglesa, norteamericana y escan-
dinava. Hay otro tipo de crítica elogiosa en que según Baroja
se nota la antipatía del autor. Pone como ejemplo la de José
María Salaverría [14]. Y otra «con burlas y bromas» (I, 103) como la de Ernesto Giménez Caballero. En la crítica media hay
elogios y críticas como en la alemana [15], la de Ortega y Gasset
y la de Gómez Baquero (éste critica su estilo). Por último, la
crítica agresiva, «con todos los tópicos que se han dicho contra
mí: periódicos de provincias y sudamericanos» (I, 103).

---

[13]   Baroja empezó a escribir las *Memorias* en 1941 (I, 7). Pero habla
de la crítica de estos últimos treinta años porque en 1912 quemó toda
o casi toda, la que había guardado hasta esa fecha.

[14]   En nuestra opinión en la crítica de Salaverría lo que hay es
mucha burla. En cualquier ejemplo se ve:
"Cuando Baroja era el más madrileño de todos los madrileños des-
tinó a la Corte sus favores y experiencias municipales. Presentó su
candidatura a concejal, y fue derrotado... ¡Qué pocas veces aciertan a
comprender las multitudes lo que les conviene!" José María de Salaverría, *Retratos* (Madrid, 1926), 66-67.
Baroja nos dice que no las leyó en vida de éste y que por eso no
pudo contestar a sus críticas. Estas debieron molestar muchísimo a Baroja, pues casi todo el tomo primero de las *Memorias* lo dedica a ata-
carlo. Empieza con Salaverría en la página 8 y no lo deja del todo hasta
la 273.

[15]   Baroja reproduce trozos de una entrevista que le hizo un periodista español al crítico alemán J. P. Keins:
"Uno de los recursos técnicos de este escritor que más me admiran
es el describir tan plásticamente ciertas figuras accesorias, aunque
luego no tengan que hacer en la trama novelesca, ya que las hace
desaparecer inesperadamente. Estos personajes secundarios se nos que-

Con respecto a la crítica inglesa y de los Estados Unidos,
Baroja especifica que la aparecida en revistas generales después de la publicación de traducciones de sus obras en esos
países, es buena en general.

Acusan sorpresa ante el carácter poco ético de algunos de
los protagonistas y hacia el pesimismo ideológico del autor
con respecto a humanitarismo y democracia. Baroja comenta
que quizá el éxito de Blasco Ibáñez se debió a que a pesar de
hacer obras naturalistas, éstas «siempre tienen una intención
democrática y pedagógica quizá un tanto vulgar» (I, 282-3).
La crítica a las novelas publicadas en España está hecha por
hispanistas, y según Baroja, «es poco interesante... con ideas
preconcebidas y una preocupación lingüística y estilística de
poca categoría» (I, 280). Al lado de éstas se podría poner la
carta que comenta Baroja que le mandaron las chicas de un
«college» americano —Baroja dice «colegio»—, que entre otras
cosas le decían que,

> ... tenía un estilo incoherente e incorrecto; que no conocía bien
> el español; que no hacía nada por agradar al público, y que ex-
> ponía los hechos y reflexiones sin la orientación literaria debida
> (VII, 259).

A lo que comenta Baroja,

> A mí me chocan estas afirmaciones. ¿Cómo estas señoritas pue-
> den pensar que un escritor español, que ha leído naturalmente
> más obras en castellano que todas ellas juntas; que ha pensado
> en esas cuestiones del estilo infinidad de veces, puede ignorar
> lo que ellas saben?
> ¿Cómo pueden creer que tengo un estilo deliberadamente in-
> correcto, y que no hago nada para agradar al que lee? (VII, 259).

El rencor de la crítica hispanoamericana cree Baroja es
debido a las «tres o cuatro cosas agrias» (I, 97) que ha dicho
contra ellos. En su opinión sólo los pueblos ñoños son incapa-
ces de aguantar la crítica. «Discutir y sentir curiosidad es lo

---

dan grabados como en la vida, en la cual, dentro de un argumento,
interfieren numerosas figuras que, aun desvaneciéndose luego de nuestro interés, nos ocuparon la atención por unos instantes de un modo
intenso..." (I, 110).

Según el periodista ese mismo crítico alemán le había dedicado un
extenso artículo en la revista *Vossische Zeitung* (I, 110).

que salva a un país de la ruina» (I, 97). Pero Baroja no cita
muchos críticos americanos, sólo a Blanco Fombona que en
un artículo sobre *Juventud, egolatría,* califica al libro de ameno, pero que le falta intimidad. Baroja se pregunta como un
libro de memorias que carece de intimidad puede ser ameno.
También le molestó el que el crítico dijera que no le había
pasado nada. En nuestra opinión aun cuando en *Juventud,*
egolatría hay algo de intimidad, lo que hace al libro ameno
más que eso son las pequeñas biografías de los escritores de
su época, que luego ampliaría en sus *Memorias.* Y, en realidad,
comparada con otras vidas, a pesar del cambio de profesión, a
Baroja no le ha pasado nada. También, al parecer, este crítico
dijo que Baroja lo imitaba. A lo que dice Baroja que a excepción de algunos artículos, nunca leyó nada suyo, y que en
dos de sus libros copió aquél títulos de Baroja (I, 25-6).

Francisco Grandmontagne es el otro hispanoamericano
—en realidad era originariamente de Burgos— que Baroja
menciona. Este había venido a España representando a un
periódico importante de Buenos Aires y pagaba a sus colaboradores bastante más que cualquier periódico español. Según
Baroja, «era un hombre de lugares comunes» (I, 269). Había
dicho que el que se entusiasmaba en la juventud con los libros de Baroja es porque era tonto. Baroja comenta que
Grandmontagne «no fue muy inteligente, ni en su juventud ni
en su vejez» (I, 268).

En realidad, ninguna de estas críticas es muy agresiva. La
de ese tipo Baroja, con toda probabilidad, prefirió no tocarla.

Si analizamos las críticas que Baroja hace a sus críticos,
llegamos a las siguientes conclusiones. Primero, a Baroja no
le gustan las falsas explicaciones de los críticos, aunque sean
en cosas poco importantes. Por ejemplo, Salaverría dice que
Baroja compró la casa de Itzea pues en ese pueblo estaba en-
terrado su padre, Baroja comenta,

> Esta explicación es un poco a lo Pérez Escrich. Ello prueba que
> Salaverría no me conocía muy bien. Yo no he tenido nunca el
> culto de los cuerpos muertos y preferiría siempre la cremación
> a la inhumación.
> Yo no comprendo por qué hacer una suposición acerca de un
> hecho cuando es tan fácil saber la realidad interrogando al in-
> teresado (I, 9).

En este punto podría incluirse la poca comprensión del escritor Mario Puccini que en el prólogo a la traducción italiana de *La casa de Aizgorri* dice que Baroja era un mozo de la tahona, que de pronto abandona el horno y la pala, no se sabe nada de él y aparece luego hecho un médico. Baroja comenta que un mozo de tahona tiene que ser fuerte por lo que ha de tener veinte años por lo menos y que para estudiar medicina en cualquier parte del mundo, se «tiene que estudiar el Bachillerato cinco o seis años y después pasar siete u ocho de carrera» (I, 73). Baroja añade que no cree que los mozos de tahona lleguen a doctores, que si alguno llegara, tendría que tener una energía de la que él carece. Con lo que concluye:

> El señor Puccini puede que tenga energía, pero lo que es inteligencia tiene poca. (I, 74).

Otro fallo que achaca Baroja a sus críticos es el que se empeñen en encontrar influencias que no existen. Así ha pasado con la supuesta influencia de Máximo Gorki. Baroja confiesa que no ha leído más que dos o tres cuentos de ese autor y que si su intención hubiese sido saquearlo, no hubiese tenido la ingenuidad de escribir al principio de su vida literaria sobre él. El que sí ha leído con entusiasmo y en su opinión ha tenido que influir en él es Dostoiewsky. Con el tiempo algunos escritores reconocieron que no había disparidad mayor que entre los vagabundos de Gorki y los de Baroja (I, 113) [16]. Otra influencia de la que se ha hablado es la de Gavinet. Según Baroja, él no había leído a ese autor, pero que últimamente encontró en una librería el segundo tomo de *Los trabajos de Pío Cid* y vio que entre sus libros y ése no había nada en común. Otros libros que no había leído y que dijeron que había copiado son *La intrusa* de Maeterlink en *La casa de Aizgorri* y *La educación sentimental* de Flaubert en *Los últimos románticos*. Leyó el de Flaubert para ver si tenía semejanzas con el suyo, y vio que tenía algo de común por representar a «una juventud que ha ingerido todos los virus románticos de la época, y luego tropieza con la realidad» (I, 120).

---

[16] Baroja reproduce trozos de los artículos de Corpus Barga y J. M. Benítez de Lugo donde se niega toda influencia o parecido (I, 113).

Gómez de la Serna en su biografía sobre Solana decía que hay influencia de la pintura y literatura de éste en la trilogía *La lucha por la vida*. Baroja dice que cuando la publicación de su trilogía el otro tenía quince años y él no lo conocía [17]. Otros han encontrado parecido entre la técnica de ciertos pintores y la de Baroja. Azorín en un artículo sobre Zuloaga decía que había apenas composición en los cuadros de éste como en las novelas de otro vasco, Baroja. A lo que éste contesta que en aquél había más técnica y tradición que en él. Aquél «se sabía el Museo del Prado de memoria» (IV, 234), mientras que él no había leído muchos clásicos. En su opinión de ponerlo con alguien debería ser con «Darío de Regoyos; él quería decir como yo, muchas cosas con una técnica deficiente» (IV, 234).

A más de los plagios, hay quienes dicen que ha comprado libros a bohemios, les ha añadido algo y los ha explotado (I, 64). Baroja nos asegura que todo lo ha tomado de la realidad y que de un autor al que tanto admira como Dickens, no ha imitado sino el tono a veces (I, 229).

Otro punto que hace sospechar a Baroja que la crítica no es muy de fiar es lo distintas que son entre sí. Aún cuando él no ha variado mucho de peso a lo largo de su vida, unos han opinado que «Es de una obesidad monstruosa» y otros que «Está en los huesos» (I, 50-1). Lo mismo que con los retratos físicos opina Baroja que pasa con los espirituales y literarios (I, 67). De ahí que después de decir que no tenía estilo y era un escritor extranjerizado, ahora salgan con que es el escritor más español y de más estilo (I, 72-3).

Como es natural, una de las críticas que molesta más a Baroja es cuando dan una falsa interpretación a sus obras. Uno de ellos es Salvador de Madariaga que protestó de que Baroja se calificara de archieuropeo y definiera Europa de una

---

[17]   Y Baroja añade: "Estos reproches de Gómez de la Serna, como los de Ruiz Contreras, son pequeñas acusaciones ridículas, maquiavelismos de portería" (I, 275). Al parecer esos dos debieron ser muy amigos, pues el artículo de Ruiz Contreras de que hablábamos en el capítulo anterior se titula: "A Ramón Gómez de la Serna. (Recordando a Pío Baroja)" en *Memorias de un desmemoriado* (Madrid, 1917), páginas 114-22.

manera arbitraria. Baroja contesta que la frase que él pone
en *Juventud, egolatría* sobre esto empieza, «Yo a veces creo...»
(I, 260) y que eso no puede ser ninguna definición. Pero,

> Madariaga, que es un hombre escolástico, conceptuoso, y que a
> mí me parece poco inteligente, dice que hay mejores definiciones
> sobre Europa, y lo que hoy se entiende por Europa, según él, es,
> sobre todo, una mente consciente y aun semiconsciente, capaz de
> esfuerzo continuo y ordenado hasta la comprensión del uni-
> verso (I, 260).

En opinión de Baroja esa mente que quiere abarcar el uni-
verso es la de un filósofo que puede ser de cualquier parte del
mundo. Madariaga dice también que Baroja tiene un concepto
naturalista del amor. A lo que Baroja comenta: «Este señor no
se entera» (I, 262). Explica que cuando Maritornes va a buscar
al arriero no lo hace para hablar de filosofía y que cuando
Ofelia se ahoga en el río, no lo hace por amor físico. Madariaga cree que en Baroja no hay sentido lírico. A lo que replica
Baroja, «Esto me hace pensar que este señor no tiene en absoluto ninguna penetración psicológica» (I, 263). Contrapone
a lo que éste dice un párrafo de un artículo de Federico de
Onís [18]. Como es corriente, Madariaga habla del estilo descuidado de Baroja, y este comenta, «Se ve que es un valle-incla-
nesco, como gallego» (I, 266).

Pero la crítica que debió dejar más dolorido a Baroja fue
la no-crítica de Francia. El silencio del país vecino respecto a
nuestro escritor. Baroja visitó muchas veces Francia. En su
libro *Baroja y Francia,* José Corrales Egea nos cuenta como
muchos de los viajes que Pío Baroja hizo a París fue con el
objeto de que tradujesen sus libros y como en alguna ocasión
estuvo de acuerdo en renunciar a los derechos de autor en traducciones que no llegaron a realizarse [19]. La crítica francesa
en general no dio categoría a Baroja. Sus hispanistas dijeron
que no tenía estilo (I, 107). En una editorial en que publicaron
Zalacaín el aventurero en compañía de cinco obras de otros
autores, anunciaron todas menos la de Baroja (I, 222). En

---

[18] "... creemos que el arte de Baroja es esencialmente lírico, aunque haya tomado la forma de la novela, por parecer ser el más objetivo
de los géneros literarios..." (I, 264).
[19] José Corrales Egea, *Baroja y Francia* (Madrid, 1969), 254.

la novela de D. H. Lawrence *La serpiente de plumas*, se cita
a Baroja. Al saberlo, éste buscó la novela en inglés y en la
librería le dijeron que les sería más fácil conseguírsela en
francés.

Cuando Baroja la leyó vio que no se hablaba de él y añade,

> Sin embargo, la alusión existía, y el traductor francés la había
> quitado. Esto me parece una prueba de mala intención sañuda y
> vulgar. Es como si en una crónica de sociedad entre duques y
> marqueses suprimieran el nombre del empleado pobre por no
> darle importancia (I, 222) [20].

Como es natural, hay algunos —Francis Miomandre, Luis Eri-
ce y Philippe Soupalt— que se asombran del silencio que rodea a Pío Baroja (I, 220-2) y uno que se firma H. Y. P., del que
dice Baroja que no sabe quien es, comenta,

> Pío Baroja est sans doute le plus original des ecrivains de l'Es-
> pagne. Il est aussi le plus boycotte chez nous (I, 221).

Se le ha acusado a Baroja de tener antipatía por Francia,
quien contesta que no es verdad, pero que sí la siente por la
petulancia e incomprensión francesas (I, 49).

Baroja reproduce con cierto orgullo algunos artículos que
lo ponen bien; sobre todo uno de Manuel Bueno, que no sólo
no era amigo suyo, sino que incluso hizo lo posible para im-
pedir que Baroja publicara en algún periódico (I, 231). Y una
conversación con el mismo que le dijo que lo más interesante
que se hacía por entonces en España eran los libros de Baroja,
aun cuando añadió que «no son verdaderas obras de arte, aunque pudieron haberlo sido» (I, 233). Baroja parece estar de
acuerdo.

Al tiempo de escribir las *Memorias,* Baroja no es el de su
juventud. Por eso no es de extrañar que a la publicación de
Susana en 1937, un crítico comente que en ella, Baroja se imita

---

[20]   Baroja tiene razón, la alusión existe en la versión inglesa:
"And Kate felt herself filled with an anger of resentment. She
would sit under a willow tree by the lake, reading a Pio Baroja novel
that was angry and full of No! No! No! —ich bin der Geist der stets
vernient! But she herself was so much angrier and fuller of repudia-
tion than Pio Baroja. Spain cannot stand for No! as Mexico can". D. H.
Lawrence, *The Plumed Serpent* (New York, 1951), p. 214.

a sí mismo. El cual contesta que cerca de los setenta años y
con más libros que años lo «más que se puede pedir a un escritor así viejo es que se imite con alguna gracia» (I, 21). Esto
le duele, pero lo que le parece injusto es que desde el principio mientras a otros, de los que nadie ya se ocupa, se les dio
un crédito ilimitado, a él se le negó el puesto junto a esa juventud literaria (I, 111-2). Claro que reconoce que el acertar
en una crítica, el reconocer lo fundamental de un escritor, algo
que no se puede medir, es muy difícil. El crítico ha de conocer
muy bien la literatura, tener ecuanimidad, no dejarse llevar
por simpatías o antipatías y además ganar poco. Baroja reconoce que eso es pedir mucho. En su opinión,

> La mayoría de los críticos leen rápidamente, siguen las opiniones
> hechas, se ocupan de lo que se ocupa todo el mundo, no se ponen
> contra él, favorecen a los amigos, atacan a los adversarios. No se
> puede exigir otra cosa (I, 105).

La crítica de la época es siempre amanerada. Con el tiempo
es más fácil juzgar al escritor. Ha desaparecido el problema
de herir a los amigos. Se van estableciendo los autores y una
vez ya establecidos, la crítica, aunque el crítico no tenga un
criterio muy firme, puede seguir haciéndola avanzar, de una
manera mecánica, a base de notas clasificadas (I, 106). En
opinión de Baroja, el crítico nunca debe preguntarse por qué
el autor dice esto y no otra cosa.

> Lo único que puede decir el crítico que tenga algún valor es si el
> autor interesa o no, si acierta o desacierta y nada más (I, 118).

La crítica erudita, cree Baroja que nunca ha descubierto nada.
No le gusta estudiar a los autores populares. Con el tiempo,
cuando ya estos autores han pasado por una serie de «críticas
y filtraciones, los eruditos los cogen por su cuenta y los ponen
en los cuernos de la luna, cuando, seguramente, si hubieran
vivido en su tiempo, los hubiera atacado con violencia» (II,
216). Los críticos consideran que lo que es divertido en literatura no es bueno [21]. Para Baroja, esa es una actitud pedante,

---

[21] "Eurípides, autor genial, no es alabado por los historiadores de
la literatura griega. No es serio, pesado y aburrido; le falta algo para
ser grato a los profesores" (V, 126).
"Plauto No es persona grata para los críticos, no es serio, ni moralista, ni prudente" (V, 126).

pues lo ameno o divertido no puede desaparecer. Desde Shakespeare y Cervantes hasta Labiche y Conan Doyle «no hay nada divertido que sea malo» (II, 216).

Subjetivismo Literario

Veíamos al principio de este capítulo y en sus propias palabras la tendencia de Baroja a empequeñecer. A lo largo de su vida debió de tropezar con muchos genios, o por lo menos con alguno, y sin embargo, nos dice:

> Yo no he conocido en mi vida un hombre extraordinario con una condición de imaginar, de inventar. No creo que he visto un hombre de esos extraños que se dan con poca frecuencia en el mundo que se llaman genios. No sé el efecto que produciría el hablar con un tipo así. No hay tampoco término de comparación fácil. No se puede asegurar nada (V, 96).

Cuando hablábamos en el capítulo anterior de su labor como crítico teatral veíamos como ésta le creó enemistades y como no pudo ejercerla más de un mes. Por tanto, no puede extrañarnos que su crítica literaria en general, sea de todo, menos benévola. Es una crítica sincera, donde el autor no pretende sentar cátedra. Sólo dar su opinión, sin tener para nada en cuenta tabús. No hay que esperar tampoco que esta crítica sea completa. De algunos autores Baroja opina solamente sobre una característica o un libro.

Para Baroja los escritores españoles que tienen estilo y carácter son: «Gonzalo de Berceo, el Arcipreste de Hita, Fray Luis de León, San Juan de la Cruz, Cervantes, Calderón, Larra, Bécquer. Actualmente tienen estilo propio Azorín y Ortega y Gasset» (V, 318). Respecto a los personajes llama «eternos» (V, 227) a los del Arcipreste, *Lazarillo y Quijote*. En los de Quevedo encuentra que hay algo «antipático», a pesar de reconocer la maestría del autor y de que están admirablemente descritos. En Mateo Alemán hay una cosa «repugnante», debida al fanatismo de la época, que en opinión de Baroja acabó con la imaginación española (V, 277). De la *Celestina* comprende su valor literario, pero no le convence porque en ella se nota «la sensualidad judaica» (V, 277). Hay otros libros casi desconocidos que le gustan más por lo amenos que son,

como *El jardín de flores curiosas* de Antonio Torquemada.
Otro que le satisface es *El escudero Marcos de Obregón*, pues
en él, a semejanza de *El Lazarillo*, a pesar de su inferior calidad, no hay maldad, sino que son libros alegres. Por el teatro clásico español no debió sentir mucho entusiasmo Baroja.
En éste cree que hay variedad de argumentos, pero escasez de
personajes vivos. A estos los encuentra «amanerados, inventados sobre patrones antiguos» (V, 185). Reconoce que, a veces,
toman algo del pueblo, pero que ninguno supo captarlo como
Cervantes en *El Quijote*. Entre los dramaturgos sólo considera
genial a Calderón. De los posteriores, Nicolás Fernández de
Moratín le parece uno de esos autores «medio olvidados in-
justamente» (V, 149) y lo cataloga entre los autores que buscan más agradar a los académicos que al público.

De los poetas del siglo xix le gusta primero Bécquer, luego
Espronceda y después Zorrilla. Bécquer le gustó siempre.
Cuando era joven, comenta, se tenía a Bécquer por «cursi y
sensiblero» (IV, 167); pero a pesar de esas opiniones, se sigue
manteniendo como buen poeta y añade, que con motivo. Confiesa que le gusta más que Rubén Darío (IV, 170). En el teatro
se entusiasmó con *Don Juan Tenorio* en su juventud (II, 155).
Luego no (IV, 85). Los posteriores no le dicen nada, ni Echegaray ni Dicenta [22]. Benavente no le provoca entusiasmo, le
parece «frío y teórico» (III, 325) y encuentra que en sus obras
hay sentencias como las de Campoamor. Los Quintero no le
gustan en plan trascendente, pero sí sus sainetes. Así como
los de Carlos Arniches (III, 325 y IV, 192). En la novela cree
que había dos autores que podían haber hecho en el xix una
tan buena como la del xvii. Eran Larra y Galdós. Larra se
equivocó porque no llevó a la novela el espíritu de sus artículos. Cuando escribió una, lo hizo a imitación de Walter Scott y
salió *El Doncel de don Enrique el Doliente* que es ilegible. El
problema con Galdós es que no tenía un ideal alto. Sólo estaba interesado por el dinero (IV, 83). Cree que sus obras, a pe-

---

[22] "Uno de los que sentían por mí una enemistad ideológica y que
luego se acentuó con el artículo que yo escribí en *El Globo* sobre su
drama *Aurora*, en el cual decía que Dicenta no era hombre de ideas
nuevas y libres, sino escritor lleno de preocupaciones viejas sobre el
honor y la honra" (III, 198).

sar de la perfección técnica fallan porque él carecía de sensibilidad ética. Al no haber el «hervor generoso de un espíritu»
(III, 221) sus obras no están a la altura de las de Dostoiewsky,
Tolstoi y Dickens. En opinión de Baroja los grandes héroes
modernos desde Don Quijote hasta Raskolnikof [23] son unos perturbados, de lo que se dio cuenta Galdós, pero él era demasiado normal para lograrlos (V, 184) [24]. A Pedro Antonio de Alarcón lo encuentra con razón «un poco aparatoso» (IV, 82) y
añade que tiene «la pretensión cómica de ser humorista», lo
cual le resulta incompatible con los problemas que presenta.
En cambio, Valera «tenía malicia y gracia, pero era fabricante de bibelots y no quería salir de ahí» (IV, 78). Baroja le reprocha que habiendo estado en las cortes de Viena y San Pe
tersburgo se entretuviera escribiendo sobre pestiños. Baroja
reproduce una conversación que tuvo con Valera un día que lo
fue a visitar con Paul Schmitz. Al parecer los jóvenes defen-
dían la igualdad y el otro les preguntaba si creían que con el
tiempo todos podrían tomar ostras de Arcachón, Champagne
de buena marca y tener a la mujer vestida por Worth (III,
180). Puede que esto es lo que critica Baroja en Valera, si ésta
es una conversación normal en él, ¿por qué en las novelas no
trata de esos temas? Palacio Valdés le parece de los peores de
su época. Le concede que a lo mejor sus novelas no están mal
compuestas, pero que los argumentos son inverosímiles (IV,
82). De las de la Pardo Bazán opina que es un molde francés
volcado en un castellano castizo, lo cual les da un aire falso.
Le parece que eso lo hacía mejor Fernán Caballero, pues en
ella no se nota tanto. Lo cree debido a la facultad propia de los
alemanes de adaptarse (IV, 82). Pereda no le gustó por lo mis-

---

[23] Protagonista de la obra de Dostoiewsky *Crimen y castigo* (1866).
[24] Claro que podríamos objetar a Baroja que también Cervantes
era normalísimo. En otra ocasión dice de Galdós:
"He leído esta novela *Misericordia* hace poco, por el consejo de una
señora, que me decía que yo tenía una idea algo falsa de Galdós, y que
debía leer por lo menos, *La incógnita, Realidad* y *Misericordia*. Leí los
tres libros y no me produjeron gran entusiasmo; me parecieron trabajo, si se quiere sabio de taller, con un sabor de época un tanto amanerado" (VI, 302).

mo que Valera: tener como ideal lo pequeño; pero le gusta muchísimo menos. No comprende como se puede tener ese ideal, para Baroja lo admirable es:

> Esos hombres que levantan su torre en donde azotan todos los vientos: Nietzsche, Ibsen, Dostoiewsky... (IV, 81).

De Blasco Ibáñez confiesa que no sabe si sus novelas son buenas o malas, porque él no puede pasar de la segunda página (III, 224). Sabe componer y escribe claro —que Baroja califica de perfección vulgar—, pero no tiene ideas originales (III, 196). La obra de Unamuno no cree Baroja, que ha de crecer con el tiempo sino todo lo contrario. Sus novelas con toda probabilidad no quedarán. El quitar las descripciones para hacerlas más dramáticas e interesante le parece una tontería. Si fuera verdad, nadie leería *Pickwick* de Dickens, *Rojo y Negro* de Stendhal o *La guerra y la paz* de Tolstoi y leería las novelas de Unamuno, que en opinión de Baroja son las que nadie lee (I, 118). Carecen de interés psicológico y le parecen escritas con el propósito de molestar al lector (III, 197). Son «como una venganza contra algo» (III, 198). Los ensayos están algo mejor, «pero no dan la impresión de ser tan originales como parecen, y los versos leídos, son fríos, ásperos y pedregosos aunque tengan conceptos a veces elevados» (IV, 166). También se burla del nombre nivola; insinúa que la llamó nivola para «disimular su vulgaridad» (I, 140) [25]. De *Azorín* alaba las descripciones, pero considera que es muy poco novelista pues huye del

---

[25]   En 1955, un año antes de morir, Baroja en su último libro abandona la ironía en su crítica:
"A mí no me entusiasma Unamuno, ni como novelista, ni como poeta, ni como filósofo. No se lo hubiera dicho en su cara cuando vivía por no molestarle. Cuando le hablaba, le hablaba con amabilidad. Pero a mí no me gustaba ni me gusta lo que este paisano mío ha escrito". Pío Baroja, *Aquí París* (Madrid, 1955), p. 125. También es asombroso el sentimiento con el que describe la muerte de Antonio Machado, como dice que era muy buen amigo suyo (en las *Memorias* no le hace maldito caso) y como considera que García Lorca y Antonio Machado eran los mejores poetas del tiempo (en las *Memorias* no dice que sean buenos poetas. Sólo dice: "De los poetas actuales castellanos, yo no soy gran lector" (IV, 170). Es como si poco antes de morirse, se hubiese convencido a sí mismo que era una persona delicadísima, sólo llena de pensamientos nobles.

drama y el misterio. Su ideal parece ser «lo estático y la desilusión de la vida ante una luz clara» (III, 197). Felipe Trigo no le gusta por lo contrario, busca el misterio en todo. Lo considera un folletinista de lo erótico. Su estilo no le debe convencer pues éste una vez le contó que cuando necesitaba una división entre dos escenas, ponía párrafos que no querían decir nada (III, 197). Las novelas de la guerra carlista de Valle-Inclán no le gustan a Baroja porque las escribió sin haber estado en el país vasco.

> Cuando veo que entre los guerrilleros de Santa Cruz (todos o casi todos guipuzcoanos), el escritor habla de viñadores —en Guipúzcoa no hay una viña—, de gente que corre al borde de las acequias —no hay una acequia de viejas montadas en burros— no se ve una —con los refajos sobre la cabeza— no he visto ninguna de curas con galgos —no hay un galgo, etc. (I, 127).

Dice Baroja que le produce la misma impresión que leer una novela de Madrid, escrita por un extranjero que no haya estado nunca en Madrid. En cuanto a las opiniones de Valle-Inclán, según Baroja, últimamente leyó un libro publicado por el Mercurio de Francia en 1908, titulado *L'espirit de J. Barbey d'Arevilly* que decía las mismas cosas que Valle-Inclán, por lo que supone que éste lo había leído (I, 58). A pesar de todo, comprende más a los lectores de éste —entusiastas del modernismo y lo decadente— que a los de Unamuno (III, 197). De las novelas de Pérez de Ayala y Gabriel Miró opina que son demasiado atildadas para el lector corriente que busca entretenerse, no mejorar su vocabulario (III, 197). A Luis Bonafoux, el periodista, lo pone bien. Para su gusto era «el mejor periodista español del tiempo» (III, 219) y tenía gracia escribiendo y hablando (III, 331). También habla bien de Corpus Barga. Opina que con sus artículos se podría hacer un libro muy ameno. En cambio, de Gómez de la Serna, cree que su supuesta gracia sea cosa de la época y que no quedará nada (IV, 190). Pero no niega que tenga condiciones (IV, 287). Baroja habla también del folletinista Manuel Fernández y González. En conjunto no le gusta, aunque encuentra que en sus obras hay «trozos y, sobre todo, diálogos» (II, 181) que están bien.

Para Baroja, escritores franceses con estilo son Rabelais, Montaigne, Pascal, Chambort y Stendhal (V, 318). De Voltaire a

quien considera «el máximo ingenio de la época» (V, 118),
prefiere al de los cuentos y ensayos, que encuentra «son de una
malicia genial» (V, 118), que al autor de teatro. Aquí falla por
lo poco reales que resultan las figuras. Baroja no concibe que
a nadie se le ocurra sacar a escena a árabes del siglos VII. El
mejor Voltaire, en su opinión, es el de la poesía ligera. A
Rousseau lo encuentra aparatoso y hueco y que en sus teorías
hay falsedad e hipocresía. Todo ese humanitarismo le huele a
falso. El *Emilio,* que leyó de estudiante porque se la habían
recomendado, la encontró aburrida. De *La Nueva Eloísa* opina
que «es también un libro ilegible» (V, 119). De Nicolás Chamfort confiesa que ha leído varias veces sus libros de anécdotas.
No son pesados, sino amenos.

El teatro francés clásico en general no le atrae, excepción
hecha de Molière (V, 185), a quien considera «el representante
máximo del espíritu francés» (I, 265). Opina que Víctor Hugo
no fue «un gran poeta lírico ni un gran novelista; pero como
escritor era extraordinario, de una brillantez y de una retórica portentosa» (III, 108). Reconoce que no hay gran realidad
psicológica en sus obras, pero lo tiene por un autor importante
(II, 152). Gautier y Flaubert no le dicen nada. La obra del primero *Fortunio,* le parece que «es el sueño de un artista limitado como todos que no ve más que formas bellas y se dedica al
egotismo estético» (V, 146). Y los preciosismos de Flaubert le
tienen sin cuidado (V, 146-7). En su opinión, el estilo no está
de acuerdo con el asunto, «unas veces dramático y otras humilde» (V, 298). En el de Cervantes, por ejemplo, hay armonía;
pero en el de éste no. Además tanta perfección le aburre. Supone que si hubiera partes descuidadas, leería con más gusto
sus novelas [26]. Sus ideas también le parecen bastante vulgares.

---

[26] José Corrales Egea explica la aversión que Baroja siente por el
arte de Flaubert por la distinta manera que tienen ambos de concebir
la novela:
"Flaubert es el prototipo del escritor que todo lo fía a la técnica,
a la construcción, al engarce, al ajuste. Su obra de novelista tiene, desde
ese punto de vista, algo de artesanía, de relojero. Sus novelas empiezan
y acaban, se abren y se cierran, tienen su principio, su medio y su fin,
en oposición al concepto de novela abierta que Baroja preconizó siem-

«Un hombre que se pone a escribir una novela que tiene por
medio ambiente la antigua Cartago, para mí ya basta» (V,
146-7). (Alude a la novela *Salambó*.) Anatole France es autor
del tipo de los dos anteriores [27]. Confiesa que leyó con más gusto a autores más viejos como Balzac, Mérimée y sobre todo
Stendhal [28], cuyo estilo pobre no pesa. Tampoco le pesa el estilo de Julio Renard o Colette (V, 298). Confiesa que no sintió
entusiasmo por los naturalistas Emile Zola [29] y Alphonse Dau-

pre y que le llevó a comparar a la novela con la corriente de la historia, algo que no tiene principio ni fin: "empieza y acaba donde se quiera". Corrales Egea, *Baroja y Francia*, p. 175.

[27] "Pero el escritor francés hacia el que Baroja manifiesta mayor
aversión es Anatole France. Su crítica de este autor rara vez se cir-
cunscribe a lo puramente literario: por regla general lo rebasa, tra-
yendo a colocación el tipo físico y racial (la ascendencia judía) y la
vida íntima del hombre...
La crítica no es sólo literaria; es al mismo tiempo moral...
Vale la pena recordar que uno de los motivos por los que Baroja
menosprecia la obra de Galdós es por el carácter *libidinoso* que atribuye al escritor canario, su comportamiento con las mujeres. Baroja
no discrimina lo moral de lo artístico: su criterio resulta puritano:
más próximo al puritanismo británico o anglosajón que al catolicismo
español". Corrales Egea, *Baroja y Francia*, pp. 183-84.
Realmente hay bastante de ese racismo y puritanismo en Baroja,
pero no siempre es así. El habla con simpatía de la persona y la obra
del periodista español Luis Bonafoux, a pesar de suponer su ascendencia judía y Verlaine es su poeta favorito a pesar de calificarlo de
"una putrefacción humana" (VII, 201). Lo que Baroja critica a Galdós
es que en sus obras la ética suena falsa. Que es también lo que piensa
José María Vaz de Soto, "Baroja, crítico literario", *Cuadernos Hispanoamericanos*, Nos. 265-267 (julio-septiembre 1972), pp. 315-16.
Lo que más debió molestarle a Baroja es que France se burlara de
Dickens (VII, 187), pues Dickens es uno de sus intocables.
[28] Son muchísimas las veces que Baroja cita la frase de Stendhal,
"ver en lo que es" (V, 58, 83; 84; 85). Lo defiende en contra de Salaverría (I, 247); pero confiesa que prefiere *Las memorias de un turista* a al
Cartuja de Parma, por ser más amena (V, 144). En cuanto a la psicología del protagonista de la citada obra, no le resulta muy lógica.
Encuentra más realidad en la de Sorel, el protagonista de *El Rojo y el
Negro*, pero que éste resultaba más motivado en el personaje vivo donde Stendhal se inspiró que en el de ficción (V, 182-83).
[29] "En la literatura de la época de Zola y sus discípulos, el ambiente era casi todo, y para ellos el hombre apenas podía poner un gesto
fuera de su destino, fatalmente determinado.
Es lo peligroso que tienen todas las teorías aplicadas a hechos que

det [30], ni por los decadentes como Huysmans, a quien llama
«mediocre y muy pasado» (IV, 135) [31]. A estos tres los encuentra tan aburridos como Chateaubriand o Rousseau (III, 223).
Ninguno de éstos es francés típico, son como meridionales.
Para él escritores franceses típicos son Pascal, Montaigne, Voltaire, Molière o Chamfort (III, 224). Tampoco cree que tengan
una vida larga las obras de Paul Bourget o Marcel Prevost
(III, 149).

Baroja siente verdadero entusiasmo por un francés, Verlaine, a quien tiene por el mejor poeta del mundo (VII, 187). El
segundo poeta de Francia es Francois Villon (VII, 201).

Hay unos cuantos prosistas cuyo estilo alaba Baroja. Entre ellos Ernesto Renan. Cree que a éste le perjudicó el escribir La Vida de Jesús, que en opinión de Baroja no es su mejor libro. Como escritor es «de una claridad y de una elegancia maravillosos» (V, 316). Otro prosista magnífico fue el abate
Duchesne que siendo un historiador, escribió unos libros muy
elegantes y amenos. Baroja opone estos dos a France y Flaubert (V, 317).

De sus contemporáneos franceses no cree que vaya a quedar
mucho. Encuentra pesado a Marcel Proust; a André Gide, hábil y preciso; pero el buscar tanto, tanto, la exactitud, a la
larga le da sensación de mezquindad. El «realismo visionario»
de Max Jacob no le seduce. Cree que ya fue explotado con
éxito por Hoffmann, Poe y Dostoiewsky (VII, 217). Por excepción, habla bien de Jean Giraudoux. Sus novelas las califica de
ingeniosas y encuentra que sus obras de teatro están mejor
todavía (VII, 218-20). De Georges Duhamel dice que es un
«escritor lacrimoso, un poco falsificador de Dostoiewsky» (V,
317), su universalismo le resulta fingido. Jules Romains le
gusta en algunas novelas y comedias; pero en su más famosa

---

son de distinta clase de los pensados. Una teoría física puede fallar
aplicada a hechos orgánicos, y más queriendo interpretar hechos humanos" (V, 81).

[30]   Su hijo, León Daudet decía que su padre era un escritor universal. Baroja cree que estaba equivocado (VII, 191).

[31]   En otra ocasión dice:
"Huysmans no dejaba de tener talento literario, pero hacía una
bazofia de mal gusta para los que se decían exquisitos" (VII, 189).

Los hombres de buena voluntad, donde emplea su sistema el unamunismo, no le gusta. Eso de partir la escena para dar sensación de que varias cosas pasan al mismo tiempo, no le atrae (VII, 223-4). Pierre Benoit no le gusta, ni tampoco su novela *Por Don Carlos,* a pesar de que le dijeron que se parecía a Zalacaín (VII, 192-3). Blas Cendrars le resulta más poeta que novelista, pues en sus obras hay demasiado color y poco dibujo, y en opinión de Baroja lo contrario es lo que hace una novela (VII, 227). A Celine lo encuentra escatológico, morboso y de mal gusto (VII, 208-9), y de André Malraux que si se quita la violencia no queda nada en sus libros (VII, 230). Pone bien a Francis Miomandre (VII, 206) —escritor que no nombran los manuales— y que vivía cerca de Baroja en la segunda guerra mundial, y a Daniel Halevy, igualmente poco conocido de quien leyó dos libros interesantes y de quien comenta,

Me chocó que Halevy, hombre amable, pensara que uno podía no ser francés y ser un hombre inteligente con quien se podía hablar (VII, 215).

Para Baroja todos los «-ismos» que surgieron después de la primera guerra mundial carecen de valor. Entre ellos el existencialismo. Leyó un libro de crítica de Jean Paul Sartre y lo encontró «algo amanerado y poco original» (VII, 199). De su drama *Las manos sucias,* opina que es un melodrama malo. Piensa que si este movimiento no presenta obras de más vitalidad debe retirarse. A pesar de considerar la novela francesa del xix superior a la del xx, cree que entre aquéllas «no hay ninguna que se pueda comparar con alguna de Dickens, con dos o tres de Dostoiewsky y con *La guerra y la Paz,* de Tolstoi» (III, 225).

Para Baroja «lo grande de la literatura inglesa está en lo desmesurado, en el humorismo» (V, 207). Piensa que para lo correcto ya hay mucha gente en el continente. Se refiere probablemente a los autores franceses. Entre sus escritores, Dickens es su favorito, a quien tiene por «uno de los escritores más extraordinarios del mundo, autor que ríe y llora como

un clown sublime» (V, 266) [32]. Cree que no volverá a haber
otro como él, pues aunque tuviera su misma genialidad, el
mundo ya no es tan variado. Un profesor de literatura española llamado Hume, intentó convencerlo de que Thackeray era
superior a Dickens porque tenía más cultura. Baroja comenta
que en ese caso cualquier pasante de instituto es superior a
Shakespeare. La cultura es algo que se puede adquirir. «El
humorismo y la gracia son dones extraordinarios y raros»
(VII, 196). André Maurois, entre otros, ha criticado la composición de las novelas de Dickens. A lo lo que comenta Baroja
que si eso es así, a los lectores de Dickens no parece importar-
les. Como tampoco «el carácter recargado de algunos personajes ni la inverosimilitud de algunas escenas» (V, 149).

A más de Dickens, entre los ingleses, hay varios autores que
le entusiasman. Así Samuel Butler, cuyo libro *Así va la carne,*
califica de «muy curioso y muy sugestivo» (V, 130). Le atraen
sus personajes, «hombres cambiantes, de poca voluntad, que
van y vienen sin saber por qué, que no tienen ideas fijas»
(VII, 195). Como también *Judas el Oscuro* de Thomas Hardy,
otro de sus favoritos, y cuya obra considera de «mucho empaque» (V, 130). Edgar Allan Poe es para Baroja otro de los
grandes de todos los tiempos [33]. Después de éste, nadie llegó
a hacer novelas marinas como Robert Louis Stevenson, pero
éste último no mantiene la misma tónica todo el tiempo. Empieza muy bien y luego desciende (VII, 197). Pero por todos
ellos siente entusiasmo. También le gusta el Oscar Wilde de
El Abanico de Lady Windermere y sobre todo de *La importancia de llamarse Ernesto,* no el decadente de *El retrato de
Dorian Gray* (III, 147). Encuentra falsos a los tipos de algunas de sus obras, similares a los de Huysmans o Jean Lorrain.
Toda esa literatura inmortal le parecen fanfarronadas para
«snobs» (V, 148).

---

[32]   Los seguidores de Dickens, en cambio, no le entusiasman. De
George Gissing dice que "de Dickens no tenía más que la parte oscura
y lúgubre" (VII, 196).
[33]   Son varias las veces que Baroja cita a Edgar Allan Poe como
genio (V, 97-8, 101-2 y 106) y dueño de una imaginación poderosa (V,
178 y 267).

Los escritores posteriores ya le gustan menos.

Inglaterra tiene ahora un sentido de mediocridad, de buen tono, y ensalza a estos tipos de novelistas como Jane Austen, Tackeray (sic), Galsworthy y Wallace. Este gusto un poco mediocre, pugna con la tendencia al humorismo y a la extravagancia. Inglaterra parece que en literatura se aparta de su gusto tradicional y se acerca al gusto del Continente.
Yo creo que es lo peor que puede hacer (VII, 193-4).

De todos modos, algunos le gustan como George Meredith, cuya obra *El egoísta* confiesa que le interesó a pesar de su longitud y de su «tempo lento» (V, 130). También Arnold Bennet a quien encuentra original y personal (III, 292) y Jean Giono, cuyos libros son muy poéticos y le recuerdan a los de Azorín (V, 128). James Joyce no parece entusiasmarle. Lo encuentra, a veces, «incomprensible y disparatado» (I, 205), pero lo prefiere a Proust, pues su estilo no tiene el aire envejecido y vulgar de éste. Tampoco siente entusiasmo por Aldous Huxley, a quien considera «más bien un hombre de talento que un novelista de raza» (V, 129), ni por Virginia Woolf (V, 208) [34]. En H. G. Wells ve como «un fondo de mala intención para la humanidad» (IV, 33). Los folletinistas ingleses, especialmente Conan Doyle, le gustan todos, a excepción de Edgar Wallace (V, 130).

Con respecto a la literatura, veíamos al hablar de la francesa del XIX que encuentra que no está a la altura de dos o tres de Dostoiewsky y *La guerra y la Paz* de Tolstoi (III, 225). Encuentra que el gran valor de Dostoiewsky está en traer por primera ver a la literatura lo patológico con una gran clarividencia, ya que tan bien él lo conocía pues era un enfermo y un enfermo genial. Hay en él una «mezcla de sensibilidad exquisita, de brutalidad y de sadismo» (V, 186). En sus novelas ve Baroja que hay técnica, pero que esa técnica no podría ser empleada por ningún otro. Incluso cuando no es novelista como en su libro autobiográfico *«Recuerdos de la Casa de los Muertos*, es tan intenso y tan fuerte, y coge al lector tanto como en sus demás libros» (V, 186). En el siglo XX la literatura

[34] Baroja dice "Victoria Wolf" (V, 208), pero otras veces cita bien el nombre.

rusa descendió. Comparados con los anteriores «Bunin, Gorki
y Merejowski no son gran cosa» (VII, 202) y los de después de
la revolución son todavía peores.

De Alemania opina que es país de filosofía y música. Su
literatura le resulta pesada, pedante y cursi (VII, 202). Hay
un autor alemán que sí alaba: Salomon Reinarch, arqueólogo,
del que dice que «Sus libros se leen mejor que una novela»
(VII, 188-9). Otro autor al que Baroja cita es a Kafka, pero le
parece un «Dostoiewsky muy pequeño» (VII, 210). En conjunto, Baroja opina que «desde hace muchos años no hay un
gran escritor en Europa ... Después de Tolstoi, Ibsen y Nietzsche, no me parece que haya nada de gran altura» (VII, 185).
(Son interesantes estas opiniones de Baroja cuando en otro volumen de las *Memomias* comenta que don Nicolás Estévanez, el
político era como don Juan Valera: no comprendían a los
autores en boga en el momento [35]. Que es lo mismo que José
Corrales Egea le achaca a Baroja) [36]. En cuanto al público,
cree que éste acepta mejor ahora a los escritores del centro de
Europa: húngaros, polacos. Lo latino está en decadencia (VII,
269). En su opinión, a partir de la Edad Moderna la gente del
Norte es la que demuestra imaginación.

> ... en literatura, Defoe, Byron, Dickens, Poe, Heine, Ibsen, Dos-
> toiewsky; en música Mozart, Beethoven, Shumann, Weber; en
> pintura, el Bosco, Brueghel, Vermeer; en filosofía, Kant, Scho-
> penhauer, Nietzsche (V, 278).

en tanto que los meridionales no hacen más que repetirse. Al
lado de esto, la literatura ya no interesa. En la gente ya no
influye sino la economía, la moda y el cine. Nadie lee libros.
para ello se necesitaría tranquilidad, y hoy todo el mundo está
muy ocupado y ansioso de dinero. Comenta que no sólo en

---

[35] "Estévanez vivía traduciendo; era hombre de lecturas atrasa-
das. No comprendía ya su tiempo. No tenía gran sentido filosófico
ni literario. Le fastidiaba, por ejemplo, que se citara a Schopenhauer,
a Nietzsche y a los filósofos alemanes.

A Estévanez le pasaba lo mismo que a Valera. Se notaba que le molestaba que se hablara de gente para ellos demasiado moderna. Entonces esta gente era Ibsen, Dostoiewsky, Tolstoi, etc." (IV, 136-37).
[36] José Corrales Egea, *"De La sensualidad pervertida* a *La estrella
del capitán Chimista"*, en Fernando Baeza, I, p. 197.

Madrid, sino incluso en Londres muy pocas gentes habían leído a Dickens, Tolstoi o Balzac. A quienes les preguntó contestaron que eran libros muy grandes (V, 208-9). Sin embargo, los
libros gordos se venden, lo que pasa es que no se leen.

Baroja habla poco del teatro. Considera que ésta gana leída
si es una buena obra; pero si es mediana, normalmente gana
en la escena (I, 186). Asegura que no ha sentido curiosidad
por el teatro ni por los cómicos. De los autores modernos sólo
le han entusiasmado Ibsen y Bernard Shaw, aquél más que
éste. No le parecen grandes Rostand, D'Annunzio, Paul Her-
vieu, Echegaray o Dicenta (III, 34).

En cuanto a la labor crítica de Baroja, mientras algunos
críticos la condenan completamente [37], hay quien se lamenta
de que en Baroja no hay término medio [38] y quien alaba su
independencia de criterio [39].

---

[37] "Sus virtudes literarias están atravesadas de las más tremen-
das limitaciones de la inteligencia, aunque la expresión parezca con-
tradictoria. La cantidad de cosas que no entiende pudieran ser sufi-
cientes para su inhabilitación crítica." Eusebio García-Luengo, "El
alma de Baroja", en Fernando Baeza, II, p. 334.
"Lo malo únicamente es que Baroja tiene pésimo concepto de las
gentes y un predominio de mal gusto literario y estético respecto de lo
ajeno que invalidan totalmente la mayor parte de la crítica". Joaquín
de Entrambasaguas, Las mejores novelas contemporáneas, II, p. 1.240.
[38] "La actitud de Baroja ante las obras literarias de los demás es
digna de notarse como rasgo muy expresivo de su idiosincrasia literaria. La misma simplicidad de su estilo narrativo aparece en sus juicios literarios. Frente a los novelistas más egregios, no sabe de otra
crítica que la adhesión estusiasta o la repulsa total". José María de
Cossío, "Notas sobre Baroja", en Fernando Baeza, II, 363.
[39] "Algunos confunden el juicio propio con lo subjetivo, y el juicio
ajeno con el objetivo. Es un error: todo juicio es subjetivo por definición. Lo que pasa es que hay críticos sin criterio, que se limitan a repetir lo que otros dicen y de este modo, además de no correr más ries-
gos que el de hacer de papagayos, pueden encima presumir de objetivos. Baroja, cuando opina sobre otros escritores (sea cual sea su renom-
bre) tiene en cambio tanto criterio —valga la expresión— que para
nada tiene en cuenta el criterio de los demás. Eso tenemos que agra-
decerle. Su crítica es tan subjetiva como la de todo el mundo, pero
más independiente y sincera que la de nadie". Vaz de Soto, "Baroja,
crítico literario", p. 303.

La Generación del 98

La generación del 98 es uno de los temas sobre los que Baroja
expuso su opinión. Todos los manuales de literatura al llegar
a ese período comentan que uno de sus miembros —Baroja—
niega la existencia de tal generación. ¿Qué es lo que dice en
realidad Baroja? Empieza diciendo que el invento fue de *Azorín* [40] y que a pesar de no tener mucha exactitud, tuvo gran
éxito pues se ha comentado y repetido. El no cree que exista
esa generación, primero porque no había nada común entre
ellos, ni puntos de vista, ni aspiraciones, ni siquiera la edad.
Segundo, la fecha no le parece tampoco exacta; porque la mayoría de los escritores que se consideran pertenecientes a ella
no eran conocidos en esa época. Tercero, no se sabe bien quienes pertenecen a ella. Unos críticos incluyen a unos. Otros a
otros. Cuarto, no tenían unidad de ideas. «Había entre ellos
liberales monárquicos, reaccionarios y carlistas» (I, 175). En
cuanto a sus maestros literarios no había tampoco igualdad,
unos tenían a Shakespeare o Carlyle, otros a D'Annunzio o
Flaubert y otros a Dostoiewsky o Nietzsche (I, 176). Lo único
común entre ellos era que privaba lo extranjero, pero, continúa Baroja, eso ha sido siempre así en España, y que aspi-
raban a hacer algo que estuviese bien (I, 177). En cuanto al
pesimismo de esta supuesta generación, era algo que estaba

---

[40] Hans Jeschke en su libro sobre dicha generación dice lo siguiente:
"La expresión lingüística e ideológica del concepto 'generación de
1898' o 'del 98', que es de extraordinaria importancia para comprender la moderna historia literaria y espiritual de España, no se remonta
como se ha dicho hasta hace poco, a Azorín, ni tampoco al filósofo español Ortega y Gasset, sino al conocido político español D. Gabriel
Maura y Gamazo, quien, con ocasión de una polémica con Ortega y
Gasset en el semanario *Faro*, distinguió por primera vez esta generación y su mentalidad especial y la relacionó con los acontecimientos
de 1898. Definió, entonces, el carácter de esta generación de la manera
siguiente: "Es el Sr. Ortega y Gasset uno de los más valiosos representantes de la generación que ahora llega; generación nacida intelectualmente a raíz del desastre, patriota sin patriotería; optimista
pero no cándida, porque las lecciones de la adversidad moderaron
en ella las posibles exaltaciones de la fe juvenil". Hans Jeschke, *La generación de 1898 (Ensayo de una determinación de su esencia* (Santiago de Chile, 1946), p. 82.

en el ambiente europeo. El xix había sido un siglo optimisma,
con su fe en el progreso ilimitado. Poco antes del fin del siglo
surge la desilusión y los autores se dedican a destruir ese optimismo unos de una manera, otros de otra (I, 208-11). Las
ideas de Baroja debieron de cambiar con el tiempo acerca de
la no existencia del 98, porque más adelante intenta caracte-
rizarlo. En su opinión, el nombre sigue careciendo de exactitud. Debería llamarse de 1870 por ser la época en que nacieron
sus agrupados más o menos, o de 1900, año en que se inician
literariamente la mayoría. Esta generación fue «excesivamente libresca» (III, 7) y hostil. Baroja achaca esto a que antes la
generación establecida ayudaba a la que empezaba, pero los
tiempos habían cambiado. Los jóvenes eran muchos y «por
la pérdida de las colonias» (III, 7) [41] los destinos escaseaban.
Por ello, la juventud no tenía más camino que «la cuquería y
la vida maleante, o el intelectualismo con la miseria conse-
cutiva» (III, 7). Los que se dedicaron al intelectualismo se ati-
borraron de teorías y utopías en las que gustaban refugiarse.
En opinión de Baroja, los pertenecientes a esa generación habían estudiado mal por culpa de los profesores, pero al dejar
a éstos, a muchos les quedó la curiosidad de aprender lo no
aprendido. En ellos había un interés por la justicia social, unido a un desprecio de la política. No se creía en la democracia
y se consideraba al parlamentarismo cosa de teatro. Se co-
menzaba a dudar de todos los dogmas. Era una juventud analítica y al mismo tiempo mística. Otra característica común
a muchos de ellos era la golfería, al no ver salida ninguna, se
dedicaron a la vida noctámbula de café «maldiciendo de todo
y de todos...» (III, 20). Otros practicaron solamente el hamle-
tismo. Todos estos jóvenes toman muy en serio a la mujer y al
amor. Se espera de ella un apoyo espiritual y por eso, se la
critica con violencia.

Aún cuando anteriormente había dicho que en los gustos
de esta generación no había unidad. Ahora asegura que se
entusiasmaban por D'Annunzio, Maeterlink y Anatole France,

---

[41]   Es interesante ver como Baroja quiere negar el término "98", y
sin embargo, tiene que aludir a él para explicar la especial idiosincra-
cia de esa generación.

gustos que él no compartía. Desdeñaban a los realistas franceses con la excepción de Daudet —que es precisamente el que no le gustaba a Baroja— y a Dickens y Dostoiewsky los consideraban folletinistas. Por esa falta de comunidad intelectual con ellos y por no tener amistad sino con pocos de los miembros, Baroja confiesa que se fue alejando del grupo (I, 21).

A esta generación se le hicieron muchos reproches. Primeramente su inhibición política. Hubo periodistas que le reprocharon el no evitar la guerra de Cuba. Baroja comenta que teniendo sus miembros más o menos veintidós años en esa época, es de suponer que el gobierno no los hubiese dejado intervenir en política (III, 10). También se les acusó de misóginos y homosexuales. La acusación de misoginia era debida según Baroja, a que los autores estaban más interesados en sus mujeres que en las ajenas y que los jóvenes al no tener dinero para invitar a una preferían irse a su casa. A los reproches de la generación anterior, contesta Baroja que si ellos hacían otra vida es porque eran unos fantasiosos o unos chulos. En cuanto al homosexualismo que se le achacó a esta generación —la palabra modernista [42] llegó a ser sinónimo de ello—, si esto hubiese sido verdad, piensa Baroja, ya no habría españoles (III, 12).

En cuanto al valor de su labor literaria en conjunto, Baroja piensa que es difícil dar una opinión, pero que si los gobiernos continúan con sus censuras,

> ... esa generación del 98, que naturalmente no era generación, por contraste, se consolidará como tal, quedará como una sierra aislada sin estribaciones, sin colinas alrededor que la oculten, y se destacará y tomará en España unos caracteres míticos (IV, 66).

Teoría de la Novela

Una polémica famosa de Baroja fue la sostenida con Ortega con motivo de la novela. Este había dicho que la novela era un género llamado a desaparecer, y entre sus distintas clases había defendido la novela lenta, psicológica al estilo de

---

[42]   Baroja no hace distinción entre "modernismo" y "98".

Proust [43]. Baroja expuso sus teorías en el prólogo de *La nave de los locos* [44]. Luego en sus *Memorias,* vuelve a exponer estas mismas teorías con algunos añadidos que fue adquiriendo con los años. De estas teorías más generales es de las que nos vamos a ocupar. El novelista, para Baroja, es un tipo curioso y observador (V, 139), ese otro tipo de escritor mundano que triunfa en los salones, normalmente vale poco, ha de apoyarse en algo exterior a lo literario (V, 210). Con respecto a la novela, no cree que ésta vaya a desaparecer [45]. Cambiará el tipo con las modas, pero el género no desaparecerá, a pesar de reconocer que hoy está en decadencia [46]. Baroja piensa que la novela no puede desaparecer pues es lo único que le queda al viejo. El joven irá al cine, pero el viejo no tiene nada que la sustituya (V, 153) [47].

Para Ortega la novela debería tener un ambiente muy limitado, con pocas figuras, acción lenta y escasa (V, 173-4). Baroja no cree que haya un tipo único de novela, ni que ésta necesite de las tres unidades clásicas (V, 173). Como gran lector de novelas, expone ejemplos donde se dan las características defendidas por Ortega, como la novela francesa y española del XIX —entre estas últimas cita *La regenta* de «Clarín»; *Pepita Jiménez* de Valera y *Marta y María* de Palacio Valdés

[43] José Ortega y Gasset, *La deshumanización del arte e ideas sobre la novela,* en *Obras completas* (Madrid, 1946), III, 353-417.
[44] Pío Baroja *La nave de los locos* (Madrid, 1925), pp. 7-50. Este prólogo está reproducido también en Fernando Baeza, *Baroja y su mundo,* II, pp. 385-416. Baroja en *La intuición y el estilo* lo reproduce dos veces con ligeras variantes (V, 170-91 y 262-71).
[45] Pero más tarde, al final de sus *Memorias* reproduce una conversación con un periodista francés a quien Baroja dijo que veía poco porvenir en la novela pues en la vida ya no había misterio (VII, 181).
[46] Hay un párrafo donde Baroja parece reconocer que él por el cambio de gustos que acompaña a la edad, puede estar equivocado: "Cierto es, y hay que tenerlo en cuenta, que el novelista, cuando ya no es joven, lee pocas novelas, y si las lee, las lee sin entusiasmo, y le gusta, en general, más la obra de un historiador, de un viajero o de un ensayista que la de cualquier compañero suyo fabricante de historias amañadas" (V, 173).
[47] Notemos la gran contradicción con la nota anterior. Por otro lado, Baroja no pudo prever el efecto de la televisión. En nuestra opinión, los que leen algo, aunque sea poco, son los jóvenes. Los viejos han sustituido la lectura por la televisión.

(V, 174)— y otras en que se da todo lo contrario como *La guerra y la paz* de Tolstoi, novela de espacio muy abierto, de gran profusión de figuras y mucha acción. Nadie preferirá las anteriores a ésta [48]. Claro que le pueden objetar que es que los autores no han sabido emplear las reglas, a lo que contesta que le resulta similar a lo que se dice en aquella obra de Molière «de que vale más morirse siguiendo los preceptos de Hipócrates que vivir malamente sin arreglo a precepto alguno» (V, 174). Y es que en opinión de Baroja, la novela cerrada no es capaz de presentar tipos vivos. Para encontrarlos hay que ir a la novela sin una unidad perfecta.

> Las grandes novelas *Don Quijote, Robinsón, Gil Blas, Rob Roy, Le rouge et le noir, Los hermanos Karamazoff, Las almas muertas, David Copperfield, El padre Goriot, La guerra y la paz,* no tienen un argumento cerrado y definitivo (I, 148).

Baroja supone que no es sólo al escritor al que le fastidia cerrar su espacio, al lector también le molesta, y él, que ha sido lector, antes que escritor al escribir piensa en aquéllos (V, 271). A veces pensó en estrechar su horizonte, pero el solo pensamiento ya le ahogaba. En cuanto a la lentitud o morosidad de la novela, ésta no le parece de ningún mérito aun cuando le ponen como ejemplos *El idiota* o *Los hermanos Karamazoff*, novelas enormes cuya acción transcurre en unos pocos meses. En éstas, Baroja opina, que aún cuando el ejemplo parezca vulgar, es como un coche en el que su amigo encon-

---

[48] Refiriéndose a ésta polémica Mariano Baquero Goyanes comenta:

"Cualquiera que conozca el ensayo de Ortega se dará cuenta en seguida, de que Baroja esquematizó excesivamente las conclusiones a que llegó el autor de las *Ideas*. Por otra parte, los títulos aducidos son desigualmente ejemplares." Mariano Baquero Goyanes, *Proceso de la novela actual* (Madrid, 1963), p. 40. Dice que en *La Regenta* no hay pocas figuras —eso nos había parecido a nosotros también— lo que hay es ambiente provinciano, que pudo ser lo que dio sensación de limitación a Baroja. Según Baquero Goyanes ni *La Regenta* ni *Pepita Jiménez* se pueden comparar con *La guerra y la paz* una de las novelas más grandes de todos los tiempos (pp. 40-1); pero tampoco se pueden comparar con ésta, novelas con muchísima intriga o muchísimos personajes o de protagonistas colectivos que no han pasado de ser novelas mediocres (pp. 42-3).

trara el valor en la carrocería y para él estuviera en el motor
(V, 186-7). «La morosidad es antibiológica y anti-vital» (V,
189), afirma y saca un ejemplo de la filosofía donde se ve
que un nervio sirve para dos o tres funciones, pero no tres
nervios para una función. Es porque en lo vivo existe lo que
se llama economía, y lo que se puede hacer rápido no se hace
lento. Además, a veces, a «un espíritu impresionable» (V, 190)
le basta con insinuar. Todo lo que sea redondear, le aburre. Si
por perfilar se hicieran maravillas, todo el mundo sería capaz de hacerlas. Confía en que cuando se tenga un concepto
psicológico del estilo, se alabará al que diga más con menos
palabras.

> Además al emplear un tipo de novela pesada y morosa habría
> necesariamente que proscribir todo lo que fuera gracia e insi-
> nuación ligera (V, 189).

Piensa Baroja que en la novela se dan dos tipos principales.
Una es la novela impermeable, cerrada, bien limitada, donde
no entra la vida exterior. El problema con esta novela podría
ser su sequedad. Baroja encuentra que esta limitación estará
bien siempre que no nos haga el efecto de algo inexorable
(V, 179-80) [49]. Al lado de ésta, existe otra novela que es la per-
meable, abierta, que se confunde con el exterior. Baroja, cul-
tivador de este último tipo, aprueba la limitación de las primeras siempre que haya la posibilidad de remontarla. Una
novela cerrada donde nada sobre, sería naturalmente la más
perfecta, pero Baroja no cree en su existencia.

> Existe la posibilidad de hacer una novela clara, limpia, serena,
> de arte puro, sin disquisiciones filosóficas, sin disertaciones ni

---

[49]   Baroja pone como ejemplo una novela de Pereda:
"Que un señorito de Santander tenga dificultades por la diferencia
de clases para casarse con la hija de un pescador, está bien; pero que
estos impedimentos, como en una novela de Pereda, sean tan terribles
para cortar los amores y hacer de dos personas dos seres desgraciados
es un tanto ridículo.
Al fin y al cabo, el mundo es un poco más grande que Santander
y que sus clases sociales, y yo supongo que el personaje de Pereda, por
muy santanderino que fuera, preferiría vivir con una mujer que le
gustase en León, en Oviedo o en Ribadeo que con una mujer que le
pareciera antipática en el mismo Santander" (V, 130).

análisis psicológicos, como una sonata de Mozart; pero es la posibilidad solamente, porque no sabemos de una novela que se
acerque a ese ideal. (V, 177) [50].

Para Baroja la novela no es un género concreto y bien defini-
do, al menos,

> ... hoy por hoy, es un género multiforme, proteico, en forma-
> ción, en fermentación; lo abarca todo: el libro fi osófico, el psi-
> cológico, la aventura, la utopía, lo épico, todo absolutamente
> (V, 176).

Habiendo tantas clases, es imposible que haya una técnica
única. Cosa que deberá tener en cuenta el crítico para no aplicar a una las reglas de otra. Cada tipo de novela requiere una
técnica distinta, como el tipo de novela que le gusta a Baroja
requiere una técnica, que en su opinión, no ha sido capaz de
descubrir (V, 140) [51]. En cuanto a su composición, hay dos maneras principales. Una es tomando tipos o temas antiguos y
darles otro aire. Otra, inundarse de ambiente y sacar de él lo
más característico (V, 140). Pero ninguna de estas dos maneras
se da totalmente pura, porque la que se inspira en el arte antiguo, lo hace con la mentalidad y lenguaje de su tiempo, y la
que se inspira en el ambiente, estará a su vez mediatizada
por lecturas anteriores (V, 145). Baroja cree que con este método se consigue más pronto la originalidad, pero con el otro
«es más fácil la composición correcta y sabia» (V, 145). Ya
que este tipo de composición se puede adquirir estudiando las
obras clásicas (V, 140). Pero Baroja no le concede ninguna
categoría. Para él esas reglas valen muy poco (V, 143) pues no
sirven para producir una obra interesante. Mientras hay novelas bien compuestas, con su unidad de acción que le resultan
aburridas y ha sido incapaz de concluirlas, otras de acción

---

[50] Es curioso que al discutir las teorías de la novela en Baroja,
ningún crítico haya mencionado como ejemplo de novela pura *Hambre*
de Knut Hamsun. Baroja no podría hablar de esta novela porque no
le gustaba Hamsun.
[51] Más adelante, Baroja reproduce las mismas teorías, pero al final de ellas dice:
"He supuesto durante tiempo que podía haber una técnica para la
novela que a mí me atraía, y que quizá con trabajo pudiera llegarla a
encontrar. Ahora no creo en nada de esto" (V, 212).

discontinua como «*El Rojo y El Negro,* de Stendhal; *Pickwick,* de Dickens, y los *Recuerdos de la Casa de los Muertos,* de Dostoiewsky» (V, 153) las ha releído varias veces. Y es que la técnica no tiene ninguna importancia. En el autor el acento lo es todo y éste viene de su naturaleza. De ahí que un escritor muestre su capacidad desde su primera obra (IV, 205). En adelante, habrá ascensos y descensos, pero siempre serán cambios muy pequeños. Existe el escritor que da su obra maestra al final, como Cervantes, pero no es lo corriente (III, 149-50). Si en literatura se progresara ¿adónde llegarían autores como Dickens o Dostoiewsky, cuyas primeras obras fueron de la categoría de *Pickwick* o *Pobres gentes?* La paciencia y el trabajo a lo Flaubert no llevan a nada (III, 150). «Ese arte de construir vale muy poco» (V, 215). En la novela casi no lo hay. Todos los géneros literarios tienen unos límites más fijos que la novela. Incluso el cuento, que no se imagina sin composición, y sin final *ad hoc;* una novela es posible sin argumento sin arquitectura y sin composición» (V, 216). Cada tipo de novela tiene su esqueleto, y las hay que no lo tienen, «porque no son biológicamente un animal vertebrado, sino invertebrado» (V, 216). Hay novelas desorganizadas, sin principio ni fin, que podrían tener más o menos capítulos como *Don Quijote* o *Pickwick.* El organizar una novela es cuestión de habilidad. Y Baroja concluye:

> A algunos les agrada esta ingeniería, a otros nos cansa y nos fastidia (V, 216).

Un profesor [52] comentaba en un periódico de provincias que la novela estaba llamada a desaparecer pues a nadie le importaba lo que sucedía a personajes irreales como Madame Bovary o los Rougon-Macquart. Si esto fuera verdad, comenta Baroja, nadie leería nada, ni el *Quijote* ni ninguna otra (V, 175). Hubo

---

[52] No sabemos si se refiere a Ortega aquí. A ese profesor de Madrid lo nombra también en el prólogo a *La nave de los locos,* p. 17. Y en (V, 271) dice: "El mismo profesor y novelista a quien antes mencionó..." Pero normalmente en el prólogo cuando se refiere a Ortega lo llama "nuestro amigo" (p. 41), "el ensayista" (p. 15) o "nuestro ensayista" (p. 40). Lo que nos hace pensar por el distanciamiento que emplea al referirse a "un profesor" que no es el mismo.

críticos que dijeron que al ser ya imposible inventar, el novelista tendría que apoyarse en la técnica (V, 174). Baroja no está de acuerdo. Cree que si existiera un escritor de la imaginación de Poe «es muy posible que encontrara en las ideas actuales grandes elementos para urdir nuevas intrigas literarias» (V, 178). En su opinión, lo importante en una novela es la invención; pero desgraciadamente ésta es muy pobre en la mayoría de la gente. Incluso inventar un cuento que entretenga a un niño es muy difícil. Urdir una trama depende de la imaginación. El que tenga imaginación como uno, inventará como uno. El que tenga como dos, inventará como dos. En esto no vale nada el esfuerzo (V, 201), ya que «La invención no es cosa que se aprende» (V, 142).

Por todo ello, el autor capaz de crear personajes que nos sean necesarios mentalmente es al que considera Baroja más cercano al genio[53]. Considera que los escritores del XIX, aún sus favoritos, no llegaron a crear personajes eternos como los del XVI o XVII, sea por la época o por el ambiente. Así los de Balzac, Dickens, Tolstoi o Dostoiewsky no pasan de ser «personajes subalternos» (V, 197). Baroja no cree que exista la invención completa (V, 217).

Personajes o tramas ya existían en potencia. Así opina que existieron Quijotes o Hamlets antes del de Cervantes o Shakespeare; pero éstos lograron una síntesis más completa (V, 127). Todos repiten, unos mejor y otros peor. El inventor es el que llega más lejos que su predecesor. Dada una trama, por original que parezca, hay que tener la seguridad de que ya existía, aunque con alguna pequeña novedad menos (V, 217). Baroja confiesa que ese saber de donde vienen los argumentos es un tipo de análisis que le interesaría (V, 143). Ortega, por lo visto, pensaba que era fácil inventar detalles o ampliar per-

---

[53] "Mucha de la literatura antigua se hizo a base de símbolos humanos; pero en algunos escritores, por su intuición o por su observación, las figuras que inventaron sobrepasaron las siluetas demasiado recortadas y vulgares.

Yo no he conocido en mi vida un hombre extraordinario con una condición de imaginar, de inventar. No creo que he visto un hombre de esos extraños que se dan con poca frecuencia en el mundo y que se llaman genios" (V, 96).

sonajes para redondear una novela (V, 187). Baroja contesta
que un personaje no es como un concepto del cual se pueden
escribir varios volúmenes. De algunos no se pueden escribir
más que unas líneas. Todo lo demás sobra, porque para el «novelista de raza... todo lo que es engarce, montura, puente, entre una cosa y otra, en el fondo, arte literario aprendido, técnico, le fastidia» (V, 188) [54]. Dostoiewsky sí podía amplificar
ya que su sensibilidad de hiperestésico le hacía ver los detalles pequeños como cosas de gran importancia.

Para Baroja en todo escritor hay un fondo sentimental,
base de su personalidad. De ese fondo surgen sus deseos, recuerdos, éxitos o fracasos. Y el escritor saca de ese fondo, hasta que llega una época en que ya no queda nada, y al escritor
no le queda más remedio que hacerse fotográfico. Entre los
modernos, ha habido escritores de fondo sentimental enorme o
pequeño como Flaubert o Anatole France (V, 215). De Zola
afirma que fue siempre fotográfico. Y de sí mismo, confiesa
que su fondo sentimental se formó «desde los diez o doce hasta los veintidós o veintitrés años» (V, 215). En ese tiempo
todo era muy importante y se le quedó muy grabado. Luego,
su sensibilidad se fue calmando, y ahora y desde hace algún
tiempo, todo lo suyo tiene un poco de carácter fotográfico. «Esto es el agotamiento, la decadencia» (V, 215). Por eso, cuando
quiere buscar algo que vibre ha de escarbar en aquella época
de la juventud.

Aún cuando Baroja opina que la novela es multiforme,
proteica y en formación, le establece una norma:

> ... debe contar con todos los elementos necesarios para produ-
> cir su efecto; debe ser en ese sentido inmanente y hermética
> (V, 177) [55].

---

[54] Baroja insiste mucho en ese concepto de "novelista de raza", como dando a entender que él y sus favoritos lo son, los que deben todo
a la intuición. Los otros, los que se basan en la técnica, en el trabajo,
en lo que se perfecciona o aprende no son "novelistas de raza".
[55] Es curioso como en el estupendo ensayo de Mariano Baquero
Goyanes sobre la polémica de la novela opone el "hermetismo" de la novela en Ortega frente a la "permeabilidad" de Baroja. Mariano Baquero
Goyanes, *Proceso de la novela actual,* p. 31. Claro que se nos puede

En cambio, no tiene porqué tener unidad de efecto. Esta se hace necesaria en el cuento, que es algo que se lee de una vez; pero una novela, en la que normalmente entre lectura y lectura se introduce la vida, no la necesita. Baroja, añade que al escribir sus obras, según sean éstas para ser leídas de una tirada o en varias sesiones, ha pretendido la unidad de efecto o ha escrito capítulos cortos con énfasis en el detalle (V, 154-5).

El fin de la novela ha de ser ella misma, no ha de tener uno práctico (V, 267). La novela de tesis no tiene sentido. El que no esté de acuerdo con ella, escribirá otra para demostrar lo contrario. Cree que carecen de valor también la novela pedagógica o la freudiana (V, 272). La novela no tiene que tener la moral del melodrama, pues en la vida no se recompensa siempre al bueno y se castiga al malo. La novela debe dar las soluciones de la vida (V, 205). A pesar de opinar así, Baroja

---

decir que emplea "hermetismo" en el sentido opuesto a "permeabilidad"; pero si es así, ¿por qué dice más adelante?:

"¿Se opone en algo el que la novela sea un género tan flexible que admita los más dispares extremos, el más diverso contenido y las técnicas más complejas, al hecho de que, como quiera que sea, haya de poseer unas cualidades herméticas capaces de aprisionar al lector en su ámbito de ficción? *Ibid.*, p. 47. Creemos que esto lo pretende también Baroja. El mismo crítico continúa que si Baroja rechazaba el hermetismo orteguiano era porque en el mundo agitado de hoy pocos pueden dejarse aprisionar por la trama de una novela y por eso Baroja al citar a aquella dama que le decía que no podía entrar en la trama de *Las figuras de cera,* contesta que es que en el tráfago de hoy en día es difícil concentrarse, que la agitación "no deja más que cortas escapadas a la meditación y al sueño" (V, 190). Pero dudamos que Baroja no pretendiera en esas "cortas escapadas" concentración completa. El dice también que como ha sido lector le gusta hacer concesiones a los lectores y pone "muchas ventanas al campo" (V, 190) en sus libros. Nosotros imaginamos que esas "ventanas al campo" de que habla Baroja, son esos personajes estupendamente trazados, que se nos quedan más grabados que los principales y que, sin embargo, no tienen nada que hacer en la novela. Como Ollarra, un personaje joven y simpático en *La nave de los locos.* Va de acompañante de los protagonistas. En los melodramas tradicionales, sería el clásico amigo que se sacrifica y muere para que los protagonistas puedan escaparse y ser felices. A este le importa tres pitos la felicidad de los protagonistas. Cuando los capturan, se escapa sin pensar en los otros, es capturado de nuevo y condenado a muerte. Muere como un valiente, pero no como un tonto.

confiesa que se ha preocupado por la moral tanto en la vida como en la literatura. Claro que esto ha venido con la época, pues los grandes escritores del xix han tenido un gran fondo ético, mientras que los inmoralistas o decadentes no han llegado a la altura de los otros (IV, 21). Pero Baroja lo lleva más lejos hasta decir que quedaría muy poco de Aristófanes, Luciano o Plauto si no fuera su fondo moral, que contrasta con su afirmación:

> La novela debe encontrar la finalidad en sí misma. Los fines didácticos y moralistas no le añaden nada (V, 140).

Unamuno decía que le gustaba suprimir las descripciones en sus novelas para dar más énfasis a los caracteres. Baroja dice que no se lo discutió en vida, pues por el carácter especial del profesor de Salamanca era difícil llevarle la contraria, pero que siempre le pareció una estupidez. En la novela antigua no existía. La descripción es una perfección en la novela. El exceso no le parece bueno; pero al ver una novela tan lograda como *La guerra y la paz* llena de descripciones, conviene que éstas son necesarias (V, 271). En el cuento, en cambio, no hacen falta (III, 324). Una razón técnica de su empleo en la novela sería para separar unas partes de otras, «hace como de marco de un incidente» (V, 205).

Aún cuando se preconiza que el novelista ha de ser impasible con sus personajes, Baroja considera que esto es una estupidez. Al ser, en cierto sentido, desdoblamientos suyos el autor tiene que sentir simpatías por sus personajes. Una cosa que le choca en Dostoiewsky es la mezcla de simpatía y antipatía hacia sus personajes.

> Este resultado, que es, en último término, de gran valor artístico, no me figuro que sea deliberado, sino más bien una consecuencia de un desdoblamiento mental por un lado y por otro, de premura de tiempo (V, 213).

Tampoco le parece un defecto el que el autor hable por sus personajes, porque esto lo han hecho Dickens, Cervantes y

Dostoiewsky entre otros. A la objeción de que esto no se debe
ya hacer porque la novela se ha perfeccionado, responde:

  ¡Qué candidez! (V, 214) [56].

Y después de haber analizado la crítica de Baroja, nos parece
extraño que sintiera ese poco entusiasmo por los escritores
españoles inmediatamente anteriores o contemporáneos suyos.
¿Cómo no ver el valor de Galdós o Clarín? Que no viera el de
Valle-Inclán o Unamuno se explica por el totalmente opuesto
concepto que tenían de la novela los tres entre sí. Aunque más
bien habría que buscar la explicación en la antipatía que sentía por éstos. Pues no hay mayor desemejanza de estilo que
entre el de Baroja y el de Ortega, sin embargo, aquél califica
a este junto con Azorín como los dos españoles de hoy que
tienen estilo. También es raro que de los españoles posteriores
no nombre a nadie. ¿Por qué? Sin embargo, nombra a autores
de esa época franceses e ingleses y de algunos habla bien.
¿Encontraba Baroja superiores a los escritores extranjeros
que a los españoles? ¿Le parecían éstos tan malos? ¿No podría
ser que al ver que no se le reconocía como un gran escritor,
como el escritor que creía o intentó ser, quiere demostrarnos
que los otros escritores españoles, mejor aceptados, no son
ninguna maravilla tampoco? No podemos contestar a esta pregunta. El que quizá pudiera —porque a lo mejor él tampoco lo
sabía— hace tiempo que descansa de los horrores de la com-
petencia. Puede ser que Baroja ante los amaneramientos en la
prosa de la generación anterior a la suya, no pudiese disfrutar con sus novelas. ¿Pero no aparecían esos mismos amaneramientos en la prosa a las traducciones de sus autores favoritos?
Quizá no tanto. Es difícil de aceptar, pero probablemente la
crítica de Baroja fue completamente sincera.

---

[56] Según Carmen Iglesias, la idea de Baroja de que la novela no se
ha perfeccionado es en parte cierta pues ninguno de los contemporáneos ha llegado a eclipsar a los tres que Baroja considera geniales:
Dickens, Stendhal y Dostoiewsky. Carmen Iglesias, "La controversia
entre Baroja y Ortega acerca de la novela", *Hispanofila*, No. 1 (Sep.
1959), p. 48.

V. TECNICA Y ESTILO EN LAS *MEMORIAS*

Si para Baroja la novela es un género «proteico, en formación
(V, 176), las memorias no lo son menos. Baroja nunca expuso
sus teorías acerca de como debería estar constituido el género
autobiográfico. Al parecer no le preocupaba. Confiesa que las
memorias es un género que le aburre (I, 28). Mientras hay
cuarenta o cincuenta novelas que recuerda con ilusión, no le
pasa lo mismo con las memorias (I, 27-8). Cuando se ha acer-
cado a ellas, ha sido más con la idea de buscar datos que entretenimiento (I, 29). Baroja da su opinión acerca de las memorias más famosas de la humanidad. Todas, desde las de Cellini a Chateubriand, pasando por las de Casanova y Rouseau,
le han parecido aparatosas y superficiales. Las mejores en su
opinión son las de Goethe —*Poesía y realidad*—, cuyo espíritu
admira, aunque lamenta que su vida fuera tan vulgar. Entre
las españolas, los *Recuerdos de un anciano* de don Antonio
Alcalá Galiano y las *Memorias de un sesentón* de Mesonero
Romanos —las *Escenas matritenses* del cual califica de inso-
portables (I, 31)— le parecen que tienen datos muy interesantes y que en otro país se hubiesen hecho ediciones comentadas.
En España nada de eso, con lo que deduce que la autobiografía es un género que no interesa a los españoles [1]. A pesar de

---

[1]   Debe ser verdad pues Francisco López Estrada refiriéndose a las
Memorias de Baroja comenta, "Baroja se nos muestra con ello hasta

ello, Baroja se pone a escribirlo, pues aunque opina que una
vida complicada, contada con una retórica artificiosa resulta
aburrida, una vida corriente si se cuenta «con detalle y sencillez» (I, 20) puede ser entretenida [2]. La vida de los escritores
importantes tiene que desilusionar al lado de su obra; pero la
vida de un escritor mediano puede resultar interesante —e
insiste— «si está contada con ilusión y sencillez» (I, 7). Con
respecto a los lectores, si estos encuentran las autobiografías
tan aburridas como él las encuentra, no pretende engañarlos.
No va a presentar más que un libro de recuerdos. Es sólo «un
entretenimiento de viejo, un trabajo dedicado a los amigos y
a los que están de acuerdo» (I, 37) con sus tendencias [3].

---

cierto punto original: no son frecuentes en nuestra literatura las *Memorias* de los escritores". Francisco López Estrada, *Perspectiva sobre
Baroja* (Sevilla, 1972), p. 23.
    [2] Al contrario de la novela de la que Baroja opinaba que lo más
importante era la invención y los tipos, en la autobiografía, Baroja
ve que lo interesante no son los accidentes, sino los detalles. En la
novela opinaba que "para un espíritu impresionable todo lo que sea
subrayar cansa", y añadía, "Si bastara detallar para hacer bien, todo
el mundo constituiría maravillas" (V, 190 y 270). De las *Memorias* dice,
"Creo que en un libro como éste de recuerdos sólo el detalle tiene algún interés" (I, 20). Sin embargo, a pesar de que en las *Memorias* se
insiste en algunos detalles que a veces resultan aburridos, como en la
primera parte del segundo tomo con algunas historias de sus antepasados y ejecutorias (II, 5-82). Las *Memorias* se leen con mucha facilidad pues no hay nada pesado en ellas. Baroja huye de ello, como vemos en su narración del viaje a Extremadura con su hermano Ricardo
y Ciro Bayo, refiriéndose a la operación de hacer fuego: "Me inventé
una teoría para encenderlo, un poco complicada y detallada de exponer y que no vale la pena de explicarla" (IV, 121). O también el comentario que hace a la carta de una señorita que le reprochaba sus
gustos aristocráticos: "Yo, para contestar a esta señorita o señora,
tendría que dar muchas explicaciones y quizá no valga la pena" (IV,
14).
    [3] Ya Baroja había usado otra vez un truco parecido. Shanti An-
día también escribe su autobiografía como leemos al principio de su
novela:
    "¿Habrá que decir a mis lectores que no tengo pretensión literaria
alguna? Ellos lo verán si hojean, aunque sea distraídamente, las páginas de mi libro. Estas cuartillas están escritas en distintas épocas de
mi vida y con diferentes estados de ánimo. El sentimiento ha sido sincero; la forma, seguramente, poco hábil. Mi público creo que no me
reprochará mi falta de atildamiento. Más que para los jóvenes críticos

Como es corriente en el género, Baroja empieza a discul-
parse por escribir una autobiografía. En realidad, la idea no
partió de él. Se la propuso un editor de Barcelona. A pesar de
ser Baroja uno de los autores que más libros autobiográficos
ha escrito, nos confiesa que el dedicarse a esa literatura «ego-
látrica» (I, 24), no ha partido nunca de él[4]. Sin embargo, Baroja no se pone a escribir las *Memorias* por el sólo hecho de
que alguien se lo haya pedido, pues como dice más adelante:

> La vida del viejo es recordar. Lo demás es ya poca cosa, recor-
> dar es mucho más. Cuando el viejo ya no recuerda y vegeta en
> su presente pobre y mezquino, se le puede considerar acabado.
> Escribir unas Memorias es vivir los últimos capítulos de la
> existencia ya epilogales... (IV, 60).

Es decir, para Baroja el escribir las *Memorias* fue casi una necesidad. Para esta obra —cuyo número de volúmenes todavía
desconoce[5]— confiesa que va a servirse de todas las suyas donde haya notas autobiográficas a más de la obra de Miguel Pérez Ferrero *Pío Baroja en su rincón* y de la tesis *Pío Baroja*

---

del casino de Lúzaro, escribo para mis amigos del *Guezurrechape de
Cay Luce* (el mentidero del muelle largo)". Pío Baroja, *Las inquietudes
de Shanti Andía, Obras completas,* II, p. 998.

[4] Según Baroja, *Juventud, egolatría* la escribió a petición del editor de la Casa Calleja, el cual le pidió una autobiografía que luego no
aceptó y Baroja publicó por su lado. Al año siguiente, 1918, pub.icó
Las horas solitarias que es también un libro autobiográfico. En el prólogo Baroja explica que lo hace debido al éxito que tuvo *Juventud,
egolatría. Pío Baroja, Obras completas,* V, p. 229. Más adelante en
1935 publica *La formación psicológica de un escritor* que fue su discurso de entrada a la Academia el año anterior, y es también autobiográfico. En 1939 aparece *Ayer y hoy,* que también tiene mucho de autobiografía, luego le seguirán los siete tomos de *Desde la última vuelta
del camino,* la obra que nos ocupa, y un año antes de morir *Aquí,
París* que es su vida durante el exilio.

[5] Como en la novela nos decía que si se imponía un plan de ante-
mano, no lograba llevarlo a cabo, lo mismo le pasa en las *Memorias.*
Baroja no sabe cuantos libros serán (I, 21). Y ya en el tomo cuarto
refiriéndose a los personajes de que va a tratar:
"El tiempo a que me refiero es principalmente el que comienza con
el siglo y acaba en la guerra europea del 14. Después, si tengo humor
y vida, hablaré de otras gentes pintorescas, a quienes he conocido y
tratado en un período intermedio, entre la guerra mundial del 14 y del
40 (IV, 7).

que escribió Helmut Demuth como requisito para su doctorado en la universidad de Bonn (I, 21-2). Pío Baroja, sin embargo, se sirvió de muchísimas cosas más como veremos más adelante.

Decíamos que Baroja no concibe las *Memorias* de una forma rígida. Los tomos están enlazados por el personaje Baroja. En dos de ellos hay un orden cronológico, pero en conjunto, el orden de éstos es completamente arbitrario. Solamente por algunos pasajes donde Baroja corrige algún pequeño detalle del tomo anterior —cosa que el lector no recuerda o le tiene completamente sin cuidado—, las *Memorias* se pueden empezar a leer por el tomo que se quiera. En cuanto al tema, no hay un tema único en las *Memorias*. Mientras hay tomos donde la crítica o la erudición es lo más importante, en otros lo es la circunstancia temporal del autor, y en alguno su producción literaria, sus contemporáneos, anécdotas, cartas al autor, canciones o artículos [6].

Baroja no sigue el mismo método en todos los volúmenes. En los tomos segundo y tercero —*Familia, infancia y juventud* y *Finales del XIX y principios del XX*— hay un orden bastante cronológico. El protagonista es Baroja. Junto a esto trata de darnos una visión de la época con ayuda de las canciones que entonces estaban de moda [7], los políticos del momento y, sobre todo, los crímenes y ajusticiados. Baroja nos advierte que en dos de sus libros ha tratado su infancia, «en *La sensualidad pervertida,* libro en gran parte autobiográfico, con muchas cosas disfrazadas y cambiadas, y en *Silvestre Paradox*» (II, 121). De ambos se sirve en estas *Memorias*, pero de muy distinta manera. Mientras lo de *Silvestre Paradox* lo copia textualmente (II, 130-6) —recuérdese que en *Silvestre Para-*

---

[6] "Las *Memorias* de Baroja, extensísimas, son género aparte porque resumen todo: autobiografía, relato, invención, meditar filosófico, galería de tipos, crítica literaria, historia de ciudades". Federico Sopeña Ibáñez, "La música en las *Memorias* de Baroja", *Cuadernos Hispanoamericanos,* núms. 265-267(julio-septiembre, 1972), p. 622.

[7] "Estas canciones antiguas, aunque sean malas, para los viejos son muy sugestivas y evocadoras, porque recuerdan, como ninguna otra cosa, una época" (II, 157) y Federico Sopeña Ibáñez refiriéndose a la cantidad que acumuló en las *Memorias* opina, "que tiene caracteres de archivo monumental". Sopeña Ibáñez, p. 630.

dox tenemos autor omnisciente— y nos comunica su fuente[8]
cuando toma de *La sensualidad pervertida* no nos lo dice. Es
casi una reproducción textual. El nombre de la ciudad cambia
La infancia de Luis Murguía sucede en la quimérica Villazar.
La de Baroja en Pamplona (II, 128-9 y 136-7)[9]. Igual que de
esta última obra se sirve Baroja de *El árbol de la ciencia* para
hablar de su vida de estudiante y médico. Hay párrafos copia-
dos textualmente (II, 203-5)[10]. Lo mismo ocurre con la introducción a la parte dedicada a su infancia en aquel trozo tan
poético donde parece sintetizar su vida (II, 85-7), es una reproducción de otro que aparece en *La ruta del aventurero*[11].
En el volumen tercero, *Final del siglo XIX y principios del XX,*
en la parte titulada «París fin de siglo» (III, 79-172) hay mucho de la ciudad conocida por don Fausto Bengoa el protagonista de *Los últimos románticos* y *Las tragedias grotescas,* sus
problemas y los personajes con quienes tropezó. Por confesión
propia sabemos que usa también pasajes de *Las horas solitarias* (III, 43).

El tomo primero, *El escritor según él y según los críticos,*
está como escrito al azar. No se advierte unidad. Baroja toma
el artículo de un crítico, lo comenta, lo discute o lo niega y de
ahí van surgiendo distintas cosas unas enlazadas con otras que
al fin constituyen un libro. Por ejemplo, Baroja decide contestar a un artículo de José Antonio Maravall (I, 194). Extrae
unos cuantos párrafos y los comenta. Baroja a veces está de
acuerdo, a veces no. Pero de pronto llegamos a un pasaje, «Baroja hubiera necesitado, como ya le indicaba Ortega, fieros

---

[8] De la misma manera se sirve de un trozo de *La dama errante*
para mejor representar su observación del optimismo de Madrid en
aquella época (II, 207-10).
[9] Los trozos de las *Memorias* corresponden a los de la *Sensualidad
pervertida, Obras completas,* II, pp. 861-2. Pero Baroja calla en las
Memorias la vida religiosa o irreligiosa de Luis Murguía. Lo mismo
hará con la de Andrés Hurtado. Si fue autobiográfica, a Baroja le debió parecer que los tiempos no estaban para revolver ciertas cosas.
[10] Corresponden a *El árbol de la ciencia* (Madrid, 1922), pp. 7-11.
Los otros son (II, 206-7), *Arbol,* 13-5; (II, 217-8), *Arbol,* 15-7 (II, 221-5),
Arbol, (32-5) y muchos más que sería prolijo enumerar.
[11] Pío Baroja, *La ruta del aventurero, Obras completas,* III, páginas 698-699. *La ruta del aventurero* es el volumen sexto de las
Memorias de un hombre de acción y fue publicado en 1916.

críticos» (I, 197). Abandona a Maravall y se lanza como una fiera sobre Ortega. Primero, Ortega necesitaba críticos más fieros que él porque se metió en política, campo donde se puede hacer más daño que en la literatura. Segundo, si hubiera tenido críticos fieros no hubiese dicho las tonterías «que dijo de Beethoven, sobre la deshumanización del arte y sobre la novela» (I, 198). Baroja rememora todas las cosas en que Ortega se equivocó —de las que ya hemos hablado en otra parte—, entre ellas las condiciones políticas de don Alejandro Lerroux. Pasa a hablar de éste. Luego dice: «Dejo a Lerroux y sigo con Ortega...» (I, 201), a quien no abandonará hasta la página 207. La cuarta y última parte de dicho volumen es un resumen de la tesis doctoral que Helmut Demuth defendió en la universidad de Bonn sobre Pío Baroja (I, 295-318) [12]. Baroja hace un pequeño comentario (I, 291-5) sobre ese ensayo, que luego reproduce sin la más ligera explicación o nota, y así concluye el primer tomo de sus *Memorias*.

El cuarto tomo —*Galería de tipos de la época*—, como su nombre indica trata de los personajes más o menos famosos que Baroja conoció. Nos dice al principio que como el tomo anterior ha tenido más éxito, «quizá por ser más anecdótico» va a continuar con la descripción de «tipos conocidos en la época, unos grotescos otros importantes, de todas clases y colores» (IV, 7). Son como anécdotas caricaturizadas de esas personas. De casi todas supo ver el lado ridículo [13]. Baroja confie-

---

[12] No hemos podido comprobar si esta tesis ha sido publicada o no. Baroja dice lo siguiente:

"Un alemán licenciado en Filosofía de la ciudad renana de Bonn, hizo una Memoria para el doctorado sobre mis ideas filosóficas y literarias; este crítico se llama Helmut Demuth. Un editor de Barcelona, José Raimundo Bartrés, mandó traducir al castellano esa Memoria, y la tradujo el escritor don José Lleonard" (I, 291). Ahora, si esta tesis está publicada y traducida al español, no comprendemos porqué todos los críticos citan solamente el resumen que hace Baroja.

[13] Una señora le escribió una carta con motivo de la publicación de ese libro, a lo que Baroja comenta:

"No creo que mi libro de *Memorias* que esa señora comenta sea mal intencionado. Es un libro en el cual el autor expone sus opiniones. Ahora, si porque estas opiniones no están de acuerdo siempre con las del público, ya tienen mala intención, lo mismo se puede creer que es el público el de la intención aviesa cuando no está de acuerdo con el

sa, a poco de empezar el libro, que ha trabajado siempre sin éxito, por lo que no se puede esperar mucha benevolencia de su parte (IV, 11). Con eso, parece preparar al lector. Baroja dedica un capítulo a cada personaje. Pero a veces las circunstancias de éste, del que está hablando, se entrelazan con las de otro, mete a ese otro, lo sigue, abandonando al primero, hasta el fin y luego vuelve al anterior. Por ejemplo, al hablar de Blasco Ibáñez, Baroja empieza por decir que ha leído poco de él, pasa luego a hablar de la primera vez que lo vió, de ahí a las conversaciones o discusiones que tuvieron, en una de ellas surgió la persona de la Pardo Bazán, Baroja introduce una anécdota sobre ella (IV, 177). Luego pasa a hablar de una de sus tantas estancias en París, donde le dieron una comida homenaje a la que asistió Blasco Ibáñez. Abandona a éste y nos cuenta la enemistad que le acarreó esta comida con Gómez Carrillo hasta que intervino Valle-Inclán y la discusión quedó entre estos dos últimos (IV, 179-82). Luego continúa con Blasco Ibáñez (IV, 173-86) [14].

En *La intuición y el estilo*, que es el nombre que lleva el quinto tomo de las *Memorias*, es donde Baroja expuso sus teorías sin demasiadas pretensiones [15]. Mientras algunos críticos

---

autor" (VII, 323). Y Joaquín de Entrambasaguas con respecto a este tomo dice:

"... si se alfabetizaran los personajes estudiados podría dar un diccionario biográfico de la época, pero diciendo éste, precisamente, lo que ninguno dice en ningún caso. Es como si a la vera de don Pío, sentado a la camilla en una larga tarde de invierno y rodeado de muy pocos, de poquísimos amigos, contara en voz baja todo lo que opina de los demás, de sus vicios, de sus debilidades, de sus errores, de cuanto le hace, para él, inaguantables, hasta tomar el autor a menudo un cierto tono de mártir, de la amistad o por lo menos del sablazo de quienes le conocen. Pero lo extraordinario es que todo esto se dice en letra impresa, de miles de ejemplares de edición..." Joaquín de Entrambasaguas, *Las mejores novelas contemporáneas*, II, p. 1241.

[14] Esta semblanza de Blasco Ibáñez es una reproducción de la que aparece en *Pequeños ensayos, Obras completas*, V, pp. 976-81. Así como la de Alejandro Sawa (III, 199-206) había aparecido anteriormente en *Juventud, egolatría, Obras completas*, V, pp. 209-11.

[15] "He formado este volumen, en parte compilación de cosas escritas y en parte de otras nuevas con cierta prisa...

Yo ya sé que la mayoría de estas cuestiones de las cuales hablo en este libro han sido tratadas con más conocimiento por especialistas,

opinan que no hay casi nada original en él [16], otros piensan
que tiene su mérito el lanzarse a los setenta y cinco años a
escribir un libro de esa categoría [17]. Aquí Baroja no opina
sólo sobre literatura o escritores. Habla también de política,
razas, ciencias, etc.

El tomo sexto es el menos autobiográfico de todos. Baroja
al principio nos dice que ha escrito muchos «reportajes» título
de este tomo con la idea de utilizarlos, si podía, en algún libro.
Algunos de ellos, estirando el concepto *Memorias,* podrían ser
introducidos. Por ejemplo, «Lo que desaparece en España» y
«Música callejera», que tratan de oficios y canciones que existían en su infancia. «Don Salvador» también por ser uno de
los contertulios del «Club de papel», la tertulia de Baroja que
se reunía en una librería de la calle Jacometrezo [18]. Lo mismo
pasa con «La expedición de Gómez», pues Baroja trata de
explicarse ésta en el terreno, y nos habla de sus impresiones
por los distintos lugares y los tropiezos que tuvo. Ahora, «Iradier» no tiene nada que ver con la vida de Baroja. Es sólo una
biografía que él escribió [9]. Pero quizá hay más en este tomo
de lo que se advierte a primera vista. Baroja ha contado parte
de su vida, ha hablado de sus críticos, de su producción literaria y de sus ideas. En el tomo anterior nos había dicho
—que ya reproducimos en parte en el capítulo anterior— refiriéndose a su fondo sentimental casi acabado:

> ... lo actual tiene ya desde hace mucho tiempo en mi espíritu un
> carácter de archivo fotográfico, de ficha documental, con cierto
> aire pintoresco o burlón. Esto es el agotamiento, la decadencia
> (V, 215).

---

pero primeramente no sé donde, y después creo que el punto de vista
del aficionado puede tener también su interés" (V, 11-2).
    [16] Carmen Iglesias, *El pensamiento de Pío Baroja* (México, 1963),
página 23.
    [17] Pelay Orozco, p. 18.
    [18] "El enigma de don Salvador Borbón" fue publicado por Baroja
en el diario *Ahora* de Madrid desde el 9 de junio hasta el 7 de julio
de 1935. Jorge Campos, "Relación de colaboraciones periodísticas de
Pío Baroja" en Fernando Baeza, *Baroja y su mundo,* I, 387.
    [19] "Iradier" apareció en el mismo periódico del 3 al 31 de marzo
de 1936. Jorge Campos, *ibid.,* p. 388.

Creemos que la explicación hay que buscarla quizá ahí. Baroja el escritor, reproduce su manera de escribir en esos momentos.

El último tomo —*Bagatelas de otoño*— es a base de anécdotas, casi todas oídas, algo de crítica literaria y reproduce unas cuantas cartas de mujeres y artículos sobre él, sin decirnos la mayoría de las veces quien lo ha escrito [20]. Baroja comenta en el prólogo que muchos lo encontrarán insustancial, pero que lo hace precisamente porque algunos vieron pretensiones científicas y filosóficas en tomos anteriores (VII, 7). Aun cuando en estos dos últimos volúmenes, publicados en 1948 y 1949 respectivamente, Baroja desciende bastante en relación a los tomos anteriores, él no estaba agotado. Después de estos, publicó varios libros, novelas en su mayor parte, que no valen gran cosa, llenos de repeticiones. Sin embargo, en 1955, un año antes de morir, publicó su último libro, *Aquí París*, autobiográfico y muy interesante. Como su nombre indica es su estancia en París. La época es la de la guerra civil española y comienzos de la segunda mundial. A pesar de ser un libro de memorias, Baroja no lo incluye entre los que forman *Desde la última vuelta del camino*. En esta había dicho:

> Mi memoria va fallando, y algunas de las impresiones de la juventud todavía las recuerdo bien; pero las más recientes, a pesar de haber sido de más importancia, no me han dejado tanta huella (VI, 36).

Por eso, antes de conocer *Aquí París* creíamos que su memoria era la causa de que no contara nada de lo que pasó en el país vecino cuando la guerra. Pero al leerlo, nos sorprendió el que no utilizara esos recuerdos para un tomo de sus *Memorias*. Por lo visto, Baroja se cansó de hablar de sí mismo y llevó el género a una concepción muchísimo más amplia.

---

[20] Baroja compara este tomo con "una función de fuegos artificiales de aldea" (VII, 8) y añade: "Yo no sé si servirá para pasar el rato. Si sirve para eso, es bastante. Está uno viejo y gaga con poca fibra" (VII, 8). En este tomo reproduce artículos sin decirnos el nombre del autor. Sólo hemos podido localizar uno. "Pío Baroja en el destierro" (VII, 261-6) es una reproducción de María de Villarino, "Pío Baroja en el destierro", en García Mercadal, II, 313-18.

Recursos Propios del Autor

Baroja se vale de todos los recursos aceptados por la mayoría de los autobiógrafos y de algunos más. Si para la alabanza de uno propio, había que escoger una tercera persona, Baroja también lo hace. Al exponer sus teorías literarias reproduce artículos donde se defiende su manera de novelar, o que ponen bien su manera y estilo. Pero Pío Baroja se vale también de sus enemigos [21]. A veces, opone a éstos, artículos donde se dice lo contrario; pero la mayoría de las veces destruye la crítica con la burla [22]. En su libro *La afirmación española* (1917), José María de Salaverría ataca a la generación del 98. Entre otras cosas dice que su cultura era totalmente extranjerizante,

> Tenían un barniz de *última hora,* con el cual dejaban perplejos e irritados a los hombres maduros o ancianos. Llenos de erudición parisiense, insuflados de soberbia y modernismo, pusiéronse a juzgar a España con un criterio extranjero (I, 255-6).

A lo que contesta Baroja:

> El que ponía barniz era él, que no sabía nada de nada. Ni siquiera un poco de francés (I, 256).

Lo infantil de la contestación de Baroja destruye toda la acusación altisonante del anterior. Salaverría también cuenta cómo los del 98 después de pasarse las noches de juerga, acababan a la madrugada contemplando el espectáculo de algún ajusticiado. A esto, Baroja empieza por defender la vista de una sentencia de muerte por lo que tiene le lección moral y

---

[21] Gonzalo Sobejano refiriéndose a *Juventud, egolatría,* pero que podríamos aplicar también a las *Memorias* dice: "Los enemigos le son todavía más útiles que los amigos, si no para mirarse al espejo, para definirse por oposición, que es una óptima forma de autorretrato". Gonzalo Sobejano, "Solaces del yo distinto (Estimación de *Juventud, egolatría)", Insula,* XXVIII, núms. 308-309 (julio-agosto, 1972), p. 29

[22] Ramón J. Sender refiriéndose a las armas con que Baroja se defendió de las acusaciones de "escritor burgués" y "esclavo de la burguesía" que le dedicaron los socialistas en aquella crítica de masas de que hablábamos en el capítulo II dice que usó las mismas que usaba contra los burgueses en su juventud: "la sátira y el sarcasmo" Ramón J. Sender, "Uno del 98 ante las masas", en *Proclamación de la sonrisa* (Madrid, 1934), p. 80. Y nosotros añadimos que en las *Memorias* sigue usando las mismas armas contra sus críticos.

de repente da un giro inesperado a la situación. Al fin y al cabo, él ha visto esas cosas a distancia, pero nunca se le ocurriría hacer lo que Salaverría, que fue a verlo después de una operación que sufrió (Baroja) «a dos metros de distancia a mirar que cara» (I, 255) ponía y ver si se moría.

Otra característica de las *Memorias* de Baroja es lo que se conoce técnicamente con el nombre de «tiempo dislocado». Aun en aquellos tomos en que Baroja intenta ser cronológico, la introducción de nuevos personajes, con la historia de sus anécdotas, por miedo que se le olviden, y su seguirlos a veces hasta el final, para luego volver al punto en que estaba, hace que el tiempo no siga el ritmo debido, sino que vaya de atrás adelante y viceversa. Claro que esa cualidad probablemente no será ajena del todo al género, pues al tener el autor todos los sucesos en la mano, pocos serán los que se guarden de comunicar al lector el resultado de tal o cual acción hasta el momento debido. Pero a más de eso, Baroja confiesa que le es muy difícil colocar los recuerdos en sus fechas respectivas (III, 8). De algunas no sabe si son posteriores o anteriores a otros. De ahí que pocas veces afirme Baroja en una fecha.

Juan Antonio de Zunzunegui decía que la dificultad que Baroja tenía para inventar, la contrarrestaba echando al protagonista al camino, y poder llenar la novela a base de descripciones [23]. Eso no lo encontramos en las *Memorias*. Con la excepción del sexto tomo, en dos de cuyos reportajes «Lo que desaparece en España» (VI, 7-76) y «La expedición de Gómez» (VI, 183-280) los paisajes constituyen el peso de la narración, las descripciones no son muy abundantes en esta obra. Así y todo, hay unas descripciones muy interesantes de París (III, 101-3), algunas de ellas de tipo impresionista como la siguiente:

Los mismos bulevares nuevos, monótonos, rectos, tenían los días luminosos un color gris perla de una suavidad infinita; las personas, los coches, los ómnibus, se esfumaban en el ambiente; todo presentaba un aspecto de esas imágenes apenas coloreadas que se pintan en el cristal opaco de una cámara oscura. La

[23] Juan Antonio de Zunzunegui, *En torno a Don Pío Baroja y su obra* (Bilbao, 1960), p. 21.

niebla afinaba y borraba los contornos de los objetos, las casas
lejanas se entreveían vagas, y perdidas en la atmósfera luminosa (III, 102-3) [24].

Las descripciones de Baroja han sido calificadas de cinemáticas, ya que su retina va saltando de un punto a otro como una
cámara. Pero al lado de esto, los objetos que describe Baroja
dan la sensasión de estarse moviendo aun los fijos. Si nos fijamos en la primera frase:

Los mismos bulevares nuevos, monótonos, rectos...

nos produce la impresión de algo que se continúa hasta el infinito. Luego tenemos las cosas móviles representadas por personas, coches y ómnibus. Todo aparece y desaparece, por efecto de la niebla.

Al lado de éstas se dan otras de tipo folletinesco, en las que
el movimiento vuelve a constituir un elemento primordial:

Gentes encorvadas de aire miserable andaban por el interior de
este pólipo de callejuelas sin hacer ruido; no se oía una risa, ni
un canto, ni una carcajada, ni una voz amiga; de cuando en
cuando, voces broncas, irritadas, siniestras...
En los muelles abandonados, alguna luz de un farol temblaba
en la oscuridad a impulsos del viento iluminando una fachada
negra. (III, 101) [25].

No hay que negar que Baroja es un gran paisajista, pero
el mejor Baroja es el de los retratos. Ibamos a decir caricaturista; pero la caricatura es como un arte inferior. Baroja pinta al estilo de Goya. En sus retratos se nota la burla y la pupila del pintor andaluz; pero en el escritor la crueldad está
suavizada. Baroja más que cruel resulta burletero. Hay también en sus personajes algo de la rigidez y el automatismo de

---

[24]   Acerca de los paisajes de Baroja dice Leo L. Barrow: "Throughout the passage Baroja never focuses on one single object, his gaze
constantly shifting in order to take in new objects, most of these objects themselves in motion". Leo L. Barrow, *Negation in Baroja* (Arizona, 1971), pp. 147-8.
   El paisaje de Baroja reproducido está tomado, con algunos cambios,
de uno que aparece en *Tragedias grotescas, Obras completas*, I, p. 922.
[25]   Esta descripción está copiada textualmente de *Los últimos románticos, Obras completas*, I, p. 857. En realidad, (II, 97-101) es una
reproducción de la obra citada, pp. 855-7.

algunos de Dickens. Los retratos de Baroja, a veces son largos, llenos de adjetivos, uno tras otro, describiendo aspecto físico, vestimenta y costumbres. Como en el siguiente:

> La Jeunesse era un tipo un poco repulsivo por lo feo, y a pesar de su apellido, tan francés, era según decían, un judío alsaciano, gordo, grasiento, de voz aguda, vestido con colores chillones, que llevaba una porción de sortijas en los dedos y de pulseras en las muñecas. La Jeunesse solía estar alrededor de Catulo Mendes, y al parecer, se intoxicaba con toda clase de alcoholes y después se perfumaba con perfumes baratos lo que hacía que oliera a perros (III, 150) [26].

Con este retrato Baroja nos transmite la repulsión que sentía por Ernesto La Jeunesse. Además de gordo es grasiento, con lo que no compagina su voz aguda. Baroja intenta expresarnos que hay una deformidad en su retratado —aunque hoy en este país los conceptos han cambiado— pues la voz aguda los colores chillones, sortijas, pulseras y perfumes no son propias de machotes. Para acabarlo de arreglar no es sólo repulsivo a la vista sino también al olfato.

A veces en sus retratos, Baroja introduce sus conocimientos antropológicos. El efecto casi siempre es denigrante:

> El marido de mi tía Juana, don Matías, no tenía nada de distinguido: era alto, seco, de cabeza pequeña, cara juanetuda, frente escasa, chato y el pelo como la lana. Debía de ser de la raza capsiense, de los comedores de caracoles (II, 369).

Otras introduce adjetivos que podríamos calificar de «compa-

---

[26] "Sus breves retratos verbales —hay una galería inmensa, variada y pintoresca— le colocan entre los grandes maestros en este arte no siempre apreciado. Cervantes, Quevedo, Galdós y Cela, entre los españoles. Son retratos hechos a brochazos rápidos que evocan la condición físico-moral de los personajes, a menudo con aspectos semicaricaturescos y a veces satíricos, que se destacan a través del uso de imágenes llamativas, la exageración, aunque no hiperbólica como en el Siglo de Oro, y paralelos entre las personas y los animales". Robert E. Lott, "El arte descriptivo de Pío Baroja", *Cuadernos Hispanoamericanos*, núms. 265-267 (julio-septiembre, 1972), p. 54.

O como pregunta Vicente Gaos: "¿Quién supera a Baroja en el arte de describir un lugar o trazar un retrato en dos palabras y hacerlos vivir con tan intenso relieve?" Vicente Gaos, "Los ensayos", en Fernando Baeza, I, 255.

sivos» y cuyo efecto es rebajar. Como por ejemplo el adjetivo «pobre»:

> Habían venido dos novilleros, unos pobres maletas miserables, no se sabe de donde, que se exhibían en la calle y se daban mucho tono (II, 314) [27].

O al referirse a una cantante en un café a donde iba de estudiante,

> Allí había una pobre gorda, una rubia muy vistosa, sin duda en otro tiempo, que cantaba algunas canciones antiguas... (II, 229).

Ya tiene caracterizada a la cantante. Así al referirse a ella, no tendrá que usar más que dos palabras:

> Me viene también a la memoria otra canción de la pobre gorda... (II, 229).

Otro ejemplo del adjetivo «pobre» con sentido peyorativo: al describirnos uno de sus profesores del instituto:

> Era un ejemplar típico de una fauna desaparecida.
> Pano parecía el comendador del Tenorio; de piedra verdadera, con su pelo blanco, su bigote y perilla y su hablar tembloroso. Era un pobre viejo lelo, vanidoso e inofensivo (II, 138).

La animalización —«fauna desaparecida»— es frecuente en la caracterización barojiana. La apariencia del profesor Pano es en cierto sentido imponente y dramática; pero el comentario lo destruye:

— un pobre viejo lelo, vanidoso e inofensivo.

Es de notar también que Baroja en sus descripciones de personajes, usa casi siempre tres adjetivos, y a veces, más.

> *El Filósofo* tenía tipo de seminarista: era bajo, afeitado, vestido de negro... (II,179).
> El profesor era un pobre hombre, presuntuoso y ridículo (II, 204).
> Don Benito, profesor de Terapéutica, era un hombre arbitrario, caprichoso e insoportable (II, 242).

---

[27] "Los vocablos que significan la máxima irritación son característicos de la literatura de Baroja". José Ortega y Gasset, "Una primera vista sobre Baroja", *Obras completas,* II (Madrid, 1946), p. 105.

(Su hermano Darío) Era un poco romántico, creyente en la amistad, galanteador y aficionado a la literatura (II, 292).

Chichito era pequeño, grueso, petulante, con cierta elegancia de advenedizo; usaba sortijas, polainas blancas y un secretario particular (VI, 298).

La crítica no parece estar de acuerdo con respecto a las *Memorias*, mientras para algunos —pocos, en verdad— es la obra cumbre de baroja [28], otros no ven en ella más que repeticiones. Ciertamente, hay muy poco original en las *Memorias*, casi todo está sacado de aquí y de allá. Sin embargo, esto no es ajeno al género. Se le puede achacar la falta de composición, pero si la novela era para Baroja «como la corriente de la historia» (V, 216), ¿por qué no habría de pensar lo mismo, con más razón de la autobiografía? Baroja se preocupó mucho de la técnica literaria e intentó mejorar sus libros —como veíamos en el capítulo anterior— pero llegó a la conclusión de que el interés o la amenidad es algo que no se logra con reglas. Son un producto de la intuición. De aquí que Baroja más que las memorias redondeadas con principio y fin, historia de un hombre y su época, con sus diálogos, ensayos y descripciones, todo

---

[28] "Después de la guerra española y hacia el fin de la segunda guerra mundial empiezan a aparecer las *Memorias,* 1944-1949; quizá la obra maestra del escritor vasco, pues aquí cumple a sus anchas la vocación de siempre: dar libre expresión a su inclasificable personalidad". Gonzalo Sobejano. *Nietzsche en España* (Madrid, 1967), p. 392.

"... Tuvo siempre altibajos pronunciados y dio al final con sus *Memorias,* la obra que le define y califica definitivamente: magnífico cronista de su época". Elena Soriano, "La obra de Baroja durante la República", *Cuadernos,* núm. 35 (marzo-abril, 1959), p. 51.

"... podía decirse que la obra más barojiana de Baroja es ésta, y hasta yo añadiría que su talento está exactamente encajado en tal género literario y que toda su enorme obra anterior no es sino peldaños o variaciones para este libro apasionante". Eusebio García-Luengo, *"Las Memorias.* Moral de visita, moral literaria", *Indice,* IX, 70-71 (1954), p. 11.

Y es interesante lo que dice Cela: "Las *Memorias* de Baroja, por lo común, han sido leídas con fruición y denostadas con saña. El fenómeno podrá calificarse de lo que se quiera menos de extraño o no previsto. En ellas Baroja lleva sus puntos de vista, o sus puntos de sentir, hasta fronteras extremas y no esperadas por el lector; pecarían de torpe ingenuidad quienes hubieran esperado una reacción general contraria a la que se produjo". Camilo José Cela, "Recuerdos de Pío Baroja", en Fernando Baeza, II, p. 356.

mesurado y estéticamente repartido, prefiera las memorias
que se hacen al azar dejando a la intuición que escoja.

Pero si está bien reconocer que Baroja no estaba agotado,
también hay que decir que se observa cierta decadencia en él.
Cuando Baroja murió sufría una arterioesclerosis cerebral
bastante avanzada. A ello creemos se deben las repeticiones
que se dan en las *Memorias*. Como decíamos con anterioridad,
la mayor parte de las *Memorias* está constituida por la copia
de otros libros. Pero la memoria —la facultad de recordar—
le juega malas pasadas y repite lo copiado. Por ejemplo, dedica un par de páginas en el tomo cuarto a Heráclito (IV,
317-9), y luego las repite casi exactamente en el tomo siguiente (V, 90-1). Lo mismo hace con las teorías de la novela, como
están tomadas de las expuestas en libros anteriores, hay muchos trozos que repite (V, 175-91 y V, 262-71). A veces repite
un pasaje con ligeras variantes. Probablemente ha salido de la
misma fuente en los dos, pero al copiar ha sentido la necesidad
de recrear

> Al Manzanares le pasa como al paisaje madrileño. Hacia el
> Norte, hacia los alrededores del Puente de los Franceses, es un
> riachuelo de jardín para un tapiz de Goya; en cambio al Sur, pa-
> sando el puente de la Princesa, es feo, trágico, siniestro, mal-
> oliente, como una alcantarilla negra que arrastra detritus de
> fetos y de gatos muertos (VI, 38-9).

> Al Manzanares le pasa como al paisaje madrileño: hacia el
> Norte, hacia los alrededores del Puente de los Franceses, tiene
> aire goyesco y velazqueño; en cambio, en las proximidades del
> Canal, es feo, trágico, siniestro, maloliente; río negro que lleva
> detritos de alcantarillas, fetos y gatos muertos (VI, 301).

Hay veces en que repite la anécdota, pero la cuenta de otra
manera, como la de la china que estudiaba a Dickens en París,
lo leía, tomaba notas, pero no lo encontraba divertido (V, 232
y VII, 85), o aquella de Anatole France que entró en una librería del Sena donde estaba Baroja, y los empleados se volcaron
llamándole «querido maestro» (III, 48 y IV, 132). También
hay muchas repeticiones en sus comentarios a la pintura y los
pintores (IV, 201-305). Junto a esto cuenta dos veces el episodio de su abuela que hipotecó unas casas que tenía para cons-

truir una grande y bonita y alquilársela a Amadeo I (II, 63 y
II, 87-8). Hay ocasiones en que describe dos veces a la misma
persona:

> Era Gómez de cara larga correcta, nariz bien perfilada, ojos
> claros y expresión melancólica (VI, 186).
> Era Gómez hombre de cara larga y correcta, nariz bien perfila-
> da, ojos claros y expresión melancólica (VI, 188).

Como también un pasaje sobre el carácter de don Salvador de
Borbón que repite pocas páginas después (VI, 144-45 y VI, 148).
O situaciones de su propia vida:

> El negocio de pan no marchaba adelante, y si hubiese podido de-
> jarlo y dedicarme a otra cosa, lo hubiese hecho con gusto (II,
> 408-9).
> El negocio no marchaba adelante y, si hubiera sido posible de-
> jarlo y dedicarse a otra cosa, lo hubiera hecho con gusto (II,
> 410).

Pero estas repeticiones no hay que confundirlas, con las que
son buscadas por efecto humorístico o estilístico, como por
ejemplo el «¡«Que inventen otros!», como decía Unamuno»
(V, 30), pues, en ocasiones, cuando más serio está un tema, introduce el «¡Que inventen ellos!» (V, 324), sin decir quien lo
dijo, pues Baroja da por hecho que el lector sabe a quien se
refiere. A veces las repeticiones son de citas evangélicas (V,
45) [29] o frases célebres de Stendhal (V, 58; 83; 84 y 85) o Sé-
neca (V, 57; 93; I, 216).

Si quisiéramos definir las *Memorias* por su cualidad más
importante tendríamos que escoger la amenidad. ¿Cómo la
consigue Baroja? por medio de su peculiar estilo y del humorismo [30]. El estilo de Baroja sencillo, sentimental y poético a ve-

---

[29] "Unos son los llamados y otros los elegidos" (V, 45; VI, 182).
(Aunque la frase textual evangélica no es esa.) "Entrad por la puerta
estrecha, porque ancha es la puerta, espacioso es el camino que lleva
a la perdición, y hay muchos que entran por allí" (V, 250). "El que no
está conmigo está contra mí" (VII, 14). "Por los hechos los conoce-
reis" (V, 119).

[30] "Aparte de la fidelidad para consigo mismo, uno de los rasgos
más característicos de esta autobiografía de Baroja, es su humor in-
cansable y natural. Las *Memorias* de Baroja hacen reír más que
muchos libros de los humoristas oficiales. Igual que reían sus contertulios cuando hablaba en su casa, sin la menor intención de producir

ces, no cansa. Sus diálogos son conversaciones de lo más normales. Recuerdo que la primera vez que leí una novela de Baroja, me pareció casi un chiste. Allí no había argumento; los personajes no eran llamativos, ni se quedaban en la imaginación, ni invitaban a imaginar como reaccionarían ante tal o cual situación ajena a la novela; pero una cosa me llamó la atención: los diálogos. Habiendo leído muchas novelas del xix, me sorprendió que en vez de aquellos diálogos larguísimos, llenos de explicaciones que no venían a cuento, cuajados de diminutivos y toda clase de afectivos, divididos cada dos o tres frases por una exclamación; en vez de todo eso, los interlocutores se decían «sí» o «no». Hacer un diálogo más económico que el de Baroja es imposible. Como muestra reproduciremos uno que sostuvo con Carlos Arniches. Este se le acercó y le dijo:

> —¿Usted me conoce?
> —Sí.
> —¿Sabe usted quien soy?
> —Sí.
> —Pues tengo que hablar con usted.
> —Hablemos.
> —¿A dónde va usted?
> —Voy a la Biblioteca Nacional.
> —Le acompañaré un rato. Le voy a hacer una proposición.
> —Bueno. Veamos que proposición.
> —¿Quiere usted colaborar conmigo?
> —¿En qué?
> —En obras de teatro.
> —Pero yo no tengo condiciones de autor dramático.
> —Yo creo que sí. Yo creo que hay mucho aprovechable para el teatro en algunos libros suyos.
> —Yo creo que no.
> —Pues nada, piénselo usted bien, y si le gusta la idea me avisa.
> —Ya lo pensaré despacio (IV, 191-2).

Este en un diálogo realmente largo en Baroja, pero expresa lo

hilaridad. Los giros imprevistos de sus frases; sus calificativos, incluso sus insultos y "tacos", tenían una espontaneidad y frescura que mil veces emerge en la prosa de sus novelas y *Memorias*. Una mezcla original de inocencia infantil y sabiduría; de zorrería de viejo e ingenuidad auténtica, hacían de su conversación y carácter una delicia sin par. Baroja fue el único humorista de la Generación del 98". Francisco García Pavón, "Las *Memorias*", en Fernando Baeza, I, 297.

que decíamos antes. No hay explicaciones grandes y cada interlocutor parece medir la paciencia del otro. Aquí se repiten palabras como pasa en las conversaciones corrientes: «Yo creo que sí. Yo creo que hay ...» Asombra la sequedad de las contestaciones barojianas. Esta economía de la palabra, esta sequedad es muy vasca.

El estilo de Baroja tardó en ser aceptado por la crítica. En las mismas *Memorias* leemos:

> ... que, a un escritor como yo, le hayan estado diciendo durante cuarenta años que es un escritor extranjerizado y que no tiene estilo, y ahora digan algunos: "Es el escritor más español de España, y tiene un estilo muy marcado" (I, 73).

A Azorín, al parecer, le llamó la atención desde el primer momento [31], motivo por el que comenzó la amistad entre los dos (III, 176). Hoy la mayoría de la crítica lo acepta y reconoce que preparó el estilo para la novela del xx [32]. ¿De dónde sacó Ba-

---

[31] Azorín, "Ante Baroja", *Obras completas,* VIII, p. 145.

[32] "Baroja intentó temprano en su siglo una purga del idioma español. Y ya digo que para mí éste es su gran mérito, junto a su espumante humor, pero de esto ya hablé en su día. Baroja desintoxicó el castellano... Baroja tiene mucho tino al elegir sus palabras. Casi ninguna es rimbombante ni demasiado retórica, algo pasmoso si consideramos su época, si consideramos que entonces —y ahora— el español estaba atiborrado de retornos clasicistas, de hinchazones canónicas, de parlamentarismos vacuos para pocos iniciados". Luis Pancorbo, "Baroja saqueado", *Cuadernos Hispanoamericanos,* núms. 265-267 (julio-septiembre, 1972), p. 124.

"Apres lui, les auteurs les plus exempts d'affectation semblent compasses ou subtils". Henri Peseux-Richard, "Un romancier espagnol: Pío Baroja", *Revue Hispanique,* XXIII, (1910), p. 181.

"El estilo barojiano, que tantas veces ha servido de blanco en los ataques de sus críticos, es precisamente lo que a mí me parece más positivo, más duradero. Bastará con hacerse dos reflexiones. La primera es ésta: después de Baroja, *ya no es posible escribir en España como antes de Baroja.* La segunda es la siguiente: este autor negativo, rebasado ideológicamente e ideológicamente caduco, es, sin embargo, gracias a su estilo, de los pocos que se pueden seguir leyendo con facilidad y gusto". José Corrales Egea, "De *La sensualidad pervertida* a *La estrella del Capitán Chimista* en Fernando Baeza, I, 205.

"Aunque muchos de sus coetáneos opinaban que escribía mal y que era incapaz de escribir *mejor,* lo cierto es que Baroja consiguió la mejor prosa novelística de su tiempo". Angel María de Lera, "Baroja el innovador", en *Encuentros con don Pío,* p. 87.

"La prosa narrativa de don Pío es una delicia: sencilla, sobria, ele-

roja su estilo? Creemos que Baroja trajo a nuestra literatura
la rapidez del estilo de las novelas de aventuras inglesas a
las que era tan aficionado. No sabemos nada del estilo de los
folletines, pero por párrafos que reproduce Baroja, no puede
haber mayor diferencia,

> En los umbrales del claustro dejé mi última lágrima y mi postre-
> ra corona de flores (II, 78).

Es como encontrar semejanzas entre el estilo de Feliciano de
Silva y el de Cervantes. Además si los folletines hubiesen tenido un estilo similar al de Baroja se hubiesen mantenido [33].
Mientras que las novelas de Defoe, Stevenson, Poe, Swift, etc.
tienen una frescura y una sencillez que parecen escritas ayer.
Resultan mucho más modernas que la buena novela española
o francesa del XIX. Son ligeras y entretenidas, mientras que
éstas tiran a lo rollo.

Si el tono que usa Baroja para los demás es casi siempre
denigrante, si no supo ver la mayor parte de las veces en ellos
más que lo ridículo, con respecto a sí mismo, Baroja no usa
tampoco un tono elevado. Hay cierta benevolencia, como él
mismo confiesa (I, 6), pero nunca se pinta como un gigante.
Se llama escritor sin importancia (I, 7), no se cree «un buen
tipo, ni físico ni moral» (I, 126), pero sí «capaz de inventar a
veces una cosa divertida» (I, 126). Y tiene razón, Baroja inventó o por lo menos supo reproducir cosas muy divertidas.
Sin embargo, el humorismo es algo que todos no conceden a
Baroja. Para Joaquín de Entrambasaguas —don Joaquín ya
que fue mi profesor —no hay tal, pues «el humor necesita un
optimismo que falta a la obra de don Pío . . .» [34]. Sin embargo,

---

gante, expresiva, a veces lírica y llena de estremecimientos poéticos,
directa y rápida, en el diálogo, sin duda por influencia de los folletinistas de quienes don Pío fue gran lector..." Zunzunegui, p. 30.
   [33] Sin embargo, al referirse al folletinista Manuel Fernández y
González, dice Baroja: "... hablando de las obras de don Manuel, que
a mí no me gustaban gran cosa, aunque algunas tenían trozos y, sobre todo, diálogos que me parecían muy bien" (II, 181). Sería interesante estudiar al folletinista y ver la posible influencia de los diálogos
de éste en Baroja.
   [34] Joaquín de Entrambasaguas, *Las mejores novelas contempora-
neas*, II, 1301.

Francisco Pina piensa que Baroja es un humorista, pero no un satírico, a pesar de cultivar la sátira, por su escepticismo y su poca intención de moralizar [35] y Henri Pseux-Richard piensa que es un humorista, pero no un irónico, pues le falta la sutileza necesaria para ello [36]. José María de Salaverría también reconoció el humorismo en Baroja y lo calificó superior al de los humoristas de profesión por su falta «de artificiosidad y amaneramiento» [37]. Rodolfo Cardona piensa que el humorismo define el estilo de Baroja y lo «separa de los existencialistas franceses de la posguerra» [38]. Para Ortega y Gasset el humorismo de Baroja y el español en general, «comienza por ser malhumorismo» [39], y Manuel Gálvez escribe:

> Baroja, hombre singular, divierte mucho. Habla mal de todo el mundo, y frecuentemente con gracia [40].

Baroja debía tener cierta preocupación por divertir. Recuérdese su opinión en el capítulo anterior de que nada que fuera divertido podía ser malo. En 1919 Baroja publicó un ensayo novelado que tituló *La caverna del humorismo,* donde intenta explicar en qué consiste el humorismo. Todos sus favoritos en

---

[35] Francisco Pina, p. 153. Esta idea es de Baroja, pues como dice en *La caverna del humorismo*: "Que la sátira no es el humorismo, se comprueba con casos, por ejemplo, el de Voltaire, que siendo el mayor satírico de los tiempos modernos, no tuvo rasgos de humor". Pío Baroja, *La caverna del humorismo, Obras completas,* V, p. 420.

[36] Idea que comparte Baroja, pero en un sentido contrario cuando dice: "El ingenio y la ironía no se pueden identificar con el humorismo: la ironía es objetiva, más social, puede tener técnica; el humorismo es más subjetivo, más ideal, más rebelde a la técnica. La ironía tiene un carácter retórico, elocuente; el humorismo se inclina a tomar un carácter analítico y científico". Pío Baroja, *La caverna del humorismo, Obras completas,* V. p. 420.

[37] José María de Salaverría, *Retratos,* pp. 98-9. Y más adelante: "... estamos obligados a confesar que tal vez no hay en la literatura española contemporánea un autor más divertido, de tanta graciosa y positiva amenidad, de tan original y acendrado humorismo". *Ibid.,* pp. 95-6.

[38] Rodolfo Cardona, "En torno a *El mundo es ansí", Cuadernos Hispanoamericanos,* núms. 265-267 (julio-septiembre, 1972), p. 562.

[39] José Ortega y Gasset, "Una primera vista sobre Baroja", en Fernando Baeza, II, 65.

[40] Manuel Gálvez, "Algo acerca de Baroja", en Fernando Baeza, II, p. 253.

La intuición y el estilo son humoristas en *La caverna*. Encuentra que hay humorismo en los desequilibrados de Dostoiewsky producido por un desdoblamiento de sus personalidades [41]. Para Baroja una de las raíces del humorismo puede ser el rencor, pero ha de estar controlado por la benevolencia. El humorista ha de tener un fondo de tolerancia [42]. El humor es un arte subversivo de los valores humanos [43]; la nota de humor ha de saltar de dos o más contrastes. Junto a esto necesita siempre de lo nuevo [44] y «es más verdadero cuanto más innato y cuanto menos fórmulas emplea» [45]. Todo eso es verdad del humorismo en general y del de Baroja en particular; pero a más de eso, en realidad la nota más importante del humorismo es, en nuestra opinión, la rapidez. El humorista es siempre una persona de agilidad mental. Ha de ser capaz de ver lo opuesto, el contraste, en la mitad de tiempo que necesitan sus interlocutores, pues si no, no podría provocar la risa en éstos. Y ha de ser económico en palabras. Lo largo invita al bostezo. El escritor humorista tiene que resolver todo sus problemas a base de palabras, no puede hacer uso de la mímica o el tono, sólo palabras y ha de ser parco en ellas. De ahí que el humorismo sea tan difícil de lograr. Sin embargo, la mayoría de los escritores españoles del XIX hicieron uso de él, sin gran resultado.

Vamos a intentar analizar el humorismo de Baroja. Empezaremos con un párrafo de la semblanza que hizo de don Modesto Pérez, uno de los tantos seudobohemios de que habla en el tomo cuarto. Ricardo Fuente y Constantino Román Salamero hicieron un buen negocio y don Modesto, que se quiso agregar a la celebración, contaba con gran indignación a Baroja:

Fuente con Salamero han hecho un negocio magnífico vendiendo un incunable a un americano. Para celebrar el negocio hemos ido al café Oriental los tres a la hora de comer, y Fuente le ha dicho al mozo, examinando el menú: Traiga usted dos raciones

---

[41] Pío Baroja, *La caverna del humorismo, Obras completas*, V, página 453.
[42] *Ibid.*, p. 475.
[43] *Ibid.*, p. 406.
[44] *Ibid.*, p. 407.
[45] *Ibid.*, p. 468.

> de ostras, dos de langosta a la salsa tártara, dos bistecs, dos tortillas de jamón, vino negro y blanco de Rioja, y para Don Modesto un café con media tostada (IV, 151).

Aquí se nota muy bien el efecto del contraste en el humorismo. Del mismo estilo sería el párrafo donde describe como vivía Valle-Inclán, pero aquí el efecto es menor pues falta benevolencia:

> Don Ramón vivía en un cuartucho pequeño con una cama en el suelo y una caja como mesa de noche. Tenía en la pared tres o cuatro clavos, en donde estaba colgada toda su ropa. Sin embargo, era un hombre tan fantástico, que, a pesar de vivir en aquella miseria negra, nos habló seriamente de la servidumbre que tenía (III, 214).

O en el párrafo donde habla de los líos del asunto Dreyfus que encontró a Baroja en París:

> Respecto a los españoles, la burguesía francesa y la gente del pueblo nos tenían por gente de navaja, y pensaba que nuestras costumbres eran de una brutalidad sin ejemplo al lado de las suyas apacibles y angelicales.
> Sin embargo, había que reconocer que por entonces la gente se pegaba en las calles de París con una furia extraordinaria (III, 160-1).

Aquí la comicidad a más de por el contraste está producida por los vocablos especiales que emplea Baroja. Si en vez de decir «angelicales», o «furia extraordinaria» hubiese empleado otros, el efecto cómico hubiese sido menor.

Otras veces consigue el humor —y éste es muy frecuente en Baroja— por medio de la repetición:

> Varias veces hablamos de las mujeres, con las cuales no teníamos ningún gran éxito.
> Bargiela me decía que si quería tener éxito con ellas debía quitarme la barba, dejarme bigote a la borgoña como él, ponerme una chalina azul como él y andar con un aire decidido y marcial, llevando el bastón agarrado por la contera, también como él.
> Estuve por preguntarle:
> —¿Y dónde están sus éxitos? Porque yo no los había visto (III, 184).

Hay veces en que la comicidad la consigue por medio de una

especie de estribillo, como en la crítica que hace a las novelas
carlistas de Valle-Inclán que ya reproducimos:

> Cuando veo que entre los guerrilleros de Santa Cruz (todos o
> casi todos guipuzcoanos), el escritor habla de viñadores —en
> Guipúzcoa no hay una viña—, de gente que corre al borde de las
> acequias —no hay una acequia—, de viejas montadas en burro
> —no se ve una— con los refajos sobre la cabeza —no he visto
> ninguna—, de curas con galgos —no hay un galgo, etc., etc...—
> (I, 127).

A veces Baroja demuestra que algo es absurdo, y, sin embargo,
luego lo repite por su efecto cómico, como el «¡Qué inventen
ellos!» de Unamuno que señalábamos más atrás. De la misma
familia es lo siguiente:

> Letamendi era un audaz y un desaprensivo. Tenía el tupe de
> decir que así como se cree que el río Guadiana desaparece en
> la tierra, la medicina de Hipócrates había desaparecido en la
> Historia para aparecer con él. Hipócrates y Letamendi. Era mu-
> cha broma. El uno, todo observación y sencillez; el otro, todo
> palabrería y fuegos artificiales (II, 239).

Sin embargo aprovecha esta combinación como recurso humorístico:

> Letamendi-Hipócrates nos relataba una serie de anécdotas en
> las que intervenían sus amigos y él (II, 239).
> De la obra de Letamendi-Hipócrates ha quedado poco... (II, 240).

Junto a este humor —o malhumor que quería Ortega— se dan
en Baroja las escenas macabras. Baroja no cree que el humor
sea algo alejado del macabrismo. Sorprende el realismo que
despliega en la descripción de los ajusticiados. De aquel primero que vio en Pamplota —todavía niño— y que le impidió
dormir en toda la noche, dice:

> Parecía un fantasma horroroso, vestido de negro y manchado de
> sangre. Tenía las alpargatas sin meter en los pies (II, 143).

Con la frase final parece indicarnos los últimos sufrimientos
del reo.

Aunque dijimos que el humor era una nota característica
de las *Memorias* de Baroja, éstas no pueden calificarse de optimistas, a pesar de que, según William Dean Howells, eran
un género eminentemente optimisma, como decíamos en el

primer capítulo. En primer lugar, el título es muy expresivo:
Desde la última vuelta del camino. Además de que el autor
es consciente de su muerte cercana, y a ella alude de vez en
cuando [46], cree que sus méritos no han sido reconocidos. Hay
como en todas las *Memorias* una sensación de fracaso, que por
otro lado, explicaría el humorismo rencoroso de Baroja. Sólo
encuentra éste la felicidad en su casa de Itzea [47]. Itzea representa la vida ordenada, después de los horrores que pasó en
París, con la psicosis de guerra:

> Este verano de 1941 lo he pasado en Itzea, en mi casa de Vera,
> leyendo y escribiendo. Me levantaba antes de las seis de la ma-
> ñana, al sonar el Angelus, y, después de arreglarme un poco, esta-
> ba para esa hora dedicado a mi tarea.
> El tiempo era para mí delicioso, tibio, húmedo y de poco sol.
> En estas primeras horas del día, la niebla gris dominaba el valle
> e iba después deshaciéndose y desapareciendo hasta dejar el cie-
> lo claro con un azul suave con nubes blancas sobre las alturas
> de los montes (I, 7-8).

Es como si para don Pío lo único real que ha logrado en la
vida sea esa casa. Itzea representa el bienestar:

> Es curioso que un hombre como yo, que no ha llegado nunca a
> tener medios de fortuna, que ha vivido con muy poco dinero,
> haya podido llegar a tener una casa propia como ésta, grande,
> bien amueblada y hasta lujosa y artística (I, 8).

Itzea representa la paz:

> Mientras escribo en la biblioteca de Itzea pienso en el tiempo
> que he pasado en esa casa que nos ha servido de asilo durante
> tiempos duros y en donde murió mi madre en una época de cal-
> ma y de reposo (I, 8).

---

[46] "Y así sigo, con la chaqueta al hombro, por este camino que yo
no he elegido, cantando, silbando, tatareando.
Y cuando el Destino quiera interrumpirlo, que lo interrumpa; yo,
aunque pudiera protestar, no protestaría..." (II, 87).
Y en su contestación a Lerroux:
"Ya probablemente no nos veremos. Los dos somos viejos y es fácil
morirse a estas edades" (IV, 197).
[47] Creíamos que Itzea era el nombre del pueblo. Pero no, el pueblo
es Vera del Bidasoa y el nombre Itzea corresponde al del caserón que
compraron los Baroja según Isidoro de Fagoaga, "Pío Baroja en mi
pueblo", *Encuentros con don Pío. Homenaje a Baroja,* p. 67.

Y ya está dicho todo lo que constituye las *Memorias,* obra he-
terogénea, mal compuesta, pero divertida y entretenidísima,
maravilloso documento de una época y de un ambiente. Nadie que tenga interés en la literatura, en la sociología o en
cualquiera de las ciencias humanas puede dejar de entusias-
marse con esta obra. Por eso creemos, que aun cuando Baroja
logró obras más artísticas que ésta —ésta también lo es, pero
menos que algunas de las trilogías— con ésta consiguió lo que
con ninguna otra, el servir de libro de consulta o de cabecera.
Las *Memorias* es uno de esos libros que se abren al azar, por
entretenimiento, para reír de nuevo con tal o cual situación
cómica o para lamentar lo mal que va el mundo, como hace
el autor.

CONCLUSION

Acabado ya el análisis de las *Memorias* no nos queda más que
sintetizar las ideas que ya hemos expuesto con anterioridad.
En nuestra opinión en la formación del carácter de Baroja
intervinieron dos circunstancias principales. En primer lugar
su vasquismo. De ahí la economía de palabra tan opuesta a la
retórica, la fingidez o el disimulo. Su falta de efusión. Su gusto por una buena casa. Algo como un refugio para él y su familia. Nada de aparato exterior. En segundo lugar sus lecturas, que forjaron sus gustos de vagabundo, sus ansias de libertad y cambio. El no pensar que debía prepararse para
nada definitivo, que el azar le depararía la aventura. Pero al
traerle éste solamente fracasos, su carácter se volvió más re-
concentrado. Como hombre, Baroja vivió una vida gris y vulgar. No hay grandes pasiones ni grandes defectos en él. Las
primeras se reducen a unos sentimentalismos de colegial
—fruto también de sus lecturas y timidez— y los otros a unos
rencores muy profundos, pero no efectivos. Baroja era enemigo
de la brutalidad y el abuso. Nunca hizo daño a nadie. Todo su
odio lo volcó en el papel. Aún cuando se le ha criticado eso, él
responde, con mucha razón, que a lo escrito se puede contestar. Baroja no era el hombre amargado y malhumorado que
acostumbraba a pintar la crítica. El lugar común, especialmente el negativo, es lo más fácil. Se dice algo de alguien y los
que siguen se aprovechan para repetirlo, unas veces por no

cansar al cerebro, otras porque al quedar alguien clasificado
de esa manera, el resto sabe que ese adjetivo ya no se lo van
a dedicar a ellos. Es siempre fácil caracterizar a alguien de
«rabioso», éste coge la fama y amparados en ella, los demás
pueden rabiar lo que les dé la gana sin que nadie se los llame.
Baroja debía tener su genio. No son raras las fotos que se
conservan de él, en que se nota su expresión medio tímida,
medio malhumorada; pero tenía al mismo tiempo mucho sentido del humor y gracia, y podía ser incluso afable y cariñoso.

Baroja como médico no debió ser peor que la mayoría de
los principiantes. La soledad y su falta de sentido social fueron
las causas de que lo abandonara. La gran admiración de Baroja es hacia la ciencia, a pesar de confesar que carecía de la
preparación necesaria para comprender los últimos avances.
Sólo lamenta que los sabios, aterrados ante el alcance de sus
descubrimientos, dejen éstos en manos de gentes más audaces.
Con respecto a la política, todos los movimientos modernos le
parecen absurdos. Sólo defiende al liberalismo. Pero no cree
que una idea política justifique una muerte. Confiesa que no
es un revolucionario: que un viejo no puede serlo. A Baroja
las clases sociales no le dicen nada, pero prefiere al aristócrata que al nuevo rico, pues el triunfo de estos significará una
trasmutación de valores. Además de adoptar ante la vida una
actitud filosófica, Baroja sintió interés por la filosofía. Sus
simpatías van hacia el relativismo que se inicia con los presocráticos griegos y culmina con Kant y Schopenhauer. El absolutismo dogmático de los judíos y sus herederos le carga.

Una cualidad que hay que destacar en Baroja es su modestia. Baroja no pretende deslumbrarnos en ningún momento.
Casi hace todo lo contrario. Pero al no verse a sí mismo como
un genio, no ha de extrañarnos que no fuera capaz de ver genios a su alrededor. En estas *Memorias,* Baroja nos presenta
un conjunto de gente mediocre —nuestros mejores escritores,
científicos y políticos y los extranjeros que pudo conocer—
luchando por pequeñeces. Estos seres no son —como su propio narrador— ni santos ni perversos, son solamente, en la mayoría de los casos, ridículos. Pero Baroja no los observa filosó-
ficamente desde su torre de marfil para burlarse de ellos, hay
algo de burla; pero, al mismo tiempo, Baroja se mezcla, a

veces, con ellos y reacciona de la misma tonta manera. Podría decirse que esta obra, después de tantos años, es la más 98 de todo el 98. Ya no hay grandes ambiciones ni esperanzas, los supuestos genios se han convertido en muñecos, es decir, no son más que hombres. Pero no hay amargura. Está todo visto con muchísimo humor. Todas estas pequeñas biografías son las más divertidas de la literatura. Teniendo esta visión del hombre, no es de extrañar que Baroja no creyera en la política, como tampoco el que su actitud frente a la sociedad fuera aristocratizante. Pero Baroja no era un negador sistemático, era una persona llena de curiosidades intelectuales y de toda clase. Quería «ver en lo que es» como no se cansa de repetir. De ahí su afición a las lecturas más dispares, su entusiasmo por la filosofía y su fe en la ciencia, como decíamos más atrás.

Como escritor, Pío Baroja es el más importante de su familia, pero no fue el primero ni el último. A más de ello, muchos de sus miembros tuvieron relaciones con la imprenta y reunieron grandes bibliotecas. La formación literaria de Baroja fue a base de autores extranjeros. Empezó a escribir pronto y su firma empezó a aparecer en los periódicos cuando alumno de Medicina. A casi todo lo largo de su producción literaria, Baroja fue capaz de publicar un par de libros por año, a más de las colaboraciones en los periódicos. Su dedicación a la literatura fue completa y reglamentada, a base de un horario. Trabajando un cierto número de horas diarias. Sólo interrumpido por sus viajes con motivo de buscar inspiración o mejor documentarse acerca de algo. Baroja nunca escribe de lo que no ha visto, en contraste con Valle-Inclán que escribió tres novelas sobre la guerra carlista sin conocer los escenarios. Para Baroja al lector que conoce un lugar, le tiene que dar una sensación de falsedad. El ambiente literario no fue del gusto de Baroja. No había benevolencia entre sus miembros. Por eso su asombro cuando se la exigen a él.

Baroja como escritor se considera anticlásico y se clasifica de romántico realista, dos términos que nos explica, no son antinómicos. Con respecto a la crítica rechaza principalmente la académica porque todo el interés de ésta es criticar su estilo. También le molestan las suposiciones falsas o melodramáticas de algunos críticos. Baroja como crítico literario empieza

negando al 98; pero luego, casi sin darse cuenta, lo acaba
aceptando aunque con otro nombre. Con respecto a otros autores, Baroja no tiene en cuenta la crítica académica. Para él
los amenos son buenos, los aburridos malos. La mayoría de
los críticos rechazan sus opiniones, pero ahora algunos tienen
el valor de declarar que Baroja tuvo mucha razón, y que algunos de los que él encuentra aburridos, a pesar de todas las
Academias, lo son. Las teorías de la novela ofrecen como las
del 98 ciertas contradicciones por estar tomadas de opiniones
escritas en diferentes momentos de su vida. En primer lugar,
Baroja en contra de Ortega, no cree que la novela vaya a desaparecer. Ve todavía mucho porvenir en ella. Si hubiera escritores con gran capacidad de invención, serían capaces de
encontrar argumentos en nuestra época. Pero luego en una
entrevista confiesa que ve poco porvenir a la novela pues en
la vida ya no hay misterio. Para Baroja en la novela no hay
un tipo único, por tanto, no puede haber tampoco una técnica
única. Frente a la novela cerrada, de espacio limitado y pocas
figuras, que defendía Ortega, Baroja opone como superior la
novela abierta, de mucho espacio y gran cantidad de figuras.
Primeramente, la novela cerrada, pura, donde nada sobre no
existe. Segundo la novela cerrada es incapaz de producir tipos
vivos, éstos no se dan sino en la novela abierta. Tercero la
morosidad de la novela psicológica que defendía Ortega es
antibiológica; además esto acabaría con la gracia y la insinua-
ción ligera. Con respecto al estilo, éste será tanto mejor cuanto
lo exprese de la manera más clara posible, con el mayor número de matices y la menor cantidad de palabras.

Baroja señaló unos límites a la novela muy sueltos, pero
hay límites en ella. Primero, ha de contar con todos los elementos para producir su efecto; segundo, no ha de tener otra
finalidad que ella misma. Baroja no se opone a que la novela
esté basada en la literatura, cree que en este tipo es más fácil
la composición sabia; pero él prefiere la novela basada en la
vida pues en ella se da más la originalidad. Le parece que en
literatura no se puede mejorar. Un autor muestra su capacidad desde su primer libro. Todo lo que se puede aprender es la
técnica, pero ésta no hace que una novela sea interesante.
Baroja hace la oposición entre el «novelista de raza» —el que

tiene un fondo sentimental grande— y el que ha de apoyarse
en la técnica. A pesar de no conceder valor a la técnica, Baroja
lo da a las descripciones. En su opinión éstas constituyen un
avance en la novela, en contraposición a Unamuno que pensaba diluían el dramatismo. Por último, Baroja no cree que el
autor pueda ser impasible con sus personajes, ni piensa que el
hablar por la boca de ellos sea un defecto.

Técnicamente las *Memorias* pertenecen al género autobiográfico; género muy fluido, en el que, según sus teorizadores,
se puede empezar y acabar donde se quiera, y puede hacer uso
de todo tipo de cosas anteriormente escritas, ya sean del propio autor, ya de otros autores. Baroja se encuentra muy a gusto en género tan libre. En sus *Memorias,* Baroja se apoya en
dos cosas principalmente, lo anteriormente escrito por él o por
otros y su recuerdo. Baroja, rodeado de artículos y libros, coge
al azar, lo comenta o lo critica, y luego su recuerdo va anudan-
do unas cosas con otras. Es de destacar en estas *Memorias*
principalmente su amenidad. Lo que en manos de otro autor
sería un libro amargo y desagradable, en Baroja se convierte
en algo muy ameno, francamente divertido. Esto lo logra Baroja por medio de su humorismo y su estilo. De haber usado
Baroja un tono altisonante, hubiese producido un conglomera-
do de pedanterías pero gracias a su sencillez y su humorismo,
produjo un libro interesante y, sobre todo, de lectura fácil y
agradable.

Al final de su vida, —«desde la última vuelta del camino»— Baroja nos da una obra de arte, resumen y copia de toda
su obra anterior, con repeticiones y cosas originales, pero obra
de arte al fin y al cabo. Esencial para el conocimiento de un
ambiente dentro de una época y probablemente dentro de todas las épocas. Y esencial especialmente para el conocimiento
de Baroja, como se ve éste a sí mismo como persona y como
escritor.

BIBLIOGRAFIA

OBRAS DE BAROJA

(Incluimos solamente aquellas obras que citamos o que no aparecen en las *Obras completas*)

Baroja, Pío: *El árbol de la ciencia*. Madrid, 1922.

— *La nave de los locos*. Madrid, 1925.

— *Ayer y hoy*. Santiago de Chile, 1939.

— *Desde la última vuelta del camino. Memorias*. 7 volúmenes. Madrid, 1944-1949.

    I. *El escritor según él y según los críticos* (1944).
   II. *Familia, infancia y juventud* (1944).
  III. *Final del siglo XIX y principios del XX* (1945).
  IV. *Galería de tipos de la época* (1947).
   V. *La intuición y el estilo* (1948).
  VI. *Reportajes* (1948).
 VII. *Bagatelas de otoño* (1949).

— *Obras completas*. 8 vols. Madrid, 1946-1951.

— *Aquí París*. Madrid, 1955.

— "Prólogo casi doctrinal sobre la novela", en Fernando Baeza. *Baroja y su mundo*. Madrid, 1961. II, pp. 395-416.

— "La formación psicológica de un escritor". (Discurso de ingreso en la Academia española.) *Baroja y su mundo*. Madrid, 1961. II, páginas 417-452.

— "La cuestión del estilo". *Baroja y su mundo*. Madrid, 1961. II, páginas 453-457.

OBRAS CONSULTADAS

Alberich, José: "El submarino de Paradox", *Insula*, XXVIII, 308-309 (julio-agosto, 1972), 4.
— *Los ingleses y otros temas de Pío Baroja*. Madrid, 1966.
Aldecoa, Ignacio: "Las inquietudes de Shanti Andía", en Fernando Baeza, *Baroja y su mundo*. Madrid, 1961. I, pp. 157-161.
Aleixandre, Vicente: "El silencio de Pío Baroja", en Fernando Baeza. *Baroja y su mundo*. II, pp. 344-346.
Alfaro, María: "*El pasado* y *La raza*", en Fernando Baeza, *Baroja y su mundo*. I, pp. 138-147.
Andújar, Manuel: "Pío Baroja. Versiones de una visión", en *Encuentros con don Pío. Homenaje a Baroja*. Madrid, 1972. pp. 109-114.
Araquistain, Luis: "El krausismo en España", *Cuadernos*, 44 (septiembre-octubre, 1960), pp. 3-12.
— "Recuerdo de Linos, Maestro de Hércules", en Fernando Baeza. *Baroja y su mundo*. II, pp. 104-105.
Arbó, Sebastián Juan: *Pío Baroja y su tiempo*. Barcelona, 1963.
Arbor: Número extraordinario conmemorativo de 1898. *Arbor*, XI, número 36 (diciembre 1948).
Arozamena, Jesús María de: "Baroja. San Sebastián. Los hombres en su obra", en *Encuentros con don Pío. Homenaje a Baroja*. Madrid, 1972. pp. 187-193.
Arquer, Borja de: *La generación del 98 hoy*. Barcelona, 1968.
Azcárraga, Adolfo de: *La timidez sentimental de Baroja*. 2nd ed. Valencia, 1948.
Azpeitua, Antonio: "Pío Baroja, en París", en José García Mercadal. *Antología crítica. Baroja en el banquillo*. Zaragoza, 1947-1948. II, páginas 103-106.
Baeza, Fernando: *Baroja y su mundo*. 2 vols. Madrid, 1961.
— "Presentación de la obra", en Fernando Baeza. *Baroja y su mundo*. I, pp. 3-8.
Baeza, Ricardo: "En "Itzea'" en Fernando Baeza. *Baroja y su mundo*. II, pp. 293-295.
Balseiro, José Agustín: *Blasco Ibáñez, Unamuno, Valle-Inclán y Baroja, 4 individualistas de España*. New York, 1949.
Baquero Goyanes, Mariano: *Estructuras de la novela actual*. Barcelona, 1970.
— *Proceso de la novela actual*. Madrid, 1963
Barbey d'Aurevilly, Jules Amédée: *L'esprit de J. Barbey d'Aurevilly; dictionarire de pensées, traits, portraits et jugements tirés de son oeuvre critique*. París, 1908
Barja, César: *Libros y autores contemporáneos*. New York, 1964.
— "Pío Baroja", en Fernando Baeza. *Pío Baroja y su mundo*. II, páginas 188-206.
Baroja, Ricardo: *Gente del noventa y ocho*. Barcelona, 1952.
— *Barojiana*. Madrid, 1972.

Barrow, Leo L.: *Negation in Baroja: a Key to his Novelistic Creativity.* Tucson, 1971.

Bartres, J. Raymundo: "De Poe a Hemingway pasando por Baroja". *La Torre,* VIII, núm. 31 (julio-septiembre, 1960), 165-171.

Bataillon, Marcel: "Para la biografía de un héroe de novela (Eugenio Aviraneta)", en José García Mercadal. *Antología crítica. Baroja en el banquillo.* II, pp. 149-152.

Bell, Aubrey FitzGerald: *Contemporary Spanish Literature.* New York, 1936.

Bellini, Giuseppe: *Introduzione a Baroja.* Milano. 1964.

Bello, Luis: "Baroja y sus anécdotas", en Fernando Baeza. *Baroja y su mundo.* II, pp. 173-174.

Benet, Juan: "Barojiana", en *Barojiana.* Pp. 11-45.

Bengoechea, Javier de: "Canciones del suburbio", en *Encuentros con don Pío . Homenaje a Baroja.* Pp, 153-158.

Blanco Fombona, Rufino: "En torno a dos novelistas: Pío Baroja y Pérez Ayala", en *Motivos y letras de España.* Madrid, 1930. Pp. 137-147.

Bolinger, D. H.: "Heroes and Hamlets: The Protagonists of Baroja's novels". *Hispania,* XXIV, no. 1 (Feb. 1941), pp. 91-94.

Bonafoux, Luis: *Casi críticas.* París, 1912.

Bonilla y San Martín, Adolfo: *Anales de la literatura española.* Madrid, 1904.

— "Pío Baroja", en Fernando Baeza. *Baroja y su mundo.* I, pp. 29-31.

Borau, Pablo: "Emilio González López: El arte narrativo de Pío Baroja: Las Trilogías". *Cuadernos Hispanoamericanos,* núms. 265-267 (jul.-sep., 1972), pp. 689-691.

Borenstein, Walter: *Pío Baroja: His Contradictory Philosophy,* Tesis doctoral inédita de la Universidad de Illinois, 1954.

Boyd, Ernest: *"La busca",* en Fernando Baeza. *Baroja y su mundo.* II, pp. 170-172.

— *"La busca",* en José García Mercadal. *Antología crítica, Baroja en el banquillo.* II, pp. 250-255.

Brenan, Gerald: *The literature of the Spanish People.* Cambridge, 1953.

Cabañas, Pablo: "Su primer libro". *Indice de artes y letras,* IX, números 70-71((jan.-feb., 1954), p. 4.

Camba, Julio: "El único español que se ha equivocado", en Fernando Baeza. *Baroja y su mundo.* II, p. 94.

Campos, Jorge: "Bibliografía", en Fernando Baeza. *Baroja y su mundo.* I, pp. 323-78.

— "La biografía", en Fernando Baeza. *Baroja y su mundo.* I, pp. 270-77.

— "El joven novelista, a la luz de dos prólogos". *La Torre,* VIII, n.º 31 (1960), pp. 155-64.

— "El periodismo", en Fernando Baeza. *Baroja y su mundo.* I, páginas 233-45.

— "Pío Baroja, corresponsal de guerra (1903)". *Cuadernos Hispanoamericanos,* núms. 265-267 (jul.-sep., 1972), pp. 270-292.

— "Relación de colaboraciones periodísticas de Pío Baroja", en Fernando Baeza. *Baroja y su mundo.* I, pp. 379-89.

196   TERESA GUERRA DE GLOSS

Campos, Jorge y Baeza, Fernando: "Las tertulias de don Pío". *Indice de artes y letras,* IX, 70-71 (en.-feb., 1954), p. 33.
Campoy, Antonio: *Un autor en un libro. Pío Baroja. Estudio y antología.* Madrid, 1963.
Cangiotti, Gualterio: *Pio Baroja "osservatore" del costume italiano.* Publicazioni dell'universita di Urbino, vol. XXIV. Urbino, 1969.
Cansinos-Assens, Rafael: "Pío Baroja", en Fernando Baeza. *Baroja y su mundo.* II, pp. 88-93.
Cardona, Rodolfo: "En torno a *El mundo es ansí". Cuadernos Hispanoamericanos,* núms. 265-267 (jul.-sep., 1972), pp. 562-74.
Caro Baroja, Julio: *Los Baroja.* Madrid, 1972.
— "Confrontación literaria o las relaciones de dos novelistas: Galdós y Baroja". *Cuadernos Hispanoamericanos,* núms 265-267(jul.-sep., 1972), pp. 160-68.
— "Recuerdos", en Fernando Baeza. *Baroja y su mundo.* II, pp. 35-73.
Caro Baroja, Pío: "Un día de su vida", en Fernando Baeza. *Baroja y su mundo.* II, pp. 277-79.
— "Palabras de recuerdo", en Fernando Baeza. *Baroja y su mundo.* II, p. 237.
— *La soledad de Pío Baroja.* México, 1953.
Carrere, Emilio: "Canciones de suburbio", en Fernando Baeza, *Baroja y su mundo.* II, pp. 250-51.
— "Canciones de suburbio", en José García Mercadal. *Antología crítica.* I, pp. 235-36.
Casares y Sánchez, Julio: *Crítica efímera.* Madrid, 1962.
Cassou, Jean: *Panorame de la litterature espagnole contemporaine.* París, 1913.
— "Pío Baroja", en Fernando Baeza. *Baroja y su mundo.* II, pp. 58-60.
— "Pío Baroja", en José García Mercadal. *Antología crítica.* II, páginas 92-96.
Castilla del Pino, Carlos: "Baroja: Análisis de una irritación", en *Barojiana.* Pp. 45-65.
Castillo-Puche, José Luis: "La novela barojiana caminera y andante", en *Encuentros con don Pío.* Pp. 115-28.
Castresana, Luis de: "Baroja, el castellano y el eúskera", en *Encuentros con don Pío.* Pp. 181-86.
Castro, Cristóbal: "Baroja o Robinsón", en José García Mercadal. *Antología crítica.* I, pp. 225-29.
Cela, Camilo José: "Recuerdo de Pío Baroja", en Fernando Baeza. *Baroja y su mundo.* II, pp. 350-60.
Cela Trulock, Jorge: "En el centenario de don Pío Baroja", en *Encuentros con don Pío.* Pp. 207-10.
Ciplijauskaite, Biruté: "Las transfiguraciones de Paradox, rey". *Insula.* XXVIII, núms. 308-309 (jul.-ag., 1972), p. 9.
Clavería, Carlos: *Cinco estudios de literatura española moderna.* Salamanca, 1945.
— "Significado y estilo de una "trilogía' ", en Fernando Baeza. *Baroja y su mundo.* II, pp. 286-88.

Clotas, Salvador: "El azar y la intuición", en *Barojiana*. Pp. 113-142.
Corrales Egea, José: *Baroja y Francia*. Madrid, 1969.
— "De *La sensualidad pervertida* a *La estrella del Capitán Chimista*", en Fernando Baeza. *Baroja y su mundo*. I, pp. 183-206.
— "Tras los pasos de Baroja en Londres". *Insula*, XVIII, núms. 308-309 (jul.-ag., 1972), pp. 5-6
Cossío, José María de: "Notas sobre Baroja", en Fernando Baeza. *Baroja y su mundo*. II, pp. 361-64.
Cuadra, Pilar de: "Don Pío, académico", en *Encuentros con don Pío*. Pp. 137-43.
Chambers, Dwight Oliver: *Cultural Concordance of Pio Baroja*. Berkeley, 1965.
Delibes, Miguel: "Don Pío o la sinceridad", en *Encuentros con don Pío*. Pp. 211-14.
Díaz Arrieta, Hernán (*Alone*). "Sin retórica", en Fernando Baeza. *Baroja y su mundo*. II, pp. 291-92.
Díaz Plaja, Guillermo. *Modernismo frente a noventa y ocho*. Madrid, 1951.
Díez Canedo, Enrique: "Baroja y sus intermediarios", en Fernando Baeza. *Baroja y su mundo*. II, pp. 175-76.
— "La caverna del humorismo", en José García Mercadal. *Antología crítica*. I, pp. 192-94.
Domenchina, Juan José: *Crónicas de "Gerardo Rivera"*. Madrid, 1935.
— "Las noches del Buen Retiro", en Fernando Baeza, *Baroja y su mundo*. II, pp. 182-83.
Dos Passos, John: "Baroja arrebozado", en Fernando Baeza. *Baroja y su mundo*. II, pp. 115-16.
— "Un novelista revolucionario", en Fernando Baeza. *Baroja y su mundo*. II, pp. 111-14.
— "Un novelista revolucionario", en José Garía Mercadal. *Antología crítica*. II, pp. 229-35.
Rosinante to the Road Again. New York, 1922.
— "Weeds". *The Nation*. New York, 9 en. 1924.
Drake, William A.: *Contemporary European Writers*. New York, 1928.
— "Pío Baroja, Spain's Harshest Critic and Her Gentlest Friend". New York Herald Tribune Books, 31 oct. 1926, p. 9.
Durán, Gloria: "Baroja antifeminista". *Insula*. 18, núms. 308-309. (jul.-ag., 1972), pp. 8.
Earle, Peter G.: "Baroja y su ética de la imposibilidad". *Cuadernos Hispanoamericanos*. Núms. 265-267 (jul.-sep., 1972, pp. 66-76.
Elorza, Antonio: "El realismo crítico de Pío Baroja". *Revista de Occidente*. 2.ª época, Año VI, núm. 62 (mayo, 1968), pp. 151-73.
Embeita, María: "Tragedia y mito en una novela de Baroja". *Insula*. 18, núms. 308-309 (jul.-ag. 1972), 15.
Embeita, María J.: *Tema y estilo en Pío Baroja*. Tesis doctoral inédita de la Universidad de Illinois, 1965.
Embeita, María Z.: "Tema y forma de expresión en Baroja", *Cuadernos Hispanoamericanos*, núms. 265-267 (jul.-sep., 1972), pp. 143-51.

Embeyta, María Jesús: "El maestro y la indiscreta juventud". *Indice de artes y letras*. IX, núms. 70-71 (en.-feb., 1954), p. 24.
Encina, Juan de la: "El laberinto de las sirenas", en Fernando Baeza. *Baroja y su mundo*. II, pp. 117-120.
Entrambasaguas, Joaquín de: *Las mejores novelas contemporáneas*, 11 vols. Barcelona, 1957-1969.
— "Pío Baroja y Nessi", en Fernando Baeza. *Baroja y su mundo*. II, pp. 331-32.
— "Pío Baroja y Nessi", en José García Mercadal. *Antología crítica*. I, pp. 130-33.
Espina, Antonio: "El hombre malo de Itzea", en Fernando Baeza. *Baroja y su mundo*. II, p. 326.
Fagoaga, Isidoro de: "Pío Baroja en mi pueblo", en *Encuentros con don Pío*. Pp. 65-72.
Felipe, León: "Palabras de homenaje", en Fernando Baeza. *Baroja y su mundo*. II, pp. 328.
Fernández Almagro, Melchor: *En torno al 98. Política y literatura*. Madrid, 1948.
— "Pío Baroja", en Fernando Baeza. *Baroja y su mundo*. II, pp. 316-21.
— "Pío Baroja y su mundo", en José García Mercadal. *Antología crítica*. I, pp. 208-10.
Fernández Figueroa, Juan: "'Mi' Baroja", en Fernando Baeza. *Baroja y su mundo*. II, pp. 284-85.
Fernández Suárez, Alvaro: "Mundo Barojiano", en Fernando Baeza. *Baroja y su mundo*. II, pp. 296-98.
Ferreras, Juan Ignacio: "Tensión y negación en la obra novelesca de Baroja". *Cuadernos Hispanoamericanos*. Núms. 265-267 (jul.-sep., 1972), pp. 293-301.
Ferreres, Rafael: *Los límites del Modernismo*. Madrid, 1964.
Flores, Arroyuelo, Francisco J.: "Baroja y la historia". *Revista de Occidente*. 2.ª ep., VI, 62 (mayo, 1968), pp. 185-203.
— *Las primeras novelas de Pío Baroja, 1900-1912*. Murcia, 1967.
Franco, Dolores: *La preocupación de España en su literatura: antología*. Madrid, 1944.
Gálvez, Manuel: "Algo acerca de Baroja", en Fernando Baeza. *Baroja y su mundo*. II, pp. 252-54.
Gaos, Vicente: "Los ensayos", en Fernando Baeza. *Baroja y su mundo*. I, pp. 246-55.
García de la Barga, Amores (*Corpus Barga*): "Una novela de Baroja", en Fernando Baeza. *Baroja y su mundo*. II, pp. 130-42.
García-Luengo, Eusebio: "El alma de Baroja", en Fernando Baeza. *Baroja y su mundo*. II, pp. 333-38.
— "Las *Memorias*. Moral de visita, moral literaria". *Indice de artes y letras*. IX, núms. 70-71 (en.-feb., 1954), p. 11.
García Mercadal, José: *Antología crítica. Baroja en el banquillo*. 2 volúmenes. Zaragoza, 1947-1948.
— "Baroja en *La Justicia*... y en otras partes". *Cuadernos Hispanoamericanos*. Núms. 265-267 (jul.-sep., 1972), pp. 633-42.

— "El escritor y las mujeres", en Fernando Baeza. *Baroja y su mundo.* II, pp. 299-301.

García Pavón, Francisco: "Las *Memorias*", en Fernando Baeza, *Baroja y su mundo.* I, pp. 296-306.

— "Pío Baroja, crítico de teatros", en *Encuentros con don Pío.* Páginas 145-51.

Giménez Caballero, Ernesto: "La nave de los locos", en José García Mercadal. *Antología crítica.* I, pp. 195-204.

— "Un novelista español: Pío Baroja", en José García Mercadal. *Antología crítica.* II, pp. 84-7.

— "Pío Baroja, precursor del fascismo", en Fernando Baeza. *Baroja y su mundo.* II, pp. 226-34.

Gómez de Baquero, Eduardo (Andrenio): "Baroja y su galería novelesca", en Fernando Baeza. *Baroja y su mundo.* II, pp. 158-61.

— "El mundo es ansí", en Fernando Baeza. *Baroja y su mundo.* II, páginas 52-54.

— *Novelas y novelistas.* Madrid, 1918.

Gómez de la Serna, Gaspar: "Dinámica creadora del material histórico en la novela barojiana", en *Encuentros con don Pío.* páginas 103-108.

Gómez de la Serna, Ramón: "Pío Baroja", en Fernando Baeza. *Baroja y su mundo.* II, pp. 235-49.

— *Retratos contemporáneos.* 2nd ed. Buenos Aires, 1944.

Gómez Marín, José Antonio: "El primer Baroja y la aventura 'radical' de las clases medias. *Insula,* 18, núms. 308-309 (jul.-sep., 1972), página 3.

Gómez-Santos, Marino: "Baroja en su casa", en Fernando Baeza. *Baroja y su mundo.* II, pp. 309-13.

— *Baroja y su máscara.* Barcelona, 1956.

— "Entre el velador y el chubesquí". *Indice de artes y letras,* IX, números 70-71 (en.-feb., 1954), p. 24.

González-Blanco, Andrés: *Historia de la novela en España desde el Romanticismo hasta nuestros días.* Madrid, 1909.

— "Pío Baroja", en Fernando Baeza. *Baroja y su mundo,* II, 39-41.

González Rigobert, F.: "Baroja y la pipa", en José García Mercadal. *Antología crítica.* I, pp. 88-39.

González Ruano, César: *Caras, caretas y carotas.* Madrid, 1930.

— "Conversación con Pío Baroja en el día de su cumpleaños", en Fernando Baeza. *Baroja y su mundo.* II, pp. 280-83.

— *Mi medio siglo se confiesa a medias.* Barcelona, 1951.

— "Mis visitas". *Indice de artes y letras.* IX, núms. 70-71 (en.-feb., 1954), p. 15.

— *Siluetas de autores contemporáneos.* Madrid, 1949.

González-Ruiz, Nicolás: "Baroja y la España de Baroja". *Bulletin of Spanish Etudies,* vol. I, núm. 1 (dic., 1923), pp. 4-11.

Granjel, Luis S.: "Autor y personaje en la obra barojiana". *Cuadernos Hispanoamericanos,* núms. 265-267 (jul.-sep.,1972), 3-10.

— *Baroja y otras figuras del 98.* Madrid, 1960.

— "Las novelas vascas", en Fernando Baeza. *Baroja y su mundo*. II, pp. 92-109.

— *Retrato de Pío Baroja*. Barcelona, 1953.

Grosso, Alfonso: "El desván", en *Encuentros con don Pío*. Pp. 215-19.

Guereña, Jacinto Luis: "Perfil barojiano en Azorín". *Cuadernos Hispanoamericanos*. Núms. 265-267 (jul.-sep., 1972), pp. 660-74.

Guimón Ugartechea, José: "Las ideas médicas de Pío Baroja". *Revista de Occidente*. 2.ª época, VI, 62 (mayo, 1968), pp. 225-42.

Hierro, José: "La poesía", en Fernando Baeza. *Baroja y su mundo*, I, pp. 278-84.

Iglesias, Carmen: "La controversia entre Baroja y Ortega acerca de la novela". *Hispanofila*. III, núm. 1 (sep., 1959), pp. 41-50.

— *El pensamiento de Pío Baroja; ideas centrales*. México, 1963.

Iglesias Laguna, Antonio: "Originalidad de Baroja", en *Encuentros con don Pío*. Pp. 89-94.

Indice de artes y letras: Dedicado a Baroja. *Indice de artes y letras*. IX, núms. 70-71 (en.-feb., 1954).

Jarnés, Benjamín: "Baroja y sus desfiles", en *José García Mercadal. Antología crítica*. I, pp. 218-24.

— "Baroja y sus desfiles", en Fernando Baeza. *Baroja y su mundo*. II, pp. 179-181.

Jeschke, Hans: *La generación de 1898*. (*Ensayo de una determinación de su esencia*). Santiago de Chile, 1946.

Jiménez, Juan Ramón: "Un vasco", en Fernando Baeza. *Baroja y su mundo*. II, pp. 289-90.

Juretschke, Hans: "La generación del 98, su proyección crítica e influencia en el exterior". *Arbor*, XI, núm. 36 (dic., 1948), 517-44.

Laforet, Carmen: "Baroja y un personaje femenino", en Fernando Baeza. *Baroja y su mundo*. II, pp. 383-85.

— "Del diario de Carmen Laforet", en *Encuentros con don Pío*. Páginas 203-06.

Laín Entralgo, Pedro: *La generación del 98*. Buenos Aires, 1947.

— "La generación del 98" (fragmentos), en Fernando Baeza. *Baroja y su mundo*. II, pp. 258-64.

— "La generación del 98 y el problema de España". *Arbor*. XI, núm. 36 (dic., 1968), pp. 417-38.

— "Prólogo", en Fernando Baeza. *Baroja y su mundo*. I, pp. XI-XVI

Landínez, Luis: "Camino de perfección", en Fernando Baeza. *Baroja y su mundo*. I, pp. 117-24.

— "El ciclo "Paradox' ", en Fernando Baeza. *Baroja y su mundo*. I, pp. 110-16.

Ledesma Miranda, Ramón: "Pío Baroja, poeta del "plein air' ", en José García Mercadal. *Antología crítica*. I, pp. 244-45.

Lera, Angel María de: "Baroja, el innovador", en *Encuentros con don Pío*. Pp. 83-88.

López Delpecho, Luis: "Perfiles y claves del humor barojiano", *Revista de Occidente*. 2.ª época, VI, 62 (mayo, 1968), pp. 129-50.

López Estrada, Francisco: *Perspectiva sobre Pío Baroja*. Sevilla, 1972.

Lott, Robert E.: "El arte descriptivo de Pío Baroja". *Cuadernos Hispanoamericanos.* Núms. 265-267 (jul.-sep., 1972), pp. 26-54.

Llosent, Marañón, Eduardo: "Iconografía barojiana", en Fernando Baeza. *Baroja y su mundo.* I, pp. 307-22.

Machado, Antonio: "Apuntes sobre Pío Baroja", en Fernando Baeza. *Baroja y su mundo.* II, p. 109.

— "El amor tuerto y Werther en España, "en Fernando Baeza. *Baroja y su mundo.* II, pp. 95.

Madariaga, Salvador de: "Pío Baroja", en Fernando Baeza. *Baroja y su mundo.* II, pp. 121-29.

Maeztu, Ramiro de: "Pío Baroja", en Fernando Baeza. *Baroja y su mundo.* II, pp. 18-19.

Manso de Zúñiga, G. "Mis recuerdos de Baroja", en *Encuentros con don Pío.* Pp. 47-55.

Marañón, Gregorio: "El academicismo de Don Pío Baroja", en José García Mercadal. *Antología crítica.* I, pp. 51-66.

— "Contestación al discurso de ingreso de Don Pío Baroja en la Academia española", en Fernando Baeza. *Baroja y su mundo.* II, pp. 213-22.

— *Segundo ensayo sobre el antiacademicismo de don Pío Baroja.* Toledo, 1935.

Maravall, José Antonio: "Historia y novela", en Fernando Baeza. *Baroja y su mundo.* I, pp. 162-82.

Marías, Julián: *Historia de la Filosofía.* 13.ª ed. Madrid, 1960.

— "El mundo es así", en Fernando Baeza. *Baroja y su mundo.* II, pp. 322-25.

Martínez Laínez, Fernando: "El sentimiento político de Pío Baroja". *Revista de Occidente.* 2.ª época, VI, 62 (mayo, 1968), 185-203.

Martínez Merchén, Antonio: "Baroja y la crisis del canovismo". *Cuadernos Hispanoamericanos.* Núms. 265-267 (jul.-sep., 1972), páginas 234-43.

Martínez Palacio, Javier: "Baroja y un personaje de acción: Roberto Hasting". *Insula*, XXVIII, núms. 308-309 (jul.-ag., 1972), p. 10.

— "Personaje, tiempo y espacio en Baroja", en *Barojiana.* Pp. 143-53.

Martínez Ruiz, José (Azorín): *Ante Baroja,* en *Obras completas.* Madrid, 1948. VIII, pp. 139-316.

— "Baroja en el colegio", en *Obras completas.* Madrid, 1948. VII, páginas 884-91.

— "Baroja en *La voluntad*", en Fernando Baeza. *Baroja y su mundo.* II, pp. 20-26.

— "Baroja historiador", en Fernando Baeza. *Baroja y su mundo.* II, pp. 55-57.

— "*La busca*", en Fernando Baeza. *Baroja y su mundo.* II, pp. 27-28.

— "Cambio de valores", en Fernando Baeza. *Baroja y su mundo.* II, pp. 265-66.

— *Clásicos y modernos,* en *Obras completas.* Madrid, 1947. II, páginas 737-932.

— "Las orgías del yo", en Fernando Baeza. *Baroja y su mundo.* II, páginas 13-14.

— "Pío Baroja", en *Obras completas*. Madrid, 1948. VI, 249-51.

— "El secreto de Baroja", en *Obras completas*. VI, 251-52.

— "Los sueños", en José García Mercadal. *Antología crítica*. I, páginas 119-21.

— "La última novela de Baroja", en José García Mercadal. *Antología crítica*. I, pp. 90-94.

McDonald, E. Cordel: "The Modern Novel as Viewed by Ortega". *Hispania*, XLII, núm. 4 (Dec., 1959), pp. 475-81.

Medio, Dolores: "Pío Baroja y las mujeres", en *Encuentros con don Pío*. Madrid, 1972, pp. 57-64.

Montes, Eugenio: "La familia de Errotacho", en José García Mercadal. *Antología crítica*. I, pp. 222-24.

— "La selva oscura: la familia de Errotacho", en Fernando Baeza. *Baroja y su mundo*. II, pp. 177-78.

Moral, Carmen de: "Baroja y la guerra de Cuba". *Insula*, XXVIII, números 308-309 (jul.-ag., 1972), pp. 11-12.

Mourlane Michelena, Pedro: "La Academia, Baroja y el estilo", en Fernando Baeza. *Baroja y su mundo. II*, pp. 209-12.

— "Baroja", en José García Mercadal. *Antología crítica*. I, pp. 99-107.

Múgica, Rafael (*Gabriel Celaya*): "Pío Baroja y San Sebastián", en *Encuentros con don Pío*. Pp. 175-80.

Nallim, Carlos Orlando: "Pío Baroja: un nuevo discurrir de la novela". *Cuadernos Hispanoamericanos*, núms. 265-267 (jul.-sep., pp. 77-91.

— *El problema de la novela en Pío Baroja*. México, 1964.

Nora, Eugenio G. de: *La novela española contemporánea*. 2 vols. Madrid, 1958.

— "Las últimas novelas", en Fernando Baeza. *Baroja y su mundo*. I, pp. 222-31.

Nordau, Max: "Opinión sobre Pío Baroja", en Fernando Baeza. *Baroja y su mundo*. II, p. 32.

— "Una opinión sobre Baroja", en José García Mercadal. *Antología crítica*. II, p. 191.

Onís, Federico: "Pío Baroja", en Fernando Baeza. *Baroja y su mundo*. II, pp. 161-69.

— "Pío Baroja", en José García Mercadal. *Antología crítica*. II, páginas 217-28.

Ortega, José: "Andrés Hurtado: un estudio en alienación". *Cuadernos Hispanoamericanos*, núms. 265-267 (jul.-sep., 1972), pp. 591-99.

Ortega y Gasset, José: *La deshumanización del arte e ideas sobre la novela*, en *Obras completas*. Madrid, 1946. III, pp. 353-417.

— *Ensayos de crítica*, en *Obras completas*. II, pp. 69-125.

— "Ideas sobre Pío Baroja", en Fernando Baeza, *Baroja y su mundo*. II, pp. 72-87.

— "Una primera vista sobre Baroja", en Fernando Baeza. *Baroja y su mundo*. II, pp. 63-71.

— "Ideas sobre Pío Baroja", en José García Mercadal. *Antología crítica*. I, pp. 7-44.

Owen, Arthur L.: "Concerning the Ideology of Pío Baroja". *Hispania*, XV, núm. 1 (1932), pp. 15-24.

Pabón, Jesús: "El espadón en la novela". *Cuadernos Hispanoamericanos*, núms. 265-267 (jul.-sep., 1972), pp. 220-33.

Pancorbo, Luis: "Baroja saqueado". *Cuadernos Hispanoamericanos*, núms. 265-267 (jul.-sep., 1972), pp. 118-34.

Patt, Beatrice P.: *Pío Baroja*. New York, 1971.

Pelay Orozco, Miguel: *La ruta de Baroja*. Bilbao, 1962.

Pérez Ferrero, Miguel: "Pío Baroja, en París" en José García Mercadal. *Antología crítica*. II, pp. 110-14.

— *Pío Baroja en su rincón*. Madrid, 1941.

— *Vida de Pío Baroja, el hombre y el novelista*, 1.ª ed. Barcelona, 1960.

Pérez Gutiérrez, Francisco. "Los curas en Baroja", en *Barojiana*. Páginas 67-111.

Pérez Minik, Domingo: "Al cruzar el siglo XX, Pío Baroja en el panorama de la novela europea". *Cuadernos Hispanoamericanos*, números 265-267 (jul.-sep., 1972). pp. 55-65.

— *Novelistas españoles de los siglos XIX y XX*. Madrid, 1957.

Peseux-Richard, H.: "Un novelista español", en Fernando Baeza. *Baroja y su mundo*. II, pp. 47-48.

— "Un novelista español", en José García Mercadal. *Antología crítica*. II, pp. 5-26.

— "Un romancier espagnol: Pio Baroja". *Revue Hispanique*, XXIII, número 63 (sep., 1910), pp. 109-187.

Pilares, Manuel: "En los últimos años de Pío Baroja". *Cuadernos Hispanoamericanos*, núms. 265-267 (jul.-sep., 1972), pp. 152-59.

Pina, Francisco: *Pío Baroja*. Valencia, 1928.

Pinilla, Ramiro: "Pío Baroja y Jaun de Alzate", en *Encuentros con don Pío*. Pp. 129-34.

Pla, José: "Don Pío Baroja", en José García Mercadal. *Antología crítica*. I, pp. 237-40.

— "Pío Baroja", en Fernando Baeza. *Baroja y su mundo*. II, pp. 347-49.

Porlan, Alberto: "Ultimas indagaciones en torno a la verdadera personalidad de Silvestre Paradox". *Cuadernos Hispanoamericanos*, números 265-267 (jul.-sep., 1972), pp. 537-61.

Portal, Marta: "La sensualidad pervertida (Memorias entrecortadas de don Pío", en *Encuentros con don Pío*. Pp. 39-46.

Quiñonero Gálvez, Juan: "Pío Baroja, 'chapelaundi' (estudio de su carácter)". *Cuadernos Hispanoamericanos*, núms. 265-267 (jul.-sep., 1972), pp. 643-59.

Quiñones, Fernando: "Baroja y su último biógrafo". *Cuadernos Hispanoamericanos*, núms. 265-267 jul.-sep., 1972), pp. 682-88.

Quiroga Pla, José María: "Pío Baroja y la Academia", en Fernando Baeza. *Baroja y su mundo*. II, pp. 207-08.

Reid, John Turner: *Modern Spain and Liberalism; a Study in Literary Contrasts*. Stanford, 1937.

Reyes,, Alfonso: "Bradomín y Aviraneta", en Fernando Baeza. *Baroja y su mundo*. II, 61-62.

— "Pío Baroja", en Fernando Baeza. *Baroja y su mundo.* II, 329-30.

Ridruejo, Dionisio. "Agua que no desemboca", en Fernando Baeza. *Baroja y su mundo.* II, pp. 255-57.

Rodgers, Eamonn: "Realidad y realismo en Baroja: El tema de la soledad en *El mundo es ansí*". *Cuadernos Hispanoamericanos,* números 265-267 (jul.-sep., 1972), pp. 575-90.

Rodríguez Alcalde, Leopoldo: "El teatro", en Fernando Baeza. *Baroja y su mundo.* I, pp. 256-70.

— "Los viajes", en Fernando Baeza. *Baroja y su mundo.* I, 285-95.

Rodríguez Bachiller, Angel: "Un reflejo de filosofía en la *Memorias de Pío Baroja*". *Insula,* XXVIII, núms. 308-309 (jul.-ag., 1972), p. 14.

Rodríguez de Rivas, Mariano: "Madrid en Baroja", en Fernando Baeza. *Baroja y su mundo.* II, pp. 302-08.

Rodríguez Padrón, Jorge: "Divagaciones en torno a un centenario". *Cuadernos Hispanoamericanos,* núms. 265-267 (jul.-sep., 1972), páginas, 11-25.

Rogg, Fay: "La ciudad y los solares: la visión barojiana de la condición humana". *Insula,* XXVIII, núms. 308-309 (jul.-ag., 1972, páginas 12-13.

Romero, Francisco: "Notas a Baroja", en Fernando Baeza. *Baroja y su mundo.* II, pp. 96-103.

Rosado Guadalupe: "... Y la sinceridad". *Indice de artes y letras,* IX, núms. 70-71 (en.-feb., 1954), p. 11.

Ruiz Contreras, Luis. *Memorias de un desmemoriado.* 2 vols. Madrid, 1917.

— "Recordando a Baroja", en Fernando Baeza. *Baroja y su mundo.* II, pp. 43-46.

Salaverría, José María de: *La afirmación española.* Barcelona, 1917.

— "Las inquietudes de un novelista", en José García Mercadal. *Antología crítica.* I, pp. 108-11.

— *Nuevos retratos.* Madrid, 1930.

— "Pío Baroja", en Fernando Baeza. *Baroja y su mundo.* II, pp. 143-57.

— *Retratos.* Madrid, 1926.

Salinas, Pedro: *Ensayos de literatura hispánica.* Madrid, 1958.

— *La literatura española del siglo XX.* 2.ª ed. México 1949.

— "Don Pío Baroja y el romance "Plebeyo'" en Fernando Baeza. *Baroja y su mundo.* II, pp. 275-76.

Salvador, Tomás: "Baroja: tópico y antitópico", en *Encuentro con don Pío.* Pp. 75-82.

Sánchez Mazas, Rafael: "Baroja de frac", en Fernando Baeza. *Baroja y su mundo.* II, pp. 223-25.

— "Baroja de frac", en José García Mercadal. *Antología crítica.* I, páginas 112-15.

Sánchez Silva, José María: "Baroja y cada uno", en Fernando Baeza. *Baroja y su mundo.* II, pp. 314-15.

Santos, Dámaso: "Para una nueva crítica barojiana", en *Encuentros con don Pío.* Pp. 95-102.

Sarrailh, Jean: "Juan Van Halen, el oficial aventurero", en Fernando Baeza. *Baroja y su mundo.* II, p. 187.
— "Juan Van Halen, el oficial aventurero", en José García Mercadal. *Antología crítica.* II, pp. 45-50.
— "Pío Baroja", en Fernando Baeza. *Baroja y su mundo.* II, pp. 184-86.
— "Pío Baroja", en José García Mercadal. *Antología crítica.* II. páginas 42-49.
Sarrailh, Jean: *Prosateurs espagnols contemporains.* París, 1927.
Sawa, Alejandro: "De mi iconografía", en Fernando Baeza. *Baroja y su mundo.* II, p. 42.
— *Iluminaciones en la sombra.* Madrid, 1910.
Sender, Ramón: "Los pequeños monstruos de Baroja". *Cuadernos* 35 (mar.-ab., 1959), pp. 43-50.
— "Pío Baroja y su obra", en Fernando Baeza. *Baroja y su mundo.* II, pp. 339-43.
— *Proclamación de la sonrisa.* Madrid, 1934.
— *Unamuno, Valle-Inclán, Baroja y Santayana; ensayos críticos.* México, 1955.
Sequeros, Antonio: *Determinantes históricos de la generación del 98.* Alicante, 1953.
Shaw, D. L.: "A Reply to "Deshumanization', Baroja on the Art of the Novel". *Hispanic Review,* 25, 2 (ab., 1957), pp. 105-111.
— "Two Novels of Baroja: An Illustration of His Technique". *Bulletin of Hispanic Studies,* 40, 3 (1963), pp. 151-59.
Schmitz, Paul (*Dominik Müller*): "Reminiscencia española", en José García Mercadal. *Antología crítica.* II, pp. 196-99.
Sobejano, Gonzalo: *Nietzsche en España.* Madrid, 1967.
— "Solaces del yo distinto. (Estimación de *Juventud, egolatría.*" *Insula,* XXVIII(núms. 308-309 (jul.-ag., 1972), p. 1 y otras.
Solís, Ramón: "Una entrevista con Baroja", en *Encuentros con don Pío.* Pp. 31-38.
Sopeña Ibáñez, Federico: "La música en las *Memorias* de Baroja". *Cuadernos Hispanoamericanos,* núms. 265-267 (jul.-sep., 1972), páginas 621-32.
Sordo, Enrique: "Dos novelas singulares", en Fernando Baeza. *Baroja y su mundo.* I, pp. 14-56.
Soriano, Elena: "De "La familia de Errotacho' a "Locuras de Carnaval' ", en Fernando Baeza. *Baroja y su mundo.* I, pp. 207-21.
— "La obra de Baroja durante la República". *Cuadernos,* núm. 35 (mar.-ab., 1959), pp. 51-59.
Soto Vergés, Rafael: "Baroja: Una estilística de la información". *Cuadernos Hispanoamericanos,* núms. 265-267 (jul.-sep., 1972). páginas 135-142.
Soupault, Philippe: "El aislamiento de Pío Baroja", en Fernando Baeza. *Baroja y su mundo.* II, pp. 386-90.
— "El aislamiento de Pío Baroja", en José García Mercadal. *Antología crítica.* II, pp. 32-39.

206   TERESA GUERRA DE GLOSS

Sueiro, Daniel: "Las negras siluetas de los agarrotados de Baroja", en *Encuentros con don Pío.* Pp. 195-200.
Templin, E. H.: "Pío Baroja and Science" *Hispanic Review,* XV (1947), pp. 165-92.
— "Pío Baroja: Three Pivotal Concepts". *Hispanic Review,* XII (1944), pp. 306-29.
Tijeras, Eduardo: "El relativismo en Baroja". *Cuadernos Hispanoamericanos,* núms. 265-267 (jul.-sep., 1972), pp. 363-70.
Torre, Guillermo de: "Pío Baroja", en Fernando Baeza. *Baroja y su mundo.* II, pp. 267-74.
Torrente Ballester, Gonzalo: "La lucha por la vida", en Fernando Baeza. *Baroja y su mundo.* I, pp. 125-37.
Trend, J. B.: "Pío Baroja y sus novelas", en Fernando Baeza. *Baroja y su mundo.* II, pp. 106-08.
Umbral, Francisco: "El Madrid de Baroja", en *Encuentros con don Pío.* Pp. 169-74.
Unamuno, Miguel de: *De esto y de aquello.* 4 vols. Buenos Aires, 1950-1954.
— "Opiniones sobre Baroja", en José García Mercadal. *Antología crítica.* I, pp. 49-50.
— "Vidas sombrías", en Fernando Baeza. *Baroja y su mundo.* II, páginas 11-12.
Valera, Juan: "Aventuras, inventos y mixtificaciones de Silvestre Paradox", en Fernando Baeza. *Baroja y su mundo.* II, pp. 15-17.
— "Aventuras, inventos y mixtificaciones de Silvestre Paradox", en José García Mercadal. *Antología crítica.* I, pp. 45-48.
Varios: *Barojiana.* Madrid, 1972.
— *Encuentros con don Pío. Homenaje a Baroja.* Madrid 1972.
Vaz de Soto, José María: "Baroja, crítico literario". *Cuadernos Hispanoamericanos,* núms. 265-267 (jul.-sep., 1972), pp. 302-27.
— "El ejemplo de Baroja". *Revista de Occidente,* 2.ª ed., VI, 62 (mayo, 1968), pp. 174-34.
Vázquez Montalbán, Manuel: "La pervertida sentimentalidad de Pío Baroja", en *Barojiana.* Pp. 155-76.
Vázquez-Vigi, A. M.: "Introducción al estudio de la influencia barojiana en Hemingway y Dos Passos". *Cuadernos Hispanoamericanos,* núms. 265-267 (jul.-sep., 1972), pp. 169-203.
Vázquez Zamora, Rafael: "Cuentos y novelas cortas", en Fernando Baeza. *Baroja y su mundo.* I, pp. 77-91.
Vila Selma, José: "La conciencia histórica en Pío Baroja". *Cuadernos Hispanoamericanos,* núms. 265-267 (jul.-sep., 1972), pp. 249-69.
Villarino, María de: "Pío Baroja en el destierro", en José García Mercadal. *Antología crítica.* II, pp. 313-18.
Wright, William A., ed.: *The Complete Works of William Shakespeare.* New York, 1936.
Yndurain, Domingo: "Teoría de la novela en Baroja". *Cuadernos Hispanoamericanos,* núm. 233 (mayo, 1969), pp. 355-88.

Zulueta, Luis de: "Padres e hijos", en José García Mercadal. *Antología crítica*. I, pp. 152-55.

Zumuel, Dr: "Baroja médico visto por otro médico". (Por qué fue médico Baroja y por qué dejó de serlo)", en *Encuentros con don Pío*. Pp. 159-67.

Zunzunegui, Juan Antonio de: *En torno a Don Pío Baroja y su obra*. Bilbao, 1960.

OBRAS SOBRE EL GENERO AUTOBIOGRAFICO

Bates, Ernest S.: *Inside Out, an Introduction to Autobiography*. New
    York, 1937.
Burr, Anna R.: *The Autobiography, a Critical and Comparative Study*.
    Boston and New York, 1909.
— "Sincerity in Autobiography". *Atlantic Monthly*, CIV (oct., 1909),
    pp. 527-36.
Butler, R. A.: *The Difficult Art of Autobiography*. Oxford, 1968.
Clark, Arthur M.: *Autobiography: Its Genesis and Phases*. Edinburgh,
    1935.
Gibbon, Edward: *Autobiography*. London & New York, 1911.
Gill, W. A.: "The Nude in Autobiography". *Atlantic Monthly*, CIX (jan.,
    1907), pp. 71-79.
Griggs, Edward H.: *Great Autobiographies; Types and Problems of
    Manhood and Womanhood*. New York, 1908.
Hoggart, Richard: "A Question of Tone: Some Problems in Autobio-
    graphical Writing". *Essays by Divers Hands*, XXXIII (1965), pági-
    nas 18-38.
Howells, William D.: "Autobiography". *Harper's Monthly*, CVIII (feb.,
    1904), pp. 478-82.
— "Autobiography, a New Form of Literature". *Harper's Monthly*,
    CXIX (oct., 1909), pp. 795-98.
Jones, P. Mansell: *French Introspectives. From Montaigne to Andre
    Gide*. London, 1937.
Keating, John E.: *Autobiography as Inner History: A Victorian Genre*.
    Tesis doctoral inédita de la Universidad de Illinois, 1950.
Major, John C.: *The Role of Personal Memoirs in English Biography
    and Novel*. Philadelphia, 1935.
Mallery, Richard D.: *Masterworks of Autobiography; Digests of Ten
    Great Classics*. Garden City: New York, 1946.
Misch, Georg: *A History of Autobiography in Antiquity*. 2 vols. London
    1950.
Morris, John N.: *Versions of the Self; Studies in English Autobiogra-
    phy from John Bunyan to John Stuart Mill*. New York, 1966.
Naik, D. G.: *Art of Autobiography*. India, 1962.
Nicolson, Sir Harold George: *The Development of English Biography*.
    London, 1927.
— "Of Autobiographies". *Atlantic Monthly*. XCVIII (dec., 1906).
Padover, Saul Kussiel: *Confessións and Self-portraits, 4600 Years of
    Autobiography*. New York, 1957.
Shumaker, Wayne: *English Autobiography, Its Emergence, Materials
    and Form*. Berkeley: University of California Press, 1954.
Starobinski, Jean: "Le style de l'autobiographie". *Poetique*, 3 (1970),
    pp. 257-65.
Wethered, Herbert N.: *Curious Art of Autobiography, from Benvenuto
    Cellini to Rudyard Kipling*. London, 1956.